Maryannick
Drapi...
N

GW00384630

Ferguson
Dorset

COLLECTION FOLIO

Karen Blixen

Contes d'hiver

TRADUIT DE L'ANGLAIS PAR
MARTHE METZGER

Gallimard

Titre original :

WINTER TALES

© *Gyldendalske Boghandel, 1942.*
© *Éditions Gallimard, 1970, pour la traduction française.*

Karen Blixen est née en 1885 à Rungstedlund, près de Copenhague, dans une famille aristocratique. Son père, le capitaine Wilhelm Dinesen, avait écrit de célèbres *Lettres de chasse*. Karen Blixen étudie les Beaux-Arts à Copenhague, suit des cours de peinture à Paris, en 1910, et à Rome, en 1912. Elle épouse en 1914 son cousin, le baron Bror Blixen Finecke, dont elle divorcera en 1922.

De 1914 à 1931, elle habite au Kenya, où elle est propriétaire d'une ferme. Cette partie de sa vie lui inspire son livre le plus connu, *La Ferme africaine*. Elle avait débuté dès 1907 en écrivant des récits dans un journal littéraire danois, sous le pseudonyme de Osceola. Elle signera ses livres de divers noms : Isak Dinesen, Pierre Andrézel, Karen Blixen. Et elle écrira tantôt en anglais, tantôt en danois.

Loin du côté vécu et presque autobiographique de *La Ferme africaine*, l'autre versant de son œuvre est marqué par des œuvres d'imagination fantastique et baroque, comme les *Sept contes gothiques* et les *Contes d'hiver*.

Tel est cet auteur, à part dans son pays et dans son temps. Karen Blixen est morte en 1962. Quand il reçut le prix Nobel, Ernest Hemingway, qui a chanté lui aussi les paysages de l'Est africain, déclara qu'il regrettait qu'on ne l'ait pas plutôt donné à l'auteur de *La Ferme africaine*.

Histoire du petit mousse

Le navire *La Charlotte* faisait voile de Marseille à Athènes par temps gris, et sur une mer démontée, après trois jours de tempête. Simon, le petit mousse, cherchait, malgré le balancement du navire, à garder son équilibre sur le pont humide, en se retenant à une voile. Il levait les yeux vers les nuages emportés par le vent et sur la vergue du grand perroquet. Un oiseau avait cherché refuge dans la mâture, et il s'était empêtré dans les cordages. Il faisait là-haut des efforts désespérés pour se dégager. Debout sur le pont, le gamin voyait l'oiseau battre des ailes et tourner la tête de tous côtés. Simon avait appris, par l'expérience de sa propre vie, qu'il ne faut compter sur l'aide de personne en ce monde, mais que chacun doit se tirer d'affaire seul. Cependant, ce combat muet et tragique le fascinait.

— Quel est donc cet oiseau ? se demandait-il.

Au cours des dernières journées, beaucoup d'oiseaux étaient venus se percher sur le gréement du trois-mâts *La Charlotte* : des hirondelles, des cailles et un couple de faucons-pèlerins. Le jeune garçon pensait que l'oiseau devait être un faucon-pèlerin. Il se rappelait que, bien des années auparavant, dans son pays, il avait aperçu tout près de sa maison un faucon-pèlerin perché sur une pierre; mais il s'était envolé tout de suite.

Simon se dit : « Cet oiseau est comme moi : autrefois, il était là-bas... maintenant, il est ici. »

Il se sentait lié au faucon par une sorte de camaraderie, par le sentiment de participer à une tragédie commune, et, le cœur battant, il contemplait l'oiseau. Comme il n'y avait aux alentours pas un seul marin pour se moquer de lui, Simon réfléchit au moyen de grimper le long des haubans pour délivrer le faucon. Il rejeta ses cheveux en arrière, retroussa ses manches, promena un long regard sur le pont et commença son ascension. Le balancement des agrès l'obligea à s'arrêter par deux fois. Arrivé au sommet du mât, il vit qu'il avait affaire, en effet, à un faucon-pèlerin.

Celui-ci renonça à ses efforts quand sa tête et celle de Simon furent au même niveau, et il jeta au gamin un regard furieux de ses yeux jaunes et désespérés. Simon dut le retenir d'une main, tout en tirant de l'autre son couteau pour couper l'entrelacement des cordes. Il fut pris d'angoisse en regardant au-dessous de lui, mais en même temps il se sentit fier de n'avoir obéi à l'ordre de personne et d'avoir tenté l'aventure de sa propre initiative : la mer, le ciel, l'oiseau et lui-même ne faisaient plus qu'un, et tout à coup il fut rassuré.

A l'instant où il délivra le faucon, le garçon faillit le lâcher, car l'oiseau lui fendit le pouce d'un coup de bec si fort que le sang coula. Simon se fâcha et riposta par une gifle sur la tête de l'animal, qu'il enfonça dans sa veste pour entreprendre la descente.

En arrivant sur le pont, il y trouva le second et le cuisinier qui l'apostrophèrent rudement : qu'avait-il donc à faire au sommet du mât ?

Simon était si fatigué que ses yeux se remplirent de larmes. Il sortit de dessous sa veste le faucon, qui resta tout tranquille dans ses mains, et il le montra aux deux hommes. Le second et le cuisinier se mirent à rire et s'en allèrent ; mais Simon déposa le faucon par terre, sur le pont, curieux de voir ce qu'il allait faire. Au bout d'un moment, il se dit que l'oiseau était incapable de s'envoler tant qu'il resterait sur ces planches glissantes, et il le posa sur un morceau de toile à voile. Un peu après, le faucon commença à lisser ses plumes puis, d'un coup d'aile, il prit son vol.

Le gamin le suivit des yeux et le vit planer sur la mer grise et agitée, et il pensait : « C'est mon faucon qui vole là-bas ! »

Quand *La Charlotte* revint au port, Simon signa son engagement à bord d'un autre bateau, et deux ans plus tard il était matelot de deuxième classe sur la goélette *Hébé*, mouillée à Bodö, tout au nord de la côte norvégienne, pour y prendre un chargement de harengs.

Les navires affluaient de tous les coins du monde au grand marché de harengs de Bodö. On y voyait des bateaux suédois, finnois ou russes ; c'était dans le port une forêt de mâts et, à terre, un grouillement de vie turbulente, sans compter la cacophonie des langues diverses et des nombreuses bagarres.

Sur le rivage, des barques avaient été amarrées et des Lapons, petits hommes jaunes, aux gestes silencieux et aux regards attentifs, venaient vendre des objets de cuir brodé de perles. Simon n'avait jamais vu de Lapons.

On était en avril; le ciel et la mer étaient si clairs qu'il était difficile de ne pas fermer les yeux devant cette éblouissante lumière qui s'étendait à l'infini. Un infini salé, plein de cris d'oiseaux tellement stridents qu'on aurait cru entendre quelqu'un aiguiser des couteaux invisibles dans tous les coins de l'horizon. La lumière de cette soirée d'avril surprenait Simon. Il ignorait la géographie et n'attribuait pas la clarté à la latitude de Bodö, mais il y voyait une preuve de la bienveillance de l'univers à son égard.

Le jeune garçon avait toujours été petit pour son âge, mais il avait grandi et s'était fortifié pendant le dernier hiver. Cette heureuse chance, pensait-il, devait provenir de la même source que la douceur de l'air. C'était une nouvelle faveur qui lui était accordée. De tout temps il avait eu besoin d'être soutenu, encouragé, car il était d'un naturel timide, mais à présent il n'en demandait pas plus qu'il ne lui était accordé. C'était son affaire à lui de se charger du reste. Il circulait lentement et fièrement à travers la ville.

Un soir qu'il était en permission à terre, il se dirigea vers la baraque d'un marchand russe, qui vendait des montres en or. Tous les marins prétendaient que ces montres étaient en vil métal et ne marchaient pas, mais ils les achetaient quand même pour en faire parade.

Simon regarda l'étalage pendant un long moment,

mais n'acheta rien ; dans la boutique du vieux Juif il y
avait des marchandises diverses, entre autres une
caisse d'oranges. Simon avait goûté des oranges au
cours de ses voyages ; il en acheta une et l'emporta
dans l'intention de sucer le fruit sur une colline d'où il
apercevait la mer.

Comme il atteignait les limites de la ville, il aperçut
de l'autre côté d'une palissade une petite fille en robe
bleue qui le regardait. Elle devait avoir de treize à
quatorze ans ; mince comme une anguille, elle avait un
visage rond et frais, semé de taches de rousseur, et
deux longues nattes.

Les regards de Simon et de la petite se croisèrent :

— Que cherchent donc tes yeux ? fit le jeune marin,
pour dire quelque chose.

Un sourire orgueilleux fit briller les yeux de la
fillette, qui répondit :

— Celui que j'épouserai un jour.

L'expression du visage en face de lui rendit Simon
tout joyeux et plein de confiance :

— C'est moi, peut-être ? dit-il.

— Ho ! ho. Celui qui sera mon mari est plus âgé que
toi.

— Voyons donc ! Tu n'es toi-même qu'une petite
fille !

La petite prit un air solennel et hocha lentement la
tête.

— Oui, oui, dit-elle, mais quand je serai grande, je
te garantis que je serai très jolie, et je veux avoir un
chapeau et des souliers à hauts talons.

— Veux-tu une orange ? proposa Simon, qui ne
pouvait rien lui offrir de ce qu'elle demandait.

Elle jeta un coup d'œil sur l'orange, et puis regarda Simon, qui ajouta :

— C'est un fruit très bon à manger.

— Pourquoi alors ne le manges-tu pas, toi ?

— Oh ! j'en ai tant mangé au temps où j'étais à Athènes ; mais celle-ci je l'ai payée un mark.

— Comment t'appelles-tu ? demanda la petite.

— Je m'appelle Simon, et toi ?

— Nora. Que veux-tu que je te donne pour ton orange, Simon ?

En entendant Nora prononcer son nom, Simon fut pris d'une grande audace :

— Veux-tu me donner un baiser en échange ? dit-il.

Nora le considéra pendant un moment avec un grand sérieux, puis elle répondit :

— Oui, je veux bien t'embrasser.

Et Simon eut aussi chaud que s'il avait couru très vite ; et lorsque Nora tendit la main pour recevoir l'orange, il saisit cette main.

Mais, en cet instant, quelqu'un appela Nora de l'intérieur d'une maison :

— C'est mon père, dit la petite fille.

Elle voulut lui rendre l'orange, mais il refusa de la prendre.

— Alors, reviens ici demain, et je te donnerai un baiser, fit-elle en se sauvant vers la maison.

Il la suivit des yeux jusqu'à ce qu'elle eût disparu. Puis il regagna son bateau.

Simon n'avait pas l'habitude de faire des projets d'avenir et il ne savait trop s'il retournerait voir Nora.

Le lendemain soir, il dut rester à bord tandis que les

autres hommes de l'équipage descendaient à terre ;
mais il ne s'en inquiéta guère, pensant rester sur le
pont avec Balthazar, le chien du bateau, et s'amuser à
jouer de l'accordéon, car il avait acheté un petit
instrument quelque temps plus tôt. La soirée était
claire, le ciel faiblement rose de tous côtés ; la mer
parfaitement calme prenait une teinte laiteuse, sauf
dans le sillage de la chaloupe, qui voguait vers le
rivage ; les flots, en se brisant, luisaient du plus pur
indigo.

Au bout d'un moment, la musique de Simon lui
parla avec une telle insistance qu'il s'arrêta de jouer et
leva les yeux. Il vit alors que la pleine lune brillait au
ciel ; mais sa lumière ne paraissait pas du tout
nécessaire tant le ciel était lumineux par lui-même ; on
eût dit que la lune n'y était venue que par caprice. Elle
était toute ronde et avait un air arrogant et un peu
narquois.

A la voir ainsi, Simon comprit *qu'il lui fallait* aller à
terre quoi qu'il dût lui en coûter.

Mais comment partir puisque les autres avaient pris
le youyou ? Le jeune garçon restait indécis sur le pont,
silhouette solitaire d'un petit matelot sur un navire
désert, quand il aperçut un youyou d'un bateau du
port. Il le héla ; l'équipage russe du voilier *Anna* se
rendait sur le rivage. Quand ces hommes comprirent
ce que voulait Simon, ils l'emmenèrent.

La première chose qu'ils firent, ce fut de lui
demander le prix de la traversée ; mais ils le lui
rendirent aussitôt en riant. Simon se disait : ces gens
doivent croire que je vais en ville courir les filles, et son

orgueil en fut flatté ; mais il savait parfaitement que ses
compagnons se trompaient.

Arrivés à terre, les autres l'invitèrent à entrer dans
une taverne pour boire un verre avec eux, et il n'osa
pas refuser à cause de la complaisance qu'ils lui
avaient témoignée.

L'un de ces Russes était un géant ; il avait la carrure
d'un ours. Il dit à Simon qu'il s'appelait Yvan. Il se
soûla dès les premiers moments et se prit pour le jeune
marin d'une affection maladroite, le tapotant de ses
grosses mains, qui ressemblaient à des pattes d'ours,
lui souriant et riant de joie en le regardant. Il lui fit
cadeau d'une montre avec sa chaîne et l'embrassa sur
les deux joues.

En recevant la montre, Simon réfléchit qu'il devait
bien aussi offrir un cadeau à Nora quand il la reverrait,
et, dès qu'il parvint à se débarrasser des Russes, il
courut à une boutique qu'il connaissait et acheta un
petit mouchoir de soie bleue, de la même couleur que
les yeux de la fillette.

C'était un samedi soir et les rues étaient pleines de
monde. Les promeneurs venaient par bandes ; tous
avaient envie de passer la nuit à s'amuser ; quelques-
uns chantaient à pleine gorge. Dans cette foule joyeuse
et débordante de vie, Simon se sentait un peu étourdi
par son escapade et la boisson forte du cabaret. Il
enfonça le mouchoir dans sa poche. Jamais encore il
n'avait touché de la soie.

Ce mouchoir était un cadeau destiné à sa bonne
amie.

Ne se rappelant pas le chemin qu'il fallait prendre
pour aller à la maison de Nora, il s'égara, et se

retrouva à son point de départ après avoir erré longtemps. Il fut alors saisi d'une peur affreuse d'être en retard, et il se mit à courir. Dans un étroit passage entre deux cabanes de bois, il se heurta à un gros homme... Encore une fois, il rencontrait Yvan. Le Russe l'entoura de ses bras, et le retint comme dans un étau, tout en criant : « Quelle chance ! Quelle chance ! J'ai enfin retrouvé mon poulet ! Je t'ai cherché partout ! »

Le pauvre Yvan pleurait parce qu'il avait perdu son ami. Le jeune marin cria : « Laisse-moi ! » mais Yvan ne l'écouta pas.

— Ho ! ho ! fit-il, je ne te lâcherai pas ; je t'accompagnerai partout où tu voudras aller, et je te donnerai tout ce dont tu auras envie. Mon cœur et mon argent sont à toi, rien qu'à toi, fais-en ce que tu veux. Moi aussi, j'ai eu seize ans, et j'étais un petit agneau de Dieu. Cette nuit je veux de nouveau être ce petit agneau.

— Lâche-moi ! cria encore Simon ; je suis pressé !

Mais Yvan le tenait si serré d'une main qu'il lui faisait mal, et de l'autre, il le caressait en disant :

— Compte sur moi, mon petit ami ; rien ne nous séparera plus. J'entends venir les autres. Nous passerons ensemble une nuit dont tu te souviendras quand tu seras un vieux grand-papa.

Tout à coup il pressa le jeune garçon contre sa poitrine comme un ours qui emporte une brebis.

Simon perdit la tête en sentant le contact odieux de ce corps d'homme, de cette masse de chair tout contre lui. Il vit par la pensée Nora qui l'attendait, svelte et gracieuse comme un petit voilier dans la brume légère, et il se vit, lui, emprisonné dans la chaude étreinte de cet animal velu. De toute sa force il frappa Yvan en criant :

— Je te tuerai, Yvan, si tu ne me lâches pas !

— Va ! Tu me remercieras plus tard ! chantonna Yvan.

Simon fouilla sa poche à la recherche de son couteau, qu'il ouvrit. Comme il ne pouvait lever la main, il enfonça d'un geste furieux la lame sous le bras du gros homme. Presque aussitôt le sang jaillit et coula le long de sa manche. Le chantonnement d'Yvan s'arrêta court ; son étreinte se desserra, et deux grognements sourds montèrent à ses lèvres. Une seconde plus tard, il s'affaissa sur les genoux.

— Pauvre Ivan ! Pauvre Ivan ! murmura-t-il ; puis il tomba face contre terre.

Au même instant, Simon entendit les autres marins qui arrivaient en chantant par une rue latérale. Il prit le temps d'essuyer son couteau et de regarder la flaque de sang qui s'élargissait sous le grand corps écroulé... puis il prit ses jambes à son cou.

L'espace d'une seconde il s'arrêta pour choisir le chemin qu'il allait prendre. Derrière lui, les marins poussaient des cris d'effroi à la vue de leur camarade. Simon se dit : « Il faut que je descende au rivage pour me laver les mains dans la mer. »

Pourtant il n'en fit rien, et courut dans la direction opposée. Un peu plus tard il se trouva sur le sentier qu'il avait suivi la veille, et ce sentier lui parut aussi familier que s'il s'y était engagé des centaines de fois. Il ralentit le pas ; regarda autour de lui, et soudain aperçut Nora debout de l'autre côté de la barrière, comme la veille ; elle était tout près de lui dans la clarté lunaire.

Chancelant, hors d'haleine, il tomba à genoux, incapable de parler. La petite fille le regardait.

— Bonsoir, Simon ! dit-elle. Je suis restée longtemps à t'attendre. — Et elle ajouta un peu après, presque timidement : j'ai mangé l'orange.

— Nora ! s'écria le jeune garçon, j'ai tué un homme !

Stupéfaite, elle le considéra les yeux dilatés, mais sans faire un geste.

— Pourquoi l'as-tu tué ?

— Pour venir ici, car il voulait me retenir ; il était mon âme.

Se redressant, Simon dit encore en fondant en larmes :

— Il m'aimait.

Nora reprit lentement, et comme absorbée par ses pensées :

— Tu voulais venir ici sans me faire attendre ?

— Peux-tu me cacher ? demanda Simon ; car ils sont à ma poursuite.

— Non, répondit Nora. Je ne peux pas te cacher. Mon père est passeur à Bodö, et il les laissera te prendre s'il apprend que tu as tué un homme.

— Alors, donne-moi quelque chose pour m'essuyer les mains.

— Qu'est-ce qui est arrivé à tes mains ? demanda Nora, en faisant un pas vers lui.

Il lui tendit ses deux mains.

— Est-ce ton propre sang ?

— Non, c'est le sien !

Nora refit en arrière le pas qu'elle avait fait en avant.

Simon s'écria :

— Tu me hais ! n'est-ce pas ?

— Non, je ne te hais pas, mais mets tes mains derrière le dos.

Il fit ce qu'elle lui demandait, et elle, s'approchant de lui de l'autre côté de la palissade, jeta ses bras autour du cou du jeune garçon ; elle pressa son corps svelte entre les intervalles de la palissade et embrassa Simon.

Le contact de son visage était doux et frais comme le clair de lune, et Simon eut un vertige quand elle le lâcha.

Ce baiser avait-il duré une seconde ou une heure ?

Nora restait debout devant lui, les yeux grands ouverts :

— Maintenant, dit-elle avec fierté, je te promets que jamais je ne me marierai si ce n'est avec toi.

Simon cachait toujours ses mains dans son dos, comme si elle les avait attachées.

— Mais, à présent, sauve-toi ! dit-elle, car ils viennent.

Ils restèrent une minute les yeux dans les yeux, puis elle dit :

— N'oublie pas Nora !

Alors il se retourna, et s'enfuit.

Il sauta par-dessus une clôture, et par-dessus une autre encore ; mais quand il se trouva entre les maisons, il ralentit le pas. De quel côté devait-il aller ? En passant devant une porte derrière laquelle il entendait de la musique et un bruit de voix, il poussa le vantail et entra.

La salle était pleine de gens qui dansaient à la lumière d'une lampe à pétrole suspendue au plafond par une chaîne. Un nuage de poussière montait du plancher. Il y avait plusieurs femmes dans la pièce, mais beaucoup d'hommes dansaient entre eux, et ils riaient, se balançaient, tapaient du pied.

Un moment après l'entrée de Simon, la foule se retira contre les murs pour laisser la place à deux marins, qui s'exhibaient dans une danse de leur pays. Simon pensa : « Dans un instant les hommes d'équipage du bateau vont entrer ici en quête du meurtrier de leur camarade, et, en voyant mes mains, ils sauront que c'est moi qui ai tué Yvan. »

Les quelques minutes qu'il passa le dos appuyé contre le mur de la salle de danse, au milieu de ces danseurs joyeux et couverts de sueur, furent de grande importance pour Simon. Il avait l'impression de grandir en ces courts instants et d'être brusquement devenu un homme comme les autres. Il ne maudit pas son destin et ne se plaignit pas : Simon avait tué un homme et il avait embrassé une jeune fille... que demander de plus à la vie ? La vie, elle, ne lui en demandait pas davantage. Simon était un homme pareil aux autres hommes qui l'entouraient ; il allait mourir comme tous les autres mourraient un jour.

Il ne fit pas attention à ce qui se passait dans la salle avant de s'apercevoir qu'une femme venait d'entrer. Elle s'arrêta au milieu de la pièce et promena ses regards de tous côtés.

C'était une vieille femme, large et courtaude, en

costume lapon, et elle se dressait sous la lampe avec
une fierté majestueuse comme si toute la maison lui eût
appartenu.

On voyait bien que la plus grande partie de
l'assistance la connaissait et la craignait un peu malgré
les rires de quelques hommes. Quand elle éleva la voix
et parla, tout le monde se tut dans la salle de danse.

— Où est mon fils ? dit-elle d'une voix perçante, qui
rappelait un cri d'oiseau.

Une seconde plus tard, elle fixait Simon du regard,
et elle fendit la foule qui s'ouvrit sur son passage, puis
elle avança sa vieille main noire et décharnée et prit le
jeune homme par le bras en disant :

— Rentrons chez nous ; tu n'as pas besoin de
danser ici cette nuit. Il t'arrivera peut-être encore de
devoir faire des bonds plus hauts que ceux dont tu as
envie maintenant !

Simon recula un peu ; il la croyait prise de boisson.
Mais, lorsqu'elle le regarda en face de ses yeux jaunes,
il eut l'impression que ce n'était pas leur première
rencontre, et qu'il ferait bien de l'écouter parler. La
vieille femme le tira à sa suite à travers la pièce, et il la
suivit sans dire un mot.

— Ne lui donne pas une trop forte raclée, à ton
garçon, Sunniva ! cria un des hommes dans l'assistance.

— Il n'a rien fait de mal ; il avait simplement envie
de voir danser les autres.

Au moment où Sunniva et Simon franchissaient la
porte, il y eut un grand bruit dans la rue, et un flot de
gens se précipita vers la maison. Un des coureurs

s'arrêta et jeta un coup d'œil du côté de Simon ; puis il reprit sa course.

Pendant que le jeune garçon et sa compagne suivaient les ruelles entre les cabanes, Sunniva tendit le bord de sa jupe à Simon et dit : « Sèche tes mains à cet ourlet. »

Ils ne mirent pas longtemps à se trouver devant une petite maison de bois. Sunniva s'arrêta ; la porte était si basse qu'il fallait se baisser pour entrer. La vieille Lapone précédait Simon. Avant de pénétrer dans la cabane, il leva la tête ; la nuit s'était voilée de brume, et la lune avait un halo.

La chambre de la vieille femme, petite et sombre, ne possédait qu'une seule fenêtre. Une lanterne posée par terre déversait une faible lumière. Des peaux de rennes et de loups remplissaient l'étroit espace, sans compter des bois de rennes, dont les Lapons fabriquent des boutons et des manches de couteaux. La cabane sentait le rance ; il y faisait étouffant.

Dès qu'ils furent entrés, la femme se tourna vers Simon et, de ses mains dures et décharnées, elle sépara ses cheveux par une sorte de raie et les aplatit en arrière des deux côtés à la manière lapone ; puis elle lui enfonça jusque par-dessus les oreilles un bonnet de Lapon et recula de quelques pas pour contempler son œuvre.

— Assieds-toi sur mon escabeau ! dit-elle ; mais auparavant, sors ton couteau de ta poche !

Sa voix et ses gestes exprimaient une telle autorité que Simon ne songea même pas à résister à ses ordres. Il s'assit sur l'escabeau, les yeux fixés sur ce visage plat et brun, dont toutes les petites rides disparaissaient presque sous une couche de graisse et de saleté.

Tandis qu'il restait à contempler Sunniva, il entendit qu'on courait dans la rue. Puis quelqu'un frappa à la porte, s'arrêta un moment, et frappa encore.

La vieille femme prêta l'oreille, mais elle resta silencieuse comme une souris. Le jeune garçon se leva :

— C'est à moi qu'ils en veulent ! dit-il ; inutile de me cacher ; il vaut mieux pour toi que tu me laisses les rejoindre.

— Donne-moi ton couteau ! dit Sunniva.

Quand il le lui tendit, elle enfonça la lame droit dans son propre pouce ; le sang gicla et elle le fit couler sur toute sa robe, puis elle cria : « Entrez donc ! »

La porte s'ouvrit, laissant passer deux des marins russes. Ils restèrent sur le seuil ; d'autres gens encombraient la rue. Les Russes demandèrent :

— Quelqu'un est-il entré chez toi ? Nous sommes à la recherche d'un homme qui a tué notre camarade, mais il nous a échappé. As-tu vu ou entendu quelque chose par ici ?

La vieille Lapone se tourna droit vers eux ; ses yeux brillaient comme de l'or à la lueur de la lanterne.

Elle cria :

— Vous me demandez si j'ai vu ou entendu quelque chose ?... Oui ! je vous ai entendu crier : « A l'assassin ! » dans toute la ville. Vous nous avez épouvantés, moi et mon pauvre imbécile de garçon que vous voyez là. Je me suis coupé le doigt tant j'ai eu peur, en décousant cette peau de renne. Le garçon est trop effrayé pour m'aider, et voilà mon tapis perdu ! Je vous ferai payer cela. Si vous cherchez un assassin, fouillez donc ma maison, et je saurai bien vous reconnaître si nous nous rencontrons de nouveau.

Elle était si furieuse qu'elle sautait d'un pied sur l'autre en agitant sa tête, comme fait un oiseau de proie en colère.

Les Russes entrèrent, firent le tour de la pièce du regard, considérèrent la main rouge et la robe couverte de sang.

— Ne prononce pas de malédiction contre nous, Sunniva ! dit l'un d'eux d'un ton craintif. Nous savons que tu sais faire bien des choses si tu le veux. Tiens ! Prends ce mark pour la peau abîmée et pour le sang que tu as perdu !

Sunniva tendit la main, et quand l'homme posa la pièce de monnaie sur sa paume, elle cracha dessus :

— Allez-vous-en maintenant ! dit-elle, et il n'y aura pas de sang entre nous !

Quand elle eut refermé la porte sur eux, elle se mit à sucer son pouce en riant sous cape. Le jeune garçon se leva et alla se planter devant elle, d'un air effaré. Il avait l'impression de planer, ses pieds ne touchant plus le sol.

— Pourquoi es-tu venue à mon secours ? dit-il.

— Tu ne me reconnais donc pas encore ? Pourtant tu te rappelles le faucon-pèlerin, dont les pattes étaient empêtrées dans le réseau des cordages de ton bateau *La Charlotte* pendant que vous voguiez sur la Méditerranée ? Ce jour-là, tu as grimpé dans les haubans du grand mât pour secourir ce faucon par grand vent et forte mer. Ce faucon, c'était moi.

« Nous autres, Lapons, nous nous envolons parfois

sous l'aspect de faucons pour voir un peu le vaste
monde. La première fois que je t'ai rencontré, j'étais en
route pour l'Afrique, où j'allais faire une visite à ma
petite sœur et ses enfants. Ma sœur est un faucon
comme moi quand l'envie lui en prend. A ce moment-
là, elle habitait Tagaunga, dans une vieille tour en
ruine, qu'on appelle là-bas un minaret. »

Sunniva emmaillota son doigt dans un pan de sa
robe, et le mordit.

— Nous n'oublions pas, nous autres, dit-elle. Je
t'avais mordu le doigt quand tu m'as prise ; il n'était
que juste que je me coupe le pouce pour toi cette nuit.

Elle s'approcha de Simon et frotta doucement deux
de ses doigts, pareils à des griffes, contre son front :

— Tu es donc un garçon capable de tuer un homme
plutôt que d'arriver en retard au rendez-vous avec ta
bonne amie ! Or, dans ce monde, chez les femmes, ce
qui touche les unes touche les autres. A présent, je vais
faire une marque sur ton front : les filles te voudront
du bien à cause de cette marque.

Après cela, Sunniva joua un peu avec les cheveux de
Simon et les enroula autour de ses doigts :

— Écoute, mon petit oiseau ! fit-elle ; le beau-frère
de mon arrière-petit-fils a son bateau à l'ancre dans le
port en ce moment. Il doit livrer un chargement de
peaux à un navire danois et te ramènera à temps à ton
bateau avant le retour de tes camarades. La *Hébé* fera
voile demain matin, n'est-ce pas ? Quand tu seras sain
et sauf à bord, rends mon bonnet à celui qui t'aura
emmené !

Elle prit alors le couteau de Simon, l'essuya et le lui
rendit :

— Voilà ton couteau! Tu ne l'enfonceras plus dorénavant dans le corps d'un homme; ce ne sera plus nécessaire, car à partir d'aujourd'hui tu parcourras les mers comme un vrai et fidèle marin. Nos garçons nous font bien assez de soucis sans qu'ils aient besoin de se massacrer les uns les autres.

Le jeune garçon, tout décontenancé et étourdi, balbutia quelques mots de remerciement, mais Sunniva reprit :

— Attends encore un peu pendant que je laverai ta veste. Je vais te faire une tasse de café pour que tu reprennes tes esprits!

Elle posa sur l'âtre une vieille bouilloire de cuivre, et quelques instants plus tard, elle versa un liquide noir dans une tasse sans anse, et dit :

— Maintenant, tu as bu avec Sunniva, tu as bu un peu de sagesse, de sorte qu'à l'avenir tes pensées ne tomberont pas comme des gouttes de pluie dans la mer salée.

Lorsque Simon eut vidé la tasse et l'eut déposée sur la table, la vieille femme le prit par le bras et le conduisit jusqu'à la porte, qu'elle ouvrit. Il fut surpris de voir que l'aube était proche. On apercevait au loin la mer recouverte d'un beau brouillard laiteux.

Il tendit la main à Sunniva pour lui dire adieu.

Elle ne le quittait pas du regard et répéta :

— Nous n'oublions pas, nous autres. Toi, tu m'as tapée sur la tête au sommet du mât, je vais te rendre ton coup.

Et elle le frappa sur l'oreille si fort qu'il vit tout vaciller autour de lui, comme s'il se fût trouvé en haute mer.

— Nous voilà quittes ! conclut Sunniva, en le regardant de ses yeux brillants de malice, et elle le poussa dehors.

Du seuil, elle lui fit encore quelques signes de tête.

C'est ainsi que le jeune matelot rejoignit la *Hébé*, qui devait lever l'ancre le lendemain vers midi.

Il vécut assez longtemps pour pouvoir raconter lui-même cette histoire.

Le jeune homme à l'œillet

Il y a trois quarts de siècle, on voyait à Anvers, non loin du port, un petit hôtel du nom d'*Hôtel de la Reine*. C'était une maison simple et honorable, où séjournaient les capitaines de vaisseau et leurs épouses.

Un soir du mois de mars, un jeune homme, plongé dans la plus noire mélancolie, se présenta à l'*Hôtel de la Reine*.

En montant du port, où il avait débarqué d'un navire anglais, il avait l'impression d'être la créature la plus malheureuse et la plus solitaire qui fût au monde. Il se disait qu'il n'avait personne à qui parler de sa détresse, car, aux yeux de tous, il paraissait être sans doute un favori de la fortune, digne d'être envié par ses semblables.

Ce jeune homme était un écrivain, dont le premier livre avait eu un grand succès, suscitant l'enthousiasme du public et l'unanimité des éloges de la critique.

La vente de cette œuvre lui avait rapporté une grosse somme, à lui qui jusqu'alors vivait dans la pauvreté.

Le livre décrivait le sort cruel réservé aux enfants

pauvres, sort qu'il avait connu lui-même par expérience ; et son sujet lui avait valu d'entrer en contact avec des partisans des réformes sociales dans divers pays. Il avait été reçu avec empressement dans les milieux les plus cultivés, et venait même d'épouser la fille d'un savant célèbre, une ravissante personne qui l'adorait.

A présent, il se rendait en Italie pour y terminer une deuxième œuvre, dont il emportait le manuscrit dans sa valise. Sa femme avait quitté l'Angleterre un peu avant lui, car elle désirait revoir au passage à Bruxelles l'ancienne école où elle avait fait ses études.

— Cela me fera du bien, avait-elle dit en riant, de ne plus penser qu'à toi, et de ne plus parler que de toi.

Ce jour-là, elle l'attendait certainement à l'*Hôtel de la Reine,* ne désirant que s'occuper de lui, et rien que de lui.

Tout cela semblait fort réjouissant. Mais les choses n'étaient pas telles qu'elles semblaient être, bien au contraire. Le jeune écrivain songeait avec amertume que, dans son cas, une sorte d'influence démoniaque avait tout bouleversé. Quoi d'étonnant si le désespoir s'emparait de lui !

Il avait été pris dans une trappe, et s'en était aperçu trop tard, car il savait, sans que rien pût ébranler cette certitude, qu'il n'écrirait plus jamais un grand livre. Il n'avait plus rien à dire, et le manuscrit dans sa valise n'était qu'un amas de paperasses, qui pesait au bout de son bras. Il se rappelait un verset de la Bible, car, dans son enfance, il avait été à l'École du dimanche :

« Je ne suis digne que d'être jeté dehors et foulé aux pieds. »

Comment oserait-il se retrouver face à face avec
ceux qui l'aimaient et avaient eu confiance en lui : le
public, ses amis, sa femme ? Jusqu'à présent, il n'avait
jamais douté de leur affection ; il leur était plus cher
que tout ce qui les concernait eux-mêmes ; ce qui le
touchait, lui, les touchait au premier chef, parce qu'ils
croyaient en son génie et voyaient en lui un grand
artiste.

Mais si son génie l'avait abandonné, il ne lui restait
qu'une alternative dans l'avenir : ou bien le monde le
mépriserait et se détournerait de lui ; ou bien on
continuerait à l'aimer, bien qu'il ne valût rien en tant
qu'artiste. Il reculait d'horreur à la pensée de cette
seconde hypothèse, lui qui d'ordinaire n'avait peur de
rien. Si pareille éventualité se réalisait, le monde
n'était qu'un espace vide, une caricature, un asile de
fous. Le mépris, le bannissement, la ruine, tout était
préférable à cela. La pensée de sa renommée ajoutait à
son désespoir. Dans le passé, lorsqu'il était malheureux, et envisageait parfois de se jeter dans la rivière, il
ne s'agissait que de son propre sort. Aujourd'hui, il
était célèbre ; sa vie se passait à la lumière d'un
projecteur ; une centaine d'yeux étaient braqués sur
lui ; son échec et son suicide seraient l'échec et le
suicide d'un auteur de grand renom.

Cette pensée lui donnait envie de vomir.

Tous ces malheurs cependant n'étaient que secon-
daires à ses yeux, car, en mettant même les choses au
pire, il pourrait se tirer d'affaire sans le secours
d'autres gens. Il n'avait pas pour eux une très haute
estime, et il les verrait disparaître, public, amis,
épouse, avec beaucoup moins de regrets qu'ils ne

sauraient se le figurer eux-mêmes, pourvu qu'il pût rester l'ami de Dieu.

Son ardent amour pour le Seigneur et la certitude que le Seigneur l'aimait en retour plus que ses autres créatures l'avaient soutenu aux jours de la pauvreté et de l'adversité. Il avait été pénétré de reconnaissance quand sonna l'heure du succès et quand la renommée et la richesse furent son partage. Il lui sembla que son bonheur consacrait et scellait son intimité avec Dieu, et prenait ainsi, et seulement ainsi, sa valeur réelle.

Maintenant, il comprenait que Dieu se détournait de lui. Du reste, puisqu'il n'était pas un grand artiste, pourquoi Dieu l'aurait-il aimé ? Et comment se serait-il encore approché de Dieu pour implorer son secours, lui, incapable du moindre trait d'esprit fulgurant ou de la moindre trouvaille spirituelle ou tragique ?

La terrible vérité s'imposait à lui : privé de l'aide de Dieu, il ne valait pas mieux que le reste des hommes.

Peut-être réussirait-il encore une fois à tromper le monde, mais il ne tromperait pas Dieu, et il ne s'était jamais trompé lui-même.

Il voyait clairement qu'il n'était plus, aux yeux de Dieu, que ce que le manuscrit, qui pesait si lourd dans sa valise, était à ses propres yeux : une mascarade. Il était brouillé avec Dieu ; comment continuer à vivre ?

Ses pensées suivaient leur propre cours et lui apportaient de nouveaux motifs de souffrance.

Il se rappela subitement le verdict sévère prononcé par son beau-père sur la littérature moderne. Le vieux monsieur s'était écrié, en frappant la table de son poing : « La caractéristique de ce temps est la superficialité ; tout ce qu'il produit manque de poids et n'a plus de profondeur. Quelle différence avec ton œuvre, mon cher ami ! »

D'ordinaire, les opinions de son beau-père n'avaient guère d'importance pour le jeune auteur, mais en cet instant de découragement complet, il restait anéanti au souvenir des paroles du vieux monsieur : œuvre superficielle ! C'était bien le mot dont le public et la critique stigmatiseraient ses écrits quand la vérité se ferait jour.

Son livre les avait émus parce qu'il décrivait les souffrances des pauvres ; mais, s'il ne s'agissait que de les émouvoir, il aurait aussi bien pu décrire les souffrances des rois. Il avait parlé de la pauvreté naturellement et en connaissance de cause. Maintenant qu'il était riche, il n'avait plus rien à dire des pauvres et n'avait plus envie non plus de s'occuper de leur sort.

« Superficiel ! Superficiel ! » Ce mot ne cessait de résonner en lui comme un écho de ses pas dans la rue déserte.

Tout en se livrant à ces tristes méditations, il se dirigeait lentement vers l'hôtel. La nuit était froide ; un petit vent glacial lui soufflait au visage. Il leva les yeux vers le ciel et se dit qu'il allait pleuvoir.

Ce malheureux jeune homme s'appelait Charlie Despard. Mince et de frêle apparence, il paraissait tout petit dans cette longue rue. Bien qu'il eût déjà trente ans, il avait l'air très jeune, et on lui aurait facilement donné dix-sept ans. Il avait des cheveux noirs, un teint sombre, des yeux bleus, un visage étroit, et son nez était légèrement recourbé d'un côté. Ses mouvements frappaient par leur aisance, et il se tenait très droit,

même en cet instant, en dépit du poids de sa valise et
de son humeur mélancolique. Son confortable pardessus à carreaux, ainsi que tous ses vêtements, avaient
l'air d'être portés pour la première fois ; d'ailleurs, ils
étaient tout neufs.

Après avoir cheminé ainsi pendant un bon moment,
Charlie Despard finit par se demander s'il ne serait pas
mieux dans une maison que dans la rue, et il décida de
boire un verre de cognac dès son entrée à l'hôtel.

Depuis quelque temps, il cherchait l'oubli de son
tourment dans l'alcool. Parfois le remède le consolait,
mais parfois il restait inefficace. Charlie pensait aussi à
sa jeune femme qui l'attendait dans sa chambre à
l'*Hôtel de la Reine* ; peut-être dormait-elle ? Pourvu
qu'elle n'ait pas fermé la porte à clef, l'obligeant à la
réveiller. S'il pouvait éviter de lui parler, sa présence le
réconforterait un peu malgré tout.

Elle était si jolie ; elle l'aimait tant !

C'était une grande jeune femme aux cheveux blonds
et aux yeux bleus, au teint lisse comme du marbre. Sa
beauté aurait pu être qualifiée de « classique » si le
haut de son visage n'eût pas été un peu court et étroit
en comparaison du bas. Le même défaut se retrouvait
dans tout son corps : le buste court ne correspondait
pas à la longueur des jambes.

Elle s'appelait Laura.

Son regard était grave et doux, et ses yeux clairs se
remplissaient de larmes à la moindre émotion, et
surtout lorsque l'admiration qu'elle éprouvait pour lui
la submergeait. Mais à quoi lui servait toute cette
tendresse ?

En réalité, il n'était même pas le mari de Laura ; elle

avait épousé un être irréel, créé par son imagination, et lui, il restait dans le froid du dehors.

Quand il entra à l'hôtel, il n'eut plus envie de boire du cognac, mais, sans s'arrêter plus de quelques secondes dans le vestibule, qui lui parut comparable à une tombe, il demanda au parloir si sa femme était arrivée. Le vieil employé répondit que Madame était bien arrivée, et avait dit que Monsieur ne viendrait que plus tard. Il s'offrit à porter la valise du voyageur dans sa chambre, mais Charlie avait l'impression que c'était à lui de se charger de son fardeau. Il demanda simplement le numéro de la chambre, puis monta l'escalier et suivit le couloir tout seul. A sa grande surprise, la porte n'était pas fermée à clé ; Charlie entra avec soulagement. N'était-ce pas là une première petite faveur que lui accordait le destin ?

La pièce dans laquelle il entra était dans une demi-obscurité ; seul un bec de gaz au-dessus de la table de toilette projetait une faible lumière ; un parfum de violette flottait dans l'air : Laura avait sans doute acheté des fleurs à son intention et les lui offrirait quand elle se réveillerait en lui récitant quelques vers d'un poème.

Charlie regarda autour de lui en se déchaussant et il se dit : « Cette chambre, tapissée de bleu et garnie de rideaux rouges, a eu envers moi une attitude amicale ; je penserai toujours à elle avec amitié. »

Lorsqu'il se fut mis au lit, il ne parvint pas à s'endormir. Une horloge du voisinage sonna les quarts à deux ou trois reprises. Charlie Despard avait sans doute perdu la faculté du sommeil et n'allait plus jamais la retrouver. Il pensa : « Cet état de choses provient de ce que je suis déjà mort. Pour moi, il n'existe plus de différence entre la vie et la mort. »

Tout à coup, sans avertissement, car il n'avait pas entendu de bruit de pas dans le couloir, quelqu'un tourna doucement la poignée de la porte. Charlie avait fermé cette porte à clé après être entré, et quand la personne arrêtée dans le couloir s'en aperçut, elle attendit un moment, puis essaya derechef de tourner la poignée ; puis elle sembla y renoncer. Cependant, elle ne s'éloigna pas, mais tambourina quelques mesures d'une petite mélodie sur le vantail de la porte, puis répéta son entreprise.

Le silence régna pendant quelques secondes, après quoi l'inconnu siffla un fragment de la même mélodie.

Charlie eut peur que le bruit ne finît par réveiller sa femme ; il enfila donc sa robe de chambre et alla ouvrir la porte avec toutes les précautions possibles. Le couloir était plus éclairé que la chambre ; une lampe était suspendue au mur au-dessus de l'entrée.

Un jeune homme blond, et de haute taille, était debout en face de Charlie. L'élégance de ses vêtements surprenait dans un hôtel comme l'*Hôtel de la Reine* : il était en habit ; son pardessus, jeté sur ses épaules, ne cachait pas l'œillet fixé dans sa boutonnière. Cette fleur rose et fraîche prenait un air romantique sur ce costume de soie noir et blanc. Mais ce qui frappa Charlie, dès qu'il regarda l'inconnu, ce fut l'expression de son visage. Charlie n'avait jamais vu rien de pareil au ravissement, d'une douceur à la fois humble et extatique, qui brillait dans ses traits. Un ange venu du ciel n'aurait pu manifester joie plus délirante.

L'écrivain qui le regardait subit pendant quelques

instants la contagion de ce bonheur. Puis il s'adressa à l'autre en français, car il tenait pour certain que le français était la langue maternelle de ce jeune Anversois distingué. Charlie parlait aussi très bien le français, qu'il avait appris pendant son apprentissage chez un coiffeur français de Londres.

— Que voulez-vous ? demanda-t-il ; ma femme dort et je voudrais bien aussi qu'on me laissât dormir en paix.

Le jeune homme à l'œillet était visiblement aussi étonné, voire stupéfait, en voyant Charlie, que Charlie l'avait été en le voyant, mais la joie extraordinaire qui le transfigurait l'emplissait au point que son visage mit un certain temps à changer d'expression et à prendre celle d'un homme du monde bien élevé en face d'un de ses pareils. L'embarras, cependant, ne fit pas tout à fait disparaître la joie qui brillait dans ses yeux quand il répondit à Charlie :

— Pardonnez-moi ! Je regrette infiniment de vous avoir dérangés, vous et votre femme ; j'ai dû commettre une erreur ; c'est un malentendu.

Charlie ferma la porte et retourna se coucher. Un coup d'œil jeté à sa femme lui montra qu'elle s'était assise dans son lit. Charlie lui dit brièvement, car elle n'était sans doute qu'à moitié réveillée : « Je crois que l'homme qui est entré avait trop bu. »

En effet, Laura n'était pas bien réveillée, car elle se recoucha sans dire un mot, et Charlie l'imita à l'instant même. Mais il était à peine couché qu'il fut en proie à une immense agitation. Il sentait qu'un événement irréparable venait de se produire, sans qu'il comprît aussitôt si cet événement était un mal ou un

bien. Une sorte de lumière surnaturelle d'une éclatante blancheur, dirigée vers lui, lui avait été enlevée,
le laissant ébloui et comme paralysé dans les ténèbres
de la nuit. Mais, peu à peu, l'impression prit forme et
devint une souffrance bouleversante, comparable à
une crampe. Car Charlie le comprenait à présent : la
splendeur même, le but, la signification de la vie lui
avaient été révélés : le jeune homme à l'œillet les tenait
dans sa main. Le bonheur infini que reflétaient ses
traits, ce bonheur existait quelque part en ce monde,
mais lui, Charlie, il ne savait pas où, cependant, n'en
avait-il pas eu connaissance jadis ?... Comment cette
connaissance lui avait-elle échappé ?

Aujourd'hui, il se sentait perdu à tout jamais... ô
Dieu ! Dieu du ciel ! Comment avait-il donc été amené
à cet instant fatal, où son chemin s'était écarté de celui
que suivait le jeune homme à l'œillet ?

Charlie comprenait maintenant que la mélancolie,
dont il avait souffert depuis quelques semaines, n'était
qu'un pressentiment de son anéantissement inélucta-
ble. Dans son angoisse mortelle — car il se sentait en
vérité près de la mort —, il cherchait à s'accrocher à
une dernière planche de salut, essayant de retrouver
dans les ténèbres quelques souvenirs des éloges les plus
enthousiastes décernés à ses livres ; mais il ne lui fallut
pas une minute pour rejeter ces encouragements
comme s'ils le brûlaient. C'était là, précisément là, que
résidait la cause de sa damnation : dans les louanges
des critiques, l'empressement des éditeurs, l'illusion
du public et de sa propre épouse. Tous ces gens
réclamaient des livres et, pour que leur volonté

s'accomplisse, transformaient tout tranquillement un être vivant en un imprimé.

Il s'était laissé séduire par les êtres les moins séduisants du monde entier, qui l'avaient obligé de vendre son âme pour un prix qui n'était qu'une expiation.

« Je mettrai l'inimitié, songeait-il, entre l'auteur et ses lecteurs, entre sa semence et leur semence ; ils t'écraseront la tête, mais tu les blesseras au talon. »

« Pourquoi m'étonner que Dieu ait cessé de m'aimer ? pensait-il. N'ai-je pas délibérément gâché les trésors qui appartiennent à Dieu : le clair de lune, la mer, l'herbe verte, l'amitié, l'amour, les combats, pour les mots qui les décrivent ? » Aujourd'hui, il n'avait plus qu'à s'asseoir dans une chambre et à écrire par centaines des mots, et encore des mots, pour être porté aux nues par la critique.

Et, pendant ce temps, de l'autre côté du mur, le couloir menait vers la lumière, qui illuminait le visage du jeune homme à l'œillet.

Combien de temps était-il resté couché, plongé dans ses pensées ?... Charlie l'ignorait ; peut-être avait-il pleuré ; pourtant, ses yeux étaient secs. Il finit par s'endormir brusquement. Son sommeil ne dura que quelques minutes.

En se réveillant, il avait repris tout son calme et son esprit de décision. Il résolut de s'en aller pour sauver son âme et trouver ce bonheur, qui existait en ce monde, il en était certain à présent.

Sa première démarche consisterait à descendre au port, et à se mettre en quête d'un bateau qui pût l'emmener. La seule idée de ce bateau le tranquillisa.

Il resta au lit une heure encore; puis se leva et s'habilla. Ce faisant, il se demandait quelle opinion le jeune homme à l'œillet avait bien pu avoir de lui, et il se dit : « Il a certainement pensé : *Ah! le pauvre petit bonhomme à la robe de chambre verte*[1] ! »

Charlie fit sa valise en silence.

Il avait eu l'intention de laisser le manuscrit dans la chambre; mais il se ravisa et l'emporta pour le jeter dans la mer et être témoin de sa destruction. Au moment de franchir le seuil, il pensa qu'il serait bien peu courtois de ne pas adresser une parole d'adieu à sa femme endormie. Mais que dire ? Il finit par écrire sur une feuille de son manuscrit : « Je pars ! Pardonne-moi si tu le peux ! » Et il s'en alla.

Dans la loge, le portier somnolait sur son journal.

« Je ne verrai plus jamais cet homme, se dit Charlie, je n'ouvrirai plus jamais cette porte. »

Le vent s'était calmé; il pleuvait. La pluie chuchotait et murmurait tout autour du promeneur nocturne. Il ôta son chapeau; en quelques secondes, ses cheveux furent trempés, des gouttes d'eau ruisselèrent sur son visage. Ce contact frais et inattendu devait avoir un sens, une raison d'être.

Charlie suivit la rue par laquelle il était venu; c'était la seule qu'il connût à Anvers. Tout en marchant, il croyait sentir qu'il n'était plus tout à fait indifférent au reste du monde, ni tout à fait isolé. Les éléments épars de l'univers étaient en train de se réunir et de prendre une forme unique, sans doute celle même du Malin, et le Malin le tirait par la main ou par les cheveux.

---

1. En français dans le texte.

Plus tôt qu'il ne s'y attendait, Charlie se trouva sur le quai, sa valise à la main et ses regards fixés sur les flots.

Ils étaient profonds et sombres ; les reflets des réverbères jouaient dans les vagues, tels de petits serpents. La première impression de Charlie fut que cette eau était salée. La pluie descendait sur lui d'en haut ; l'eau salée venait à sa rencontre d'en bas : les choses étaient telles qu'elles devaient être ; et il resta longtemps à contempler les bateaux ; l'un d'eux allait l'emporter. Les coques s'estompaient, gigantesques dans la nuit pluvieuse. Leurs ventres recelaient des choses mystérieuses ; elles étaient grosses de toutes sortes de possibilités, porteuses de destins inconnus.

Combien ces vaisseaux, entourés d'eau de tous côtés, lui étaient supérieurs ! Ils flottaient ; la mer salée les menait partout où il leur plaisait d'aller. En les contemplant, il sentait un courant de sympathie venir à lui de ces énormes masses ; elles étaient chargées d'un message à son adresse. Mais, au commencement, il ne comprit pas ce message ; et puis, il trouva le mot juste dont il fallait qualifier la nature de ces bateaux : c'était « superficiel » : ils restaient à la surface de l'eau. C'est en cela que résidait leur puissance. Le danger pour un bateau, c'est d'aller au fond des choses, d'échouer. Les vaisseaux sont creux, c'est le secret de leur existence ; les plus grandes profondeurs sont à leur service tant qu'ils restent creux.

A cette pensée, un flot de bonheur envahit le cœur de Charlie, et il se mit à rire dans la nuit.

« Mes amis ! se disait-il, j'aurais dû venir vous trouver il y a longtemps ! O voyageurs magnifiques !

Voyageurs en surface, voyageurs courageux qui triomphez des abîmes ! Je vous serai reconnaissant pendant ma vie entière. Dieu vous maintienne à flot, ô vaisseaux ! mes frères ! Que Dieu nous conserve notre pouvoir de rester superficiels ! de rester à la surface des choses ! »

Charlie était transpercé par la pluie ; ses cheveux et son manteau luisaient tant ils étaient mouillés.

« Et maintenant, se dit-il, je tiendrai ma langue ; trop de mots ont rempli ma vie. Je ne me rappelle pas pourquoi j'ai tant parlé. Ce n'est qu'en arrivant ici et que j'ai gardé le silence, tandis que la nuit ruisselait autour de moi, que la vérité des choses m'est apparue. Dorénavant je ne parlerai plus, mais j'écouterai ce que les marins me diront, ces gens familiers avec les vaisseaux qui flottent, et qui ne cherchent pas à connaître le fond des choses. J'irai jusqu'au bout du monde en me taisant. »

A peine avait-il pris cette décision qu'un homme vint vers lui et lui demanda :

— Cherchez-vous un bateau pour vous embarquer ?

« Ce doit être un marin, pensa Charlie ; il a tout à fait l'air d'un singe bienveillant. »

C'était un homme trapu, au teint basané et dont le visage était encadré d'un collier de barbe.

— Oui, je cherche un bateau, répondit Charlie.

— Quel genre de bateau ?

Charlie allait répondre : « L'Arche de Noé du temps du Déluge dont vous avez certainement entendu parler » ; mais il comprit à temps que l'autre le croirait fou, et il dit :

— J'ai envie de monter sur un bateau pour faire un grand voyage.

Le marin cracha dans l'eau et se mit à rire, puis il répéta :

— Faire un grand voyage ! Tiens, tiens ! Tu fixais l'eau avec une telle intensité, que j'étais sur le point de croire que tu voulais t'y jeter.

— M'y jeter ? Et vous m'auriez sauvé ? Mais, voyez-vous, il est trop tard à présent pour que j'aie besoin d'être sauvé. Vous auriez dû venir hier soir, c'était le bon moment. La seule raison qui m'a empêché de me noyer hier soir, c'est le manque d'eau. Voici l'eau... Voici l'homme... bon !... si l'eau vient à lui, il se noie. Ceci prouve que le plus grand écrivain commet des erreurs, et que personne ne devrait jamais devenir un écrivain.

Pendant ce temps, le marin avait conclu que le jeune étranger avait dû boire un coup de trop, et il dit :

— C'est bien ! mon garçon, que vous soyez revenu sur vos idées de suicide ! Allons ! Passez votre chemin, et bonne nuit !

Ces paroles désappointèrent fort Charlie, qui avait trouvé que la conversation se poursuivait admirablement.

— Mais, ne puis-je venir avec vous ? demanda-t-il au marin.

Le marin répondit :

— Je vais à l'*Auberge de la Croix du Midi* pour y boire un verre de rhum.

— Quelle excellente idée ! J'ai beaucoup de chance de rencontrer un homme qui a des idées pareilles.

Ils se rendirent ensemble à la *Croix du Midi*, toute

proche du quai, et y trouvèrent deux autres marins que
le compagnon de Charlie connaissait ; il les présenta
au jeune homme, disant que l'un était second maître,
et l'autre subrécargue ; lui-même était second lieutenant d'un petit bâtiment à l'ancre au-delà du port.
Charlie fouilla sa poche, qu'il trouva pleine de billets
qu'il avait emportés pour son voyage :

— Apportez-moi une bouteille de votre meilleur
rhum pour ces messieurs, dit-il au garçon, et une tasse
de café pour moi.

Dans l'état d'esprit où il se trouvait, il n'avait pas
envie de boire de l'alcool ; il en avait réellement peur,
mais il trouvait difficile d'expliquer son cas à ses
compagnons. Il dit : « Je bois du café... — il faillit
dire : à la suite d'un vœu, mais il se ravisa — à la suite
d'un pari. Il y avait un vieux bonhomme sur un
bateau, c'est, soit dit en passant, un de mes oncles, et il
paria que je ne pourrais pas me passer d'alcool
pendant une année ; mais, si je gagnais le pari, son
vaisseau serait à moi. »

— Vous en êtes-vous abstenu ? demanda le capitaine.

— Oui, par Dieu ! dit Charlie, j'ai refusé un verre
d'alcool il n'y a pas douze heures, et si mes paroles
vous font croire que je suis soûl, je ne le suis que de
l'odeur de la mer.

Le second maître posa une autre question :

— L'homme qui a fait avec vous ce pari était-il
petit, avec un gros ventre, et borgne par-dessus le
marché ?

— Mais oui, c'est mon oncle ! s'écria Charlie.

— En ce cas, je l'ai rencontré, dit le second, en me

rendant à Rio, et il m'a offert le même pari, mais je n'ai pas voulu l'accepter.

On apporta les consommations, et Charlie emplit les verres ; il roula une cigarette, et se délecta de l'arôme du rhum, de la tiédeur confortable de la salle et du parfum du tabac. A la faible lumière de la suspension, les trois visages de ses nouvelles connaissances apparaissaient rouges et joyeux et Charlie se sentait heureux et fier en leur compagnie ; il pensait à part soi : « Comment ils en savent plus long que moi ! »

Il était lui-même très pâle, comme à chaque émotion.

— J'espère que le café te fera du bien, dit le capitaine ; tu as l'air d'avoir la fièvre.

— Ce n'est pas la fièvre qui me tourmente, mais je viens d'avoir un grand chagrin.

Les autres prirent des airs apitoyés et lui demandèrent quel était son chagrin.

— Je vous le dirai, répondit Charlie ; il vaut certainement mieux en parler que de le cacher, bien que j'aie été persuadé du contraire il y a peu de temps encore. Je possédais un singe apprivoisé que j'aimais beaucoup ; il s'appelait Charlie ; je l'avais acheté jadis à une vieille femme qui avait une maison close à Hong-kong. Nous avions dû, elle et moi, le faire sortir en fraude de chez elle à l'heure creuse de midi, sinon les filles nous auraient tués ; elles ne voulaient pas s'en séparer, car il était pour elles un véritable frère. Pour moi aussi il a été un véritable frère ; il connaissait toutes mes pensées et ne me quittait jamais. Il avait appris à faire toutes sortes de tours avant de vivre avec moi, et il en apprit encore davantage chez moi. Mais, quand nous sommes rentrés en Angleterre, il n'a pas pu s'habituer à la nourriture anglaise, et encore moins aux dimanches anglais. Aussi est-il tombé malade ; son état de santé n'a cessé de s'aggraver et, un lundi, il est mort.

— Voilà qui est fâcheux ! dit le capitaine avec sympathie.

Charlie reprit :

— Oh oui ! c'est bien triste, surtout quand il s'agit du seul être au monde que l'on aime, que cet être est un singe, et qu'il est mort !

Le lieutenant, avant l'arrivée de Charlie et de ses compagnons, avait raconté au second une histoire, qu'il répéta aux nouveaux arrivés. C'était une triste histoire.

Ce lieutenant avait quitté Buenos Aires avec une cargaison de laine. Au bout de cinq jours de navigation dans le détroit, le bateau avait pris feu, et l'équipage, après avoir lutté toute la nuit contre l'incendie, s'était embarqué au matin dans les canots de sauvetage et avait abandonné le navire. Malgré de graves brûlures aux mains, le subrécargue avait ramé pendant trois jours et trois nuits, de sorte que, lorsqu'un grand vapeur vint au secours des naufragés, l'enflure des mains était telle que la chair s'était collée aux rames, et que jamais plus le subrécargue n'avait pu redresser trois doigts de sa main droite.

— Alors, dit-il, je suis resté à contempler cette main, et j'ai juré solennellement que le diable n'avait qu'à se saisir de moi et me garder si jamais, en retrouvant la terre ferme, je reprenais la mer.

Les autres marins hochèrent gravement la tête à ce récit, et l'interrogèrent sur sa situation :

— Moi, dit-il, j'ai pris un engagement pour Sydney.

Le second décrivit une tempête dans la baie de Biscaye, et le capitaine parla d'une tourmente de neige dans la mer du Nord, qu'il avait essuyée à l'âge de douze ans, au temps où il était mousse. On l'avait mis aux pompes, et si bien oublié qu'il était resté à pomper onze heures durant, n'osant pas quitter son poste.

— A ce moment-là, moi aussi, j'ai juré, conclut-il, de ne jamais remettre le pied sur un navire.

En écoutant les autres, Charlie pensait : « Ces hommes sont des gens raisonnables et savent de quoi ils parlent ; car ceux qui voyagent pour leur plaisir quand la mer est calme et n'a pour eux que sourires ne connaissent rien à l'amour quand ils déclarent qu'ils aiment la mer. Ce sont les marins, qui ont été battus et maltraités par la mer, qui l'ont maudite et envoyée au diable, qui sont ses véritables adorateurs. La même loi s'applique sans doute aux relations entre maris et femmes. Il faut que je m'instruise auprès de ces hommes, et qu'ils m'apprennent la sagesse, car je ne suis qu'un enfant comparé à eux. »

L'attention silencieuse de Charlie révélait aux trois marins le respect et l'étonnement qu'il éprouvait à les entendre. Ils le prenaient pour un étudiant et se sentaient tout contents de lui faire part de leurs expériences. Ils trouvaient aussi que Charlie était un bon amphitryon, car il ne cessait de remplir leurs verres, et chaque fois qu'ils avaient vidé une bouteille, il en commandait une autre. Pour les remercier de leurs histoires, Charlie leur chanta des chansons. Il avait une voix mélodieuse, qui, ce soir-là, lui fit plaisir à lui-même, car depuis longtemps il ne chantait plus.

L'atmosphère devint très amicale ; le capitaine lui tapa sur l'épaule et dit qu'il était un garçon épatant et devait se faire marin.

Mais, lorsqu'un peu plus tard le capitaine se mit à parler avec émotion de sa femme et de ses enfants, dont il venait de se séparer ; et que le second raconta fièrement à la société que deux serveuses de brasserie d'Anvers avaient eu des jumelles au cours des trois derniers mois, des « roussottes » comme leur père, Charlie se rappela sa femme à lui, et se sentit mal à l'aise. « Ces marins, se dit-il, paraissent savoir comment se comporter avec leurs femmes ; sans doute n'y en a-t-il pas un seul d'entre eux qui ait assez peur de sa femme pour s'enfuir loin d'elle en pleine nuit ! S'ils savaient que je l'ai fait, ils me jugeraient plus sévèrement. »

Les marins l'avaient cru bien plus jeune qu'il n'était, de sorte qu'en leur compagnie il se sentait très jeune. Sa femme aussi avait pour lui plutôt les sentiments d'une mère que ceux d'une épouse. Sa vraie mère, bien qu'elle eût été une commerçante respectable, avait quelques gouttes de sang romanichel dans les veines, et jamais les décisions brusques de son fils ne lui avaient causé la moindre surprise. « En vérité, pensait-il, elle restait à la surface des flots et nageait sur l'eau telle une oie majestueuse, pesante et sombre. »

Si, ce soir, il avait pu la rejoindre et lui raconter qu'il avait résolu de partir en mer, cette résolution aurait bien pu lui plaire, et exciter son imagination. La fierté et la reconnaissance, qui lui emplissaient toujours le cœur à la pensée de la vieille femme, se reportèrent, pendant qu'il buvait sa dernière goutte de café, sur la femme jeune qu'il avait épousée. Laura le comprendrait, le soutiendrait.

Il resta quelques minutes à réfléchir.

L'expérience lui avait appris à être prudent lorsqu'il s'agissait de Laura. Auparavant déjà, par une singulière illusion d'optique, ou par aveuglement, il avait eu le dessous dans ses rapports avec elle. Éloigné d'elle, il voyait en sa femme un véritable ange gardien, dont la sympathie et le soutien lui étaient assurés. Mais, lorsqu'il se retrouvait en présence de Laura, il découvrait avec effroi qu'elle était pour lui une étrangère, qui lui rendait l'existence difficile.

Cependant, cette nuit, toutes ces considérations avaient perdu leur actualité : n'était-il pas à l'abri ? N'est-ce pas à lui qu'appartenait le pouvoir ? Il avait pour lui la mer et les navires, et devant lui se dressait le JEUNE HOMME À L'ŒILLET. Des visions grandioses s'ouvraient à lui.

Ici, à l'*Auberge de la Croix du Midi,* il venait de vivre des instants significatifs : il avait vu l'incendie d'un vaisseau ; il avait essuyé une tempête de neige dans la mer du Nord, et assisté au retour d'un marin auprès de sa femme et de ses enfants. Il sentait jaillir en lui une telle puissance que Laura prit pour lui un aspect pathétique, réclamant son aide et sa pitié. Il la revoyait dans l'attitude passive et calme du sommeil ; sa candeur, son ignorance du monde lui serraient le cœur. Tout à coup, il rougit au souvenir de la lettre qu'il lui avait écrite. Il s'en irait le cœur plus léger s'il lui avait expliqué pourquoi il lui fallait partir. « O

foyer, se disait-il, où est ton aiguillon ? Vie conjugale !
Où est ta victoire ? »

Tout à sa méditation, il regardait la table où s'était
répandu un peu de café. S'apercevant que Charlie
n'écoutait plus, les marins finirent par se taire. Le
silence qui régnait autour de lui tira Charlie de sa
rêverie ; il sourit à ses compagnons et dit :

— Je vais vous raconter une histoire avant que nous
rentrions chez nous, une histoire bleue :

« Il y avait une fois un Anglais immensément riche,
qui avait vécu à la cour et avait été un des conseillers
de la reine. Devenu vieux, il ne s'intéressait plus à rien
qu'à sa collection de porcelaines de Chine bleues. Pour
enrichir cette collection, il voyagea en Perse, au Japon,
en Chine. Sa fille, Lady Helena, l'accompagnait partout. En traversant la mer de Chine, son navire prit feu
par une nuit calme, et tout le monde courait aux
canots de sauvetage, abandonnant le bâtiment qui
brûlait. Dans l'obscurité, et par suite de la confusion
générale, le vieux Peter fut séparé de sa fille. Lady
Helena monta tardivement sur le pont, et trouva le
bateau vide. Au dernier moment, un jeune marin
anglais prit avec lui la jeune femme sur un canot
oublié. Les deux rescapés croyaient voir la mer en
flammes autour d'eux par suite de la phosphorescence
et, en levant les yeux, ils aperçurent dans le ciel une
étoile filante, qui parut vouloir tomber dans leur
barque. Ils voguèrent pendant neuf jours, après lesquels un bateau marchand néerlandais les aperçut et
les ramena en Angleterre.

« Le vieux lord avait cru sa fille morte ; il pleura de
joie en la revoyant, et l'emmena immédiatement dans

une ville d'eaux élégante pour qu'elle puisse se remettre des épreuves par lesquelles elle venait de passer. Puis, supposant que Lady Helena serait fort ennuyée qu'un jeune matelot de la Marine marchande vînt raconter qu'il avait passé neuf jours sur l'océan seul avec la fille d'un pair d'Angleterre, il versa une forte somme au garçon, en lui faisant promettre d'aller naviguer dans l'autre hémisphère, et de ne jamais revenir, « car, ajouta le vieux lord, quel avantage pourriez-vous tirer de ne pas m'obéir ? »

« Lorsque Lady Helena fut tout à fait remise et qu'on lui apprit les nouvelles de la cour et de sa famille, on lui raconta aussi que le jeune marin avait été expédié aux antipodes pour ne jamais revenir. Mais la fille du lord parut avoir l'esprit un peu dérangé après tant de souffrances, rien au monde ne l'intéressait plus.

« Elle ne voulut pas revoir le château et le parc de son père, ni paraître à la cour, ni se rendre dans quelque ville du continent, où l'on menait joyeuse vie. Son unique préoccupation dorénavant consista à faire collection de porcelaines chinoises bleues, comme avait fait son père. Aussi se mit-elle à voyager d'un pays à l'autre, et son père l'accompagna.

« Au cours de ses recherches, elle racontait à ceux auxquels elle avait affaire qu'elle était en quête d'une porcelaine d'un bleu spécial, et qu'elle la paierait n'importe quel prix. Mais, bien qu'elle achetât des centaines de vases et de coupes, elle les mettait de côté au bout de peu de temps, en disant : « Hélas ! hélas ! ce n'est pas le bleu que je désire ! »

« Le père, après avoir voyagé pendant plusieurs

années, insinua que la couleur qu'elle cherchait n'existait peut-être pas ; mais Lady Helena s'écria :

« — Oh ! papa ! Comment pouvez-vous prononcer
des paroles aussi cruelles ! Il reste certainement encore
quelques porcelaines du temps où le monde entier était
bleu ! »

« Lorsque les deux tantes de Lady Helena la
supplièrent de revenir en Angleterre, et d'y faire un
mariage selon son rang, elle leur répondit :

« — Non, il faut que je continue à naviguer, car,
sachez-le bien, mes chères tantes, quand les savants
prétendent que les mers ont un fond, ils commettent
une grossière erreur. Bien au contraire, l'eau, le plus
noble de tous les éléments, s'étend sur l'univers entier,
de sorte que notre planète flotte réellement dans l'éther
comme une bulle de savon. Là-bas, dans l'autre
hémisphère, un navire fait voile, et il faut que je le
suive. Nous sommes, lui et moi, comme le reflet l'un de
l'autre dans les eaux profondes. Le navire dont je parle
est toujours exactement sous mon propre navire, de
l'autre côté de la terre. Vous n'avez jamais vu un gros
poisson nager sous un bateau, et le suivre telle une
ombre bleue dans la mer ? C'est de cette façon que
navigue ce navire ; il est comme l'ombre du mien et je
l'attire à ma suite où que j'aille, comme la lune attire la
marée à travers toute la terre. Si je cessais de naviguer,
que feraient ces pauvres marins qui gagnent leur pain
au service de la marine marchande ? Je vais vous
confier un secret : à la fin, mon bateau s'enfoncera
jusqu'au centre de la terre, et, à la même heure, l'autre
navire s'enfoncera également. Les gens appellent cela
« sombrer », mais je vous certifie que dans la mer il

n'y a ni haut ni bas. C'est là, au centre du monde, que nous nous rencontrerons.

« Les années passèrent ; le vieux lord mourut. Helena vieillit aussi et devint sourde, mais elle continua de naviguer.

« Un jour, après le pillage du Palais d'été de l'Empereur de Chine, un matelot apporta à la voyageuse un vase bleu, datant de plusieurs siècles. A l'instant même où elle l'aperçut, Lady Helena poussa un cri terrible :

« — Le voilà ! s'écria-t-elle. Enfin ! Je l'ai trouvé : c'est la véritable couleur bleue ! Oh ! que cette vue me soulage le cœur ! La brise n'est pas plus fraîche ! Nul secret n'est plus profond. Aucune plénitude ne lui est comparable !

« De ses mains tremblantes, Lady Helena pressa le vase contre son cœur, et elle resta six heures à le contempler en extase. Puis elle se tourna vers son médecin et vers sa dame de compagnie, en disant :

« — Maintenant je peux mourir, et quand je serai morte, ôtez mon cœur de ma poitrine et déposez-le dans ce vase bleu, car alors les choses seront de nouveau ce qu'elles ont été jadis. Autour de moi tout sera bleu, et mon cœur sera libre et pur comme les eaux qui chantent, comme les gouttelettes qui tombent des avirons !

« Un peu plus tard, Lady Helena demanda à ses compagnons :

« — N'est-ce pas délicieux de penser que, pourvu qu'on l'attende avec patience, tout ce qui a été autrefois revient à la vie ? La vieille dame mourut peu après. »

A la *Croix du Midi,* il était temps de lever la séance. Les trois marins serrèrent la main de Charlie et le remercièrent pour son rhum et son histoire ; Charlie leur souhaita d'heureux voyages à tous. Le capitaine lui tendit la valise où se trouvait le manuscrit, en disant :

— Tu allais oublier ton bien !

— Non, non ! fit Charlie ; je pensais à te laisser cette valise jusqu'à ce que nous fassions une traversée ensemble.

Le capitaine regarda les initiales que portait la valise :

— C'est une lourde valise, opina-t-il. Renferme-t-elle des objets de valeur ?

— Elle est lourde en effet ; mais c'est bien la dernière fois. La prochaine fois elle sera vide.

Et, avant de prendre congé du capitaine, Charlie nota le nom de son navire.

Quand il se retrouva dans la rue, il fut tout étonné de constater que le jour pointait déjà. La longue file des réverbères projetait une lueur mélancolique dans la grisaille matinale. Une jeune fille mince, aux grands yeux noirs, qui n'avait cessé de passer et de repasser devant l'auberge, aborda Charlie, et, comme il ne répondait pas, réitéra son invitation en anglais. Charlie pensait, en la regardant : « Cette fille aussi fait partie intégrante des bateaux, tout autant que le varech et les coquillages fixés à la quille. Par elle plus d'un brave marin, épargné par la mer, s'est noyé. Mais elle ne coulera pas à pic, et si je l'accompagne maintenant, je ne serai pas en danger pour autant. »

Il fouilla dans sa poche et n'y trouva plus qu'un franc :

— Veux-tu me donner ce qui vaudra un franc ? dit-il.

Elle le considéra sans rien dire, et son visage n'eut pas un tressaillement quand il lui prit la main, ôta le vieux gant et appuya ses lèvres sur la peau rugueuse et molle comme une peau de poisson ; puis il posa la pièce de monnaie sur la paume de la jeune fille et s'en alla.

Pour la troisième fois, il longea la rue entre le port et l'*Hôtel de la Reine*. La ville s'éveillait, et Charlie rencontra quelques passants. Les fenêtres de l'hôtel étaient éclairées, mais il n'y avait personne dans le vestibule quand Charlie y entra. Il était sur le point de monter dans sa chambre lorsque à travers une porte vitrée, il vit sa femme assise dans une petite salle à manger, qui ouvrait sur le vestibule. Il entra dans cette pièce. Le visage de sa femme s'éclaira à sa vue :

— Oh ! te voilà ! s'écria-t-elle.

Il baissa la tête et s'apprêtait à lui baiser la main, quand elle lui dit :

— Pourquoi arrives-tu si tard ?

— Si tard ? dit-il, étonné par cette question, car il avait tout à fait oublié le temps. — Il jeta un coup d'œil sur la pendule placée sur la cheminée, et fit observer : — Mais il n'est que sept heures et demie.

— C'est vrai, mais je t'attendais plus tôt ; je me suis levée pour être prête à ton arrivée.

Charlie s'assit à côté de Laura, près de la table, sans répondre. « Est-il possible, se disait-il, qu'elle ait assez

de force de caractère pour m'accueillir de cette
façon ? »

Elle lui demanda :

— Veux-tu une tasse de café ?

— Non, merci ! J'en ai bu déjà.

Il promena ses regards dans la pièce ; bien qu'il fît à
peu près jour et qu'on eût ouvert les volets, les lampes
à gaz brûlaient encore, ce qui, par suite de la pauvreté
de sa jeunesse, lui avait toujours paru un grand luxe.
La lueur du feu dans la cheminée faisait briller par
endroits le tapis de Bruxelles un peu usé, et le velours
rouge des chaises.

Laura mangeait un œuf. Quand Charlie était petit,
on lui donnait un œuf le dimanche matin. Tout, dans
la salle à manger : la bonne odeur du café et du pain
frais, la nappe blanche, la cafetière de métal étincelant,
prenait un air dominical.

Charlie regarda Laura.

Elle portait sa robe de voyage en tissu gris ; son
chapeau était posé à côté d'elle, et ses cheveux dorés,
entourés d'une résille, luisaient à la clarté de la lampe.
Elle avait un éclat personnel, une pureté émanait
d'elle, et elle semblait définitivement installée sur le
canapé, seul objet fixe dans un monde agité.

Une comparaison s'imposa à Charlie : elle est
pareille à un phare ; un phare solide et majestueux, qui
projette sa douce lumière aux alentours ; il dit à tous
les navires : « Éloignez-vous, car là où se dresse le
phare, il y a des hauts-fonds ou des rochers. La mort
guette tout objet flottant qui s'en approche. »

Arrivé à ce point de ses réflexions, Charlie leva les
yeux, et il croisa le regard de Laura.

— A quoi penses-tu ? lui demanda-t-elle.

Il résolut d'être tout à fait honnête vis-à-vis d'elle, de tout lui avouer ; aussi dit-il lentement :

— Je pense que tu es, dans ma vie, comparable ⸳ ⸳n phare : une lumière persistante qui m'indique la voie à suivre.

Elle le regarda, puis détourna les yeux, qui se remplirent de larmes. Il eut peur de la voir éclater en sanglots, alors même qu'elle avait été si brave jusqu'à présent, et il ajouta :

— Allons dans notre chambre. (L'explication serait plus facile en tête à tête.)

Ils montèrent ensemble, et l'escalier, si long à escalader la nuit précédente, lui parut si facile que Laura s'écria :

— Mais tu montes trop haut ; voilà notre palier !

Elle le précéda dans le couloir et ouvrit la porte de la chambre.

La première observation qu'il fit, c'est que l'air ne sentait plus la violette. Laura aurait-elle, de colère, jeté les fleurs ; ou bien s'étaient-elles toutes fanées après son départ ? La jeune femme s'approcha de lui et appuya sa tête contre l'épaule de son mari. L'image qu'il aperçut par-dessus ses cheveux blonds enfermés dans la résille, lui coupa la parole ; car la table de toilette sur laquelle, la nuit précédente, il avait déposé la lettre à Laura, avait changé de place, et il en était de même du lit. Dans un angle de la chambre se trouvait une psyché, qui n'y était pas auparavant. Cette chambre n'était pas la sienne.

D'un coup d'œil, Charlie remarqua encore d'autres détails : il n'y avait plus de baldaquin au-dessus du lit,

mais une gravure représentant la famille royale belge
ornait le mur, et Charlie n'avait jamais vu cette
gravure.

— As-tu dormi dans cette chambre? dit-il.

— Oui, mais très mal; j'étais tourmentée de ne pas
te voir arriver, et je craignais que tu n'aies une
mauvaise traversée.

— Et personne n'est venu te déranger?

— Mais non! Ma porte était fermée à clé, et je crois
que cet hôtel est très tranquille.

Charlie considérait de l'œil expert d'un romancier
les événements de la veille au soir; ils l'émouvaient
autant que s'il les avait racontés dans un de ses
propres livres.

« Dieu tout-puissant! dit-il du fond de son cœur, en
poussant un grand soupir, autant les cieux sont élevés
au-dessus de la terre, autant les courts récits que tu
crées dépassent ceux que nous créons! »

Il repassa par la pensée tous les détails de son
aventure comme un mathématicien établit ses équa-
tions. Tout d'abord, il se rappela avec une douceur
comparable au goût du miel, le visage à la fois
nostalgique et triomphant du jeune homme à l'œillet.
Puis, comme si une main de fer l'eût saisi à la gorge il
se représenta, presque avec le même plaisir, la terreur
de la femme couchée et les battements du cœur sous le
jeune sein. Pour un peu, il aurait cru que c'était lui
dont le cœur avait battu ainsi.

Hélas! La pauvre jeune créature, qui errait sur les
sentiers défendus, n'avait pas osé tirer le cordon de
sonnette au-dessus de son lit, car pour elle mieux valait
mourir que trahir son amant, et révéler leur rendez-

vous. Elle était d'un naturel timide, et les amoureux
avaient décidé de ne pas fermer la porte à clé à une
heure déterminée, afin qu'elle ne fût pas obligée de se
lever pour ouvrir au jeune homme à l'œillet. Elle
s'était montrée vraiment héroïque à l'heure du péril. Si
l'inconnu muet et terrible, qui était entré chez elle,
avait l'intention de l'étrangler dans son lit, elle serait
morte sans un cri, sans un mot. Elle avait dû frissonner
d'horreur et de dégoût sur ce lit, où elle avait sans
doute tremblé de bonheur. Elle avait dû appeler au
secours Éros et Vénus, les suppliant de la sauver. Et
quand, plus tard, Charlie était parti, et parti également le jeune homme à l'œillet, elle avait certainement
remercié les divinités de l'amour d'avoir préservé sa
vie et son honneur, même au prix de cette heure qui
signifiait plus que la vie et l'honneur pour elle, et qui
maintenant ne reviendrait jamais.

Charlie restait silencieux, absorbé dans cette évoca-
tion, mais sur son visage s'épanouissait un tel sourire
de ravissement et de joie, que Laura, dont la tête
restait appuyée contre son épaule, se redressa pour lui
demander avec surprise :

— A quoi donc penses-tu ?

Charlie lui prit la main ; ses yeux brillaient toujours
d'un éclat radieux quand il répondit lentement :

— Je pense au jardin d'Éden et au chérubin à l'épée
flamboyante ! Non ! se reprit-il, je pense à Héro et
Léandre, à Roméo et Juliette, à Thésée et Ariane, et
aussi au Minotaure. As-tu jamais essayé, ma chérie, de
deviner ce que pouvait bien éprouver le Minotaure en
l'occurrence ?

— Tu vas donc écrire une histoire d'amour, mon troubadour ? dit Laura, en lui souriant aussi.

Il ne répondit pas tout de suite, mais il abandonna la main de sa femme, et après quelques instants il prononça ces mots :

— Que m'as-tu demandé ?

— Je voulais savoir si tu écrivais une histoire d'amour ? répéta timidement Laura.

Charlie ne parut pas l'entendre ; il se leva, s'approcha de la table et posa la main dessus. La lumière éblouissante de la nuit précédente s'était de nouveau levée pour lui ; elle jaillissait de tous côtés, et il se disait confusément que cette clarté provenait aussi de son propre phare à lui. Mais, la veille, la lumière rayonnait vers l'extérieur, s'irradiant sur l'infini de ce monde, tandis qu'en ce moment, elle était centrée sur la chambre de l'*Hôtel de la Reine ;* elle était très brillante. Il parut à Charlie qu'elle lui permettait de se voir lui-même tel que Dieu le voyait, et cette épreuve de force l'obligeait à s'appuyer à la table pour ne pas perdre l'équilibre, tandis que s'engageait le dialogue entre le Seigneur et lui.

Le Seigneur dit :

— Ta femme t'a demandé à deux reprises si tu allais écrire un roman d'amour ? Crois-tu que c'est vraiment ce que tu vas faire ?

— Oui, c'est plus que probable, dit Charlie.

— Ce roman sera-t-il une histoire pleine de charme, qui émeut toujours le cœur des jeunes amants ?

— Je le pense, dit Charlie.

— En es-tu satisfait ?

— Oh ! Seigneur ! Pourquoi m'interroges-tu ?

s'écria Charlie. Comment puis-je te répondre ? Ne suis-je pas un être humain, et puis-je écrire une histoire d'amour sans aspirer à cet amour qui brûle, qui caresse, qui tend les bras ; sans éprouver le désir passionné de serrer contre ma poitrine le corps frémissant d'une jeune femme ?

— Je t'ai donné tout cela hier soir, dit le Seigneur, et c'est toi qui as sauté hors du lit pour mettre entre cette femme et toi le monde entier...

— Je le sais bien, dit Charlie. M'as-tu regardé, alors, Seigneur, et as-tu été satisfait de cette situation tragique ? M'obligeras-tu à être pour toujours celui qui a couché avec la maîtresse du jeune homme à l'œillet ? Et, dis-moi, qu'est-il donc advenu d'elle ? Pourra-t-elle jamais lui expliquer comment se sont passées les choses et quel était celui qui est parti après lui avoir écrit : Je m'en vais ! Pardonne-moi si tu le peux !

— Oui, dit le Seigneur.

— Alors, dis-moi, pendant que nous y sommes, si je suis condamné moi qui chante la beauté des jeunes femmes, à ne recevoir de celles qui vivent sur cette terre aucun don valant plus d'un franc, et jamais rien de plus ?

— Oui ! dit le Seigneur, et tu t'en contenteras.

Charlie fit avec son doigt un dessin sur la table, mais il ne dit rien. L'entretien semblait terminé, mais le Seigneur reprit :

— Qui est-ce qui a créé les bateaux, Charlie ?

— Je n'en sais rien ! Est-ce toi, Seigneur ?

— Bien sûr que c'est moi ! J'ai créé les bateaux sur leurs quilles ; j'ai créé tout ce qui flotte sur l'eau, tout ce qui vole dans les airs ; la lune qui vogue dans le ciel,

les étoiles qui se meuvent dans l'univers; j'ai créé la
marée; les générations qui changent; j'ai créé les
modes, les coutumes... Tu me fais rire, Charlie, car je
t'ai donné le monde entier pour que tu puisses y
naviguer, et rester à la surface de l'eau, et te voilà!
échouant dans une chambre de l'*Hôtel de la Reine,* pour
entamer une querelle avec moi. Écoute-moi donc! Je
veux établir un contrat entre toi et moi, je ne
t'exposerai pas à plus d'épreuves qu'il ne t'en faut
pour pouvoir écrire tes livres.

— Vraiment? dit Charlie.

— Qu'as-tu dit? demanda le Seigneur. En désires-
tu un peu moins?

— Je n'ai rien dit, répondit Charlie.

— Mais il faut que tu écrives ces livres, car c'est
moi qui le veux; ce n'est pas le public, et encore moins
les critiques, c'est moi. Moi...

— Puis-je en être sûr? demanda Charlie.

— Tu n'en seras pas toujours sûr; pas constamment; mais, en ce moment il en est ainsi! Que cela te
suffise!

— Oh! mon Dieu! dit Charlie.

— Me remercieras-tu maintenant de ce que j'ai fait
pour toi cette nuit?

— Je pense, dit Charlie, que nous allons laisser les
choses au point où elles sont, et n'en plus parler.

Laura alla rouvrir la fenêtre. L'air froid du matin
pénétra dans la pièce en même temps que le bruit des
voitures dans la rue, les voix humaines, le chœur
joyeux des moineaux, sans compter l'odeur de la fumée
et du crottin de cheval.

Quand le dialogue entre le Seigneur et Charlie eut

pris fin et que les paroles échangées restaient si vivantes pour lui qu'il aurait pu les transcrire littéralement, il alla à la fenêtre et regarda au-dehors. La ville grise prenait des teintes délicates à la lumière matinale. Un faible rayon de soleil semblait vouloir percer la brume. Les gens sortaient de leurs demeures. Une jeune fille, en pantoufles, portant un châle bleu, courait sur le trottoir. L'omnibus de l'hôtel, attelé d'un cheval blanc, stationnait à la porte, et le portier aidait les voyageurs à en descendre et emportait leurs bagages.

Charlie plongea ses regards dans la rue, qui se trouvait très bas en dessous de lui. « Il y a pourtant une chose, pensa-t-il, au sujet de laquelle je veux remercier Dieu. Il a empêché que je m'empare de ce qui appartenait à mon frère, le jeune homme à l'œillet. Son bien était à ma portée, mais je n'y ai pas touché. »

Il resta un moment à la fenêtre et vit partir l'omnibus. « Où donc, se disait-il, est, à présent, parmi toutes ces maisons, et dans cette matinée grisâtre, le jeune homme de la nuit dernière. Oh, ce jeune homme ! murmura Charlie ; *Oh ! le pauvre jeune homme à l'œillet*[1] ! »

1. En français dans le texte.

Les perles

Il y a environ quatre-vingts ans, un jeune officier de la Garde, cadet d'une vieille famille de la noblesse campagnarde, épousa la fille d'un riche marchand de laine, dont le père était un colporteur venu du Jutland à Copenhague. En ce temps-là un mariage de ce genre était chose rare ; on en parla beaucoup, et une chanson composée à l'occasion fut chantée dans les rues.

La jeune épouse, âgée de vingt ans, était fort belle : très grande, elle avait des cheveux noirs et un teint éclatant. Tout en elle respirait la vigueur, comme si elle eût été faite d'un solide bois de charpente.

Elle avait deux vieilles tantes célibataires, sœurs de son grand-père, le colporteur. La prospérité croissante de la famille les avait brusquement arrachées à une vie de dur labeur et de privations, pour les installer dans un salon luxueux.

L'aînée des deux vieilles dames, ayant entendu parler des fiançailles éventuelles de sa nièce, vint lui faire une visite, et lui conta une histoire au cours de leur conversation.

— Quand j'étais petite, ma chère, le jeune baron Rosenkrantz se fiança à la fille d'un riche orfèvre.

Avez-vous eu connaissance de ce mariage? Votre arrière-grand-mère connaissait cette jeune fille. Le fiancé avait une sœur jumelle, dame d'honneur à la cour. Elle se fit conduire chez l'orfèvre pour voir la fiancée. Après le départ de l'autre, la fiancée dit à son amoureux : « Ta sœur s'est moquée de ma robe, et elle s'est moquée de moi parce que je n'ai pas su lui répondre lorsqu'elle m'a parlé en français. Elle a le cœur dur, je m'en suis aperçue. Si tu veux que nous soyons heureux ensemble, il faut ne plus jamais la revoir. »

« Pour rassurer sa fiancée, le jeune homme promit tout ce qu'elle voulut.

« A quelque temps de là, un dimanche, il emmena la jeune fille dîner chez sa mère. Au retour, elle lui dit : « Ta mère avait les larmes aux yeux en me regardant ; elle espérait pour toi un autre mariage. Si tu m'aimes, tu rompras avec ta mère. »

« Une fois encore, le jeune amoureux promit de faire ce qu'elle voulait, bien qu'il lui en coutât beaucoup, car sa mère était veuve et n'avait pas d'autre fils que lui.

« Cette même semaine, il envoya un bouquet à sa fiancée. Le lendemain, elle lui dit :

« — Je ne puis supporter l'air que prend ton valet quand il me regarde ; il faut le renvoyer le premier du mois prochain.

« — Mademoiselle, répondit le baron Rosenkrantz, je ne puis épouser une femme qui s'émeut de l'air que prend mon valet. Voilà votre bague ! Adieu pour toujours ! »

Tout en parlant, la vieille dame ne cessait de fixer

3

sur sa nièce ses petits yeux brillants. Elle avait un caractère énergique, et, depuis longtemps, elle avait décidé de vivre pour les autres et de se considérer comme la conscience de la famille. Mais, en réalité, n'espérant et ne craignant plus rien pour elle-même, elle était une sorte de vieux et vigoureux parasite pour tout son clan, et surtout pour la jeune génération.

Jensine, la fiancée, jeune personne au sang vif, était une victime choisie pour une tante parasite, d'autant plus que la vieille et la jeune fille se ressemblaient sur bien des points.

Tout en servant le café sans faire mine de rien, Jensine était furieuse, et se disait *in petto :* « Tante Marie me le paiera ! »

Mais, comme il arrivait souvent à la tante et à la nièce, les paroles de l'une se gravèrent profondément dans l'esprit de l'autre, qui les conserva dans son cœur.

Après la bénédiction nuptiale, qui lui fut donnée dans la cathédrale de Copenhague un beau jour de juin, le jeune couple partit en voyage de noces pour la Norvège, et se rendit en bateau jusqu'au fjord de Hardanger. A cette époque, un voyage en Norvège était une entreprise romanesque. Les amies de Jensine lui demandèrent pourquoi elle et son fiancé ne préféraient pas aller à Paris, ou en Italie ; mais elle se réjouissait de commencer sa vie conjugale en pleine nature, et de rester seule avec son mari.

« Je n'ai nul besoin, pensait-elle, d'autres impressions ou d'autres expériences ! » et, dans le fond de son cœur, elle ajoutait : « Dieu me soit en aide ! » Les mauvaises langues de Copenhague prétendaient que le jeune homme s'était marié pour avoir de l'argent, et la jeune fille pour avoir un nom, mais les mauvaises langues se trompaient. Ce mariage était un mariage d'inclination et la lune de miel fut une pure idylle. Jensine eût été incapable d'épouser un homme qu'elle n'aimait pas ; elle éprouvait un respect profond pour le dieu de l'amour, et depuis plusieurs années, elle lui adressait journellement cette brève question :

— Pourquoi donc tardes-tu ?

Maintenant, elle se demandait si Éros n'avait pas exaucé ses prières en lui accordant plus qu'elle ne demandait, et si les romans et les poèmes d'amour, qui ornaient sa bibliothèque de jeune fille, ne l'avaient pas bien insuffisamment renseignée sur la véritable nature de l'amour.

Les paysages norvégiens, témoins des premières expériences que fit Jensine de la passion, accentuèrent encore ses effets bouleversants. Jamais cette contrée n'est plus belle qu'au milieu de l'été. Le ciel était bleu, le parfum doux-amer des cerisiers en fleur emplissait l'air, et les nuits si claires permettaient de lire sans peine à toute heure.

Jensine, en crinoline et pourvue d'un alpenstock, escaladait les montagnes escarpées au bras de son mari, ou même toute seule, car elle était forte et avait le pied sûr. Elle restait en contemplation émerveillée sur les sommets, tandis que le vent faisait flotter ses vêtements.

Sa vie au Danemark et une année de pension à Lübeck lui avaient fait connaître la terre sous l'aspect d'une surface horizontale à peine ondulée. Mais, dans ces montagnes le monde paraissait se dresser verticale-

ment de la manière la plus étrange, tel un gros animal
planté sur ses pattes de derrière sans qu'on sache si
c'est par jeu, ou dans l'intention de vous écraser.
Jamais encore elle n'était montée aussi haut. L'air la
grisait comme s'il eût été du vin. Partout où se
portaient ses regards on n'apercevait que des eaux
courantes se précipitant avec fracas du haut d'énormes
montagnes dans les lacs ou les fjords, et, vues de loin,
c'était un véritable réseau de fils d'argent sur toutes les
pentes, mais, de près, les ruisselets se transformaient
en cascades et torrents impétueux, où se jouaient les
arcs-en-ciel. Il semblait que la nature elle-même riait
ou sanglotait tout haut.

Au-delà, le paysage était si nouveau pour Jensine
que les idées qu'elle s'était faites du monde tour-
noyaient autour d'elle comme faisaient ses vêtements
au souffle du vent.

Mais bientôt ces impressions violentes se concrétisè-
rent sous la forme d'une anxiété profonde, d'un
sentiment de panique jamais éprouvé.

Jensine avait été élevée dans une atmosphère raisonnable et prévoyante. Son père était un honnête commerçant, craignant à la fois de perdre sa fortune et de
tromper ses clients. Ce double danger avait fini par
affecter son système nerveux, de sorte qu'il était tombé
dans la mélancolie et l'hypocondrie.

Sa mère, très pieuse, s'était rattachée au groupe des
Frères moraves de Copenhague, et tous les pauvres de
la ville la connaissaient pour sa grande bonté.

Les deux vieilles tantes faisaient profession de
principes moraux très sévères, et gardaient les yeux
bien ouverts sur le jugement du monde.

Dans son milieu familial, Jensine sentait naître en elle une singulière audace d'esprit; elle aspirait aux aventures. Mais, dans ce paysage d'une romantique sauvagerie, prise par surprise et submergée par des forces inconnues effrayantes qui surgissaient dans sa propre nature, elle cherchait en vain un point d'appui. Mais, où l'aurait-elle trouvé?

Son jeune époux, qui l'avait amenée dans cette contrée, et avec lequel elle restait toute seule, ne pouvait lui venir en aide. Bien au contraire, il était cause du bouleversement qu'elle éprouvait, et aux yeux de Jensine il était aussi, plus que tout autre, exposé aux dangers du monde extérieur, car, très vite après leurs épousailles, Jensine avait compris ce qu'elle avait peut-être obscurément deviné dès leur première rencontre, que celui qu'elle aimait n'avait jamais connu la peur, et ne la connaîtrait jamais sans doute.

Elle avait lu l'histoire de héros et les avait admirés de tout son cœur. Mais Alexandre ne ressemblait pas aux héros des livres de Jensine. Il ne bravait pas les dangers; il ne les surmontait pas; il les ignorait. Pour lui, les montagnes étaient un terrain de jeu, et tous les phénomènes de l'existence, y compris l'amour, étaient ses camarades sur ce terrain.

— Dans cent ans, ma chérie, disait-il, tout cela n'aura plus d'importance.

Jensine ne pouvait s'imaginer comment Alexandre avait vécu jusqu'à ce jour. Elle savait cependant que leurs existences avaient été bien différentes. Aujourd'hui, elle découvrait avec terreur que, dans ce monde inimaginable pour elle, ce monde de sommets et

d'abîmes, elle était entre les mains d'un autre être tout
à fait ignorant des lois de la pesanteur.

Dans ces conditions, les sentiments qu'elle éprouvait
pour Alexandre, évoluèrent. Elle était prise, à la fois,
d'une profonde indignation, comme s'il l'avait délibérément trompée, et d'une extrême tendresse, pareille à
celle qu'aurait pu lui inspirer un enfant sans défense
exposé au plus grand danger.

L'indignation et la tendresse, les deux plus grandes
passions dont elle fût capable, se développèrent avec
une telle rapidité qu'elles finirent par devenir une sorte
d'obsession.

Elle se rappela le conte du gamin qu'on envoie
parcourir le monde pour connaître la peur, et il lui
semblait qu'il était de son devoir d'apprendre la peur à
Alexandre, tant pour son propre bien que pour leur
salut à tous les deux.

Alexandre ne se doutait pas de ce qui se passait dans
l'esprit de sa femme. Il était fort épris d'elle et
l'admirait de tout son cœur. Elle était pure et innocente, et faisait partie d'une famille qui s'était montrée capable de faire fortune grâce à son intelligence et
à son travail. Elle parlait le français et l'allemand, et
ses connaissances en géographie et en histoire étaient
fort étendues. Ses qualités inspiraient un grand respect
à son mari. Il s'attendait d'ailleurs à ce que sa jeune
épouse lui réservât quelques surprises, car ils ne se
connaissaient en réalité que très superficiellement ; ils
ne s'étaient trouvés que deux ou trois fois seuls, avant
leur mariage.

En outre, Alexandre ne prétendait pas comprendre
les femmes, mais il tenait leurs fantaisies imprévisibles

pour un charme de plus. Les sautes d'humeur et les caprices de sa jeune épouse confirmaient la conviction du mari, née d'ailleurs de leur première rencontre, que Jensine était bien la femme qu'il lui fallait. Mais il voulait aussi faire d'elle son amie, car, à la réflexion, il constatait qu'il n'avait jamais eu d'ami véritable. Dans ses conversations, Alexandre ne fit pas mention de ses amourettes passées ; il eût été incapable d'en parler à Jensine, même s'il en avait eu envie ; mais il lui raconta tous les événements de sa vie dont il se souvenait encore.

Un jour, il lui confia qu'il avait joué à Baden-Baden, et qu'après avoir risqué ses derniers sous il avait regagné tout l'argent perdu, et au-delà. Alexandre ignorait que Jensine assise à côté de lui pensait : « C'est un voleur, et même s'il n'a pas réellement volé, il a recelé des biens volés, ce qui ne vaut pas mieux. »

Une autre fois, il plaisanta au sujet de dettes contractées dans le passé. Pour éviter de rencontrer son tailleur, il avait été obligé de se sauver par des ruelles écartées. Ce récit parut à Jensine tout à fait inquiétant. Pour elle, les dettes étaient quelque chose d'abominable, et elle jugeait contre nature la vie d'insécurité, voire de terreur, qu'avait menée Alexandre se fiant à sa chance pour le tirer d'affaire.

« Mais, se disait-elle, la jeune fille riche qu'il a épousée, est venue à point, tel un instrument de la fortune docile, pour le réhabiliter même aux yeux de son tailleur. »

Alexandre lui décrivit aussi un duel qu'il avait eu avec un officier allemand, et lui montra la cicatrice qu'il en avait gardée. Lorsque, après une de ces confidences, son mari la prit dans ses bras sur un des sommets qu'ils avaient escaladés, et en présence de l'immensité des cieux, cette prière muette monta du fond du cœur de la jeune femme : Gethsémani !

Quand Jensine résolut d'apprendre la peur à son mari, elle se rappela l'histoire que lui avait racontée sa tante Marie, et elle se promit solennellement de ne jamais demander grâce ; ce serait le rôle d'Alexandre.

Les relations entre elle et son mari devenant le facteur central de son existence, elle essaya, bien entendu, en premier lieu de l'effrayer en lui faisant envisager la possibilité de la perdre, elle.

Jensine était une jeune femme naïve, et dans sa détresse elle recourut à une stratégie simpliste, rappelant celle qu'appliquent les enfants dans leurs jeux. A partir de ce moment-là, elle fit preuve, dans leurs courses de montagne, de plus de courage et d'audace qu'Alexandre lui-même. Elle s'approchait tout au bord du précipice, s'appuyait sur son ombrelle et interrogeait Alexandre sur la profondeur de l'abîme ; elle s'aventurait sur des ponts étroits et fragiles, jetés au-dessus de torrents écumeux tout en bavardant avec insouciance. En plein orage elle partait seule en barque sur les lacs de montagne. Pendant la nuit, elle revivait en rêve les dangers qu'elle avait courus pendant le jour, et se réveillait en poussant des cris. Son mari la prenait alors dans ses bras pour la calmer.

Cependant Alexandre était stupéfait et troublé de voir cette jeune fille modeste et réservée se transformer en Valkyrie.

Il attribua cette transformation à l'influence de la vie conjugale, et en conçut un certain orgueil.

De son côté, Jensine ne savait plus trop si ses exploits n'étaient pas dus autant aux compliments et aux louanges de son mari qu'à son désir à elle de transformer Alexandre. Elle s'en voulait alors à elle-même, et à toutes les femmes et le plaignait lui, et tous les hommes avec lui.

Parfois Alexandre allait à la pêche. Ces occasions étaient les bienvenues pour Jensine.

Elle jouissait d'être seule et de pouvoir réfléchir en paix. Ces jours-là, elle parcourait la montagne, petite silhouette isolée, vêtue d'une robe de tartan à carreaux. Une ou deux fois, au cours de ces promenades, elle pensa à son père, et au souvenir de son inquiète solitude, les larmes lui montèrent aux yeux. Elle écarta l'image qui se présentait à elle ; il lui fallait être seule pour décider de choses auxquelles son père ne comprenait rien, et ne devait rien comprendre.

Un jour qu'elle se reposait sur un rocher, une bande d'enfants qui gardaient des chèvres s'approcha d'elle ; elle les appela et leur donna des bonbons. Jensine avait adoré ses poupées, et dans la mesure où une jeune fille innocente de cette époque pouvait se le permettre, elle avait désiré des enfants.

En cet instant, elle pensa avec un soudain effroi : « Jamais je n'aurai d'enfants ! Tant qu'il me faudra consacrer toutes mes forces à me défendre contre Alexandre, nous n'aurons pas d'enfants ! »

Cette pensée la désola si fort qu'elle se leva et reprit son chemin.

Pendant une autre de ses courses solitaires, elle se rappela un jeune homme, employé dans les bureaux de son père, qui l'avait aimée. Il s'appelait Peter Skov.

C'était un homme d'affaires de grand avenir ; Jensine
le connaissait depuis toujours. Elle avait eu la rou-
geole, et Peter Skov était venu journellement lui faire
la lecture. C'était Peter Skov qui l'accompagnait au
patinage et qui s'inquiétait de la voir prendre froid, ou
tomber sur la glace. Du haut de la montagne où elle se
trouvait alors, elle apercevait son mari à grande
distance : il paraissait tout petit. « Certes, pensa-t-elle,
je n'ai plus qu'une chose à faire : sur mon honneur, qui
m'appartient encore — cependant elle en doutait
quelque peu —, quand nous reviendrons à Copenhague, Peter Skov sera mon amant. »

Le jour de leur mariage, Alexandre avait offert un
collier de perles à Jensine. Ce collier avait appartenu à
sa grand-mère, qui venait d'Allemagne et passait pour
une beauté et un bel esprit. Elle avait légué le bijou à
Alexandre pour qu'il le donne à sa future épouse.

Alexandre avait beaucoup parlé de sa grand-mère à
Jensine. Il lui avait dit qu'il s'était épris d'elle au début
parce qu'elle ressemblait un peu à cette grand-mère, et
il l'avait priée de porter toujours ces précieuses perles.
Jensine, qui n'en avait jamais possédé auparavant,
en était très fière. Depuis quelque temps, chaque fois
qu'elle sentait le besoin de se calmer, de se rassurer,
elle avait pris l'habitude de jouer avec son collier, et de
le promener sur ses lèvres. Un jour, Alexandre lui dit :
« Si tu continues à tirer sur le cordon, tu vas le
casser ! »

Elle le regarda : pour la première fois, elle le voyait
prévoir un malheur. « Il aimait sa grand-mère, se dit-
elle ! Faut-il donc être morte pour prendre quelque
importance à ses yeux ? » A partir de ce jour, elle

pensa beaucoup à la vieille dame. Elle aussi appartenait à un autre milieu que celui de son mari, et elle
avait été une étrangère dans la famille et son cercle
d'amis. Elle avait pourtant réussi à se faire offrir ce
collier par le grand-père d'Alexandre, et ses descen-
dants se rappelaient cet événement de sa vie. Jensine
en vint à regarder cette aïeule comme sa meilleure
amie dans la famille de son mari. Elle aurait aimé lui
faire une visite de petite-fille à grand-mère, et lui
demander conseil au sujet de ses soucis.

Le voyage de noces touchait à sa fin, et l'étrange
combat, dont seul un des conjoints avait conscience,
n'avait abouti à aucun résultat. Les deux époux étaient
tristes de devoir quitter la Norvège. Toute la beauté de
la nature environnante ne se révélait qu'à présent à
Jensine, qui avait fini par en faire son alliée. Là-haut,
les dangers de la vie sautaient aux yeux ; on ne pouvait
les perdre de vue. A Copenhague, l'existence semblait
assurée, mais pouvait s'avérer plus redoutable encore.
Jensine se représentait en soupirant la jolie maison qui
l'attendait, avec ses rideaux de dentelles, ses lustres de
cristal, son armoire à linge.

Quelle serait sa vie dans ce cadre ?

La veille du départ, Alexandre et Jensine se rendirent en carriole dans un village à six heures de voiture
du petit port où ils devaient s'embarquer. Ils étaient
partis avant le déjeuner, et quand Jensine, en s'as-
seyant à table, ôta son chapeau, le collier de perles se
prit dans son bracelet et se cassa ; toutes les perles
tombèrent par terre, comme si la jeune femme avait
versé un flot de larmes. Alexandre se mit à quatre

pattes pour ramasser les perles, et les déposa une à une
sur les genoux de sa femme.

L'inquiétude qu'éprouvait Jensine n'avait rien de
pénible ; elle avait brisé la seule chose au monde
qu'elle avait peur de briser. Était-ce un présage, et que
signifiait-il pour eux ? Elle demanda à Alexandre :

— Sais-tu combien il y avait de perles ?

— Oui ! répondit-il toujours accroupi sur le plancher. Grand-papa a donné ce collier à grand-maman
pour leurs noces d'or. Il comptait alors cinquante
perles. Et puis après, il en ajouta une de plus chaque
année à l'anniversaire de sa femme. Il y avait donc
cinquante-deux perles. Il est facile de se rappeler ce
nombre, c'est celui d'un paquet de cartes à jouer.

Le jeune homme finit par ramasser toutes les perles.
Ils les réunirent dans le mouchoir de soie d'Alexandre
et Jensine dit : « Je ne pourrai plus les porter avant
notre retour à Copenhague. »

Au même moment, l'aubergiste apporta le café.
Mise au courant de la catastrophe, elle offrit son
secours aux deux jeunes gens : « Le cordonnier du
village, dit-elle, vous remontera votre collier. Il y a
deux ans, un lord anglais et sa femme sont venus avec
toute une société dans nos montagnes. La jeune lady a
déchiré son collier de perles de la même manière que
vous, Madame, et le cordonnier a réparé le dommage à
son entière satisfaction. C'est un vieillard très honnête
quoique bien pauvre et infirme. Dans sa jeunesse, il a
été surpris par une tempête de neige dans la montagne ; on ne l'a trouvé que deux jours plus tard, et il a
fallu l'amputer des deux pieds. »

Jensine dit qu'elle voulait porter ses perles au

cordonnier et l'aubergiste lui indiqua le chemin qui menait à la maison du vieillard.

La jeune femme partit seule pendant que son mari terminait les bagages. Elle trouva le cordonnier dans son petit atelier obscur. C'était un vieux bonhomme petit et mince. Il portait un tablier de cuir, et un sourire timide éclairait ses traits ravagés par de longues souffrances. Jensine compta les perles et les remit gravement entre ses mains. Il les considéra avec attention et promit que la réparation serait faite le lendemain à midi. L'arrangement conclu, Jensine resta encore assise pendant un moment sur une petite chaise, les mains posées sur ses genoux. Pour dire quelque chose, elle demanda le nom de la noble dame anglaise qui avait déchiré son collier ; mais le cordonnier ne s'en souvenait plus.

Jensine parcourait la pièce du regard ; elle était pauvrement meublée, mais au mur on avait fixé quelques images pieuses. Jensine eut l'impression singulière d'être revenue « à la maison » dans cette humble cabane. Un honnête homme, durement éprouvé par le sort, avait habité de longues années dans cette petite pièce ; c'était un lieu de travail, où les difficultés étaient acceptées avec patience. Le souci du pain quotidien y tenait une grande place.

Ses livres de classe étaient encore si vivants dans la mémoire de Jensine qu'elle se rappela brusquement avoir lu au sujet des poissons d'eau profonde :

« Habitués à supporter le poids de milliers de brasses d'eau, ils ne peuvent vivre à la surface de la mer. »

La jeune femme se demandait si elle n'était pas, elle-

même, un de ces poissons, qui ne se sentent à l'aise que
sous la pression de circonstances difficiles. Son père, et
le père de son père n'étaient-ils pas comme elle ?
Qu'advenait-il alors d'un poisson d'eau profonde
lorsqu'il se trouvait lié à un de ces saumons, qu'elle
avait vus en pêchant avec Alexandre, sauter dans les
cascades ; ou encore à un poisson volant, car il existe
des poissons volants ?

Arrivée là dans ses réflexions, elle se leva et prit
congé du vieux cordonnier.

En chemin, elle aperçut un petit homme corpulent,
habillé de noir, qui marchait d'un pas rapide, et elle se
rappela l'avoir déjà vu ; peut-être logeait-il dans la
même auberge que Jensine et son mari ? A l'un des
tournants du sentier se trouvait un banc, d'où l'on
jouissait d'une vue magnifique. L'homme en noir s'y
assit, et Jensine, qui passait à la montagne cette
dernière journée, s'installa à l'autre extrémité du banc.
L'étranger souleva son chapeau. Jensine l'avait pris
pour un homme âgé, mais elle vit qu'il ne devait pas
avoir dépassé la trentaine ; il avait un visage énergique
et des yeux perçants. Quelques minutes plus tard, il lui
adressa la parole avec un sourire dépourvu d'aménité.

— Je vous ai vue sortir de l'échoppe du cordonnier ;
auriez-vous perdu les semelles de vos chaussures dans
la montagne ?

— Non ! Je lui ai apporté des perles.

— Des perles ? répéta l'étranger en riant ; ce sont
précisément des perles que j'essaie d'obtenir de lui. Ce
vieillard, dit-il, a dans sa cabane un stock important de
nos trésors nationaux : des perles, si vous voulez. Je
suis en train de les collectionner tout juste à présent.

Jensine se demanda si son interlocuteur n'avait pas l'esprit un peu dérangé.

— Si vous avez envie d'entendre des contes pour enfants, vous ne sauriez vous adresser, dans toute la Norvège, à quelqu'un de plus compétent sur ce sujet que notre vieux cordonnier. Jadis, il a rêvé de faire des études, et d'être un poète. Le saviez-vous ? Mais la destinée l'a traité durement, et il a dû se contenter du métier de cordonnier.

Après un court silence, l'inconnu reprit :

— On m'a raconté que vous et votre mari venez du Danemark pour passer ici votre voyage de noces ; c'est une entreprise plutôt exceptionnelle. Nos montagnes sont escarpées et dangereuses. Lequel de vous deux avait envie de connaître ce pays ? Est-ce vous ?

— Oui, dit-elle.

— Je le pensais bien : « Il est l'oiseau qui s'élance vers le ciel, et vous, la brise qui soutient son vol. » Connaissez-vous cette citation ? Éveille-t-elle un écho en vous ?

— Oui, dit Jensine, un peu troublée.

Et l'étranger répéta : « Vers le ciel » ; puis il se tut, et appuya ses deux mains sur sa canne. Cependant, il ne tarda pas à rompre de nouveau le silence :

— Les sommets ! dit-il gravement, que savons-nous des sommets ? Nous voici tous deux pleins de pitié pour ce cordonnier, qui a dû renoncer à son rêve d'être poète et célèbre. Comment savoir s'il n'a pas eu un meilleur sort ? La célébrité, les applaudissements des foules... il vaut peut-être mieux n'y pas penser, peut-être ne valent-ils pas l'enseigne d'un cordonnier et l'art de réparer les chaussures ? On fait peut-être bien de

s'en débarrasser au prix coûtant. Qu'en pensez-vous,
madame ?

— Je pense que vous avez raison, dit-elle lentement.

Il la considéra un moment de ses yeux d'un bleu
glacial.

— C'est donc là votre avis, en ce beau jour d'été. A
chacun son métier ! On ferait mieux, pensez-vous, de
fabriquer des pilules et des drogues pour les malades,
hommes et bêtes, que d'écrire des tragédies.

L'inconnu éclata de rire :

— C'est en vérité une bonne plaisanterie. Dans cent
ans, on lira dans un livre : « Une petite dame danoise
lui a dit : A chacun son métier ! Malheureusement, il
ne l'a pas écoutée. »

« Au revoir, madame, au revoir ! »

En disant ces mots, il se leva et s'en alla. Elle vit se
rapetisser sa petite silhouette noire dans la montagne.

L'aubergiste courut au-devant de Jensine pour
savoir si elle avait trouvé le cordonnier :

— Qui donc est ce monsieur, là-bas, que j'ai
rencontré ? demanda la jeune femme.

L'autre abrita ses yeux de la main : « Oh ! s'écria-
t-elle, c'est un homme instruit, un grand homme ! Il est
venu dans nos parages pour recueillir de vieux contes
et des chansons. Autrefois, il était pharmacien ; mais
aujourd'hui, il a un théâtre à Bergen, pour lequel il
écrit des pièces ; c'est M. Ibsen. »

Le lendemain, on fit savoir aux jeunes époux que le
bateau arriverait plus tôt qu'ils ne le prévoyaient, et
qu'il leur fallait partir en toute hâte. L'aubergiste
envoya son petit garçon chercher les perles de Jensine
chez le cordonnier. Les voyageurs étaient déjà installés

dans la carriole quand l'enfant apporta le collier,
enveloppé dans la page d'un livre, que nouait un lacet
goudronné. Jensine défit le paquet pour compter les
perles, mais se ravisa et mit le collier autour de son
cou.

— Ne faudrait-il pas que tu les comptes ? dit
Alexandre.

Elle lui jeta un long regard et répondit :

— Non !

Pendant la course en voiture, elle garda le silence.
Les paroles de son mari continuaient à résonner à ses
oreilles : Ne faudrait-il pas que tu comptes les perles ?
Et elle restait à côté d'Alexandre comme une triom-
phatrice. Elle savait maintenant ce qu'éprouve celui
qui a triomphé de l'autre.

Alexandre et Jensine revinrent à Copenhague à
l'époque où la plupart des gens avaient quitté la ville,
et où la vie sociale était au ralenti. Mais les femmes des
amis qu'Alexandre s'était faits dans l'armée vinrent
voir la nouvelle mariée. Toute cette jeunesse allait
passer les soirées d'été à Tivoli, et chacun faisait fête à
Jensine.

La maison du jeune ménage était située au bord
d'un des vieux canaux de la ville ; elle avait vue sur le
musée Thorwaldsen. Parfois Jensine restait à la fenêtre, en regardant les bateaux, et elle pensait au fjord de
Hardanger.

Depuis son retour, elle n'avait pas compté les perles,
certaine qu'il en manquait au moins une ; elle croyait
sentir que le poids du collier n'était plus le même.
Qu'était-ce donc qu'elle avait sacrifié pour triompher

de son mari ? Était-ce une année, ou deux, ou trois, de
leur vie conjugale avant leurs noces d'or ? Ces noces
d'or paraissaient bien loin dans l'avenir ; et cependant
chacune de ces années était précieuse. Comment
pourrait-elle supprimer une seule d'entre elles ?

Vers la fin de l'été, on envisagea la possibilité de la
guerre. La question du Schleswig-Holstein se posait
impérieusement. En mars, une proclamation du roi du
Danemark avait repoussé toutes les prétentions de
l'Allemagne sur le Schleswig ; et, en juillet, un ultima-
tum allemand exigeait le retrait et l'annulation de la
proclamation.

Jensine était une ardente patriote ; elle aimait et
vénérait le roi, qui avait accordé à son peuple une
constitution libérale. Les bruits de guerre la mirent
dans une grande agitation. Elle jugeait frivoles les
jeunes officiers, amis d'Alexandre, qui parlaient légèrement, et avec trop de jactance, des dangers que
courait la patrie. Pour en parler sérieusement, il lui
fallait aller chez les siens. Elle ne pouvait aborder le
sujet avec son mari, mais, en son for intérieur, elle
savait qu'il était aussi convaincu de l'invincibilité du
Danemark que de sa propre immortalité. Elle lisait les
journaux d'un bout à l'autre. Un jour, dans le *Berlinske
Tidende,* elle tomba sur cette phrase :

« L'heure est grave pour la Nation, mais, nous fiant
à notre juste cause, nous n'avons pas peur. »

Ces mots : « nous n'avons pas peur » valurent peut-
être à Jensine de reprendre courage. Elle s'assit près de
la fenêtre, ôta son collier, et le posa sur ses genoux.
Pendant un moment, elle resta les mains jointes
comme en prière. Puis elle compta les perles : il y en

avait cinquante-trois. Jensine n'en pouvait croire ses yeux, et elle refit le compte à plusieurs reprises ; mais aucun doute n'était possible ; le collier se composait bien de cinquante-trois perles, dont la plus grosse était au milieu.

Jensine resta un long moment sans bouger de sa chaise ; la tête lui tournait. Elle n'ignorait pas que sa mère avait cru à l'existence du diable ; en cet instant, la fille faisait de même. Elle ne se serait pas étonnée d'entendre un éclat de rire derrière le canapé. Les puissances de l'univers se seraient-elles liguées pour se moquer d'une pauvre fille ?

Quand elle se retrouva plus calme, elle se rappela le vieux bijoutier de la famille de son mari. Avant de lui offrir le collier, Alexandre en avait fait réparer le fermoir ; le bijoutier connaissait donc les perles et pourrait lui dire ce qu'elle devait croire. Mais Jensine était si profondément troublée qu'elle n'osa pas aller le trouver, et quelques jours plus tard, elle pria Peter Skov, qui venait lui faire une visite, de se charger de cette démarche.

A son retour, Peter lui raconta que le vieillard avait mis ses lunettes pour examiner les perles, et puis, dans sa stupéfaction, avait déclaré que le collier comptait une perle de plus que lors de son dernier examen.

— En effet, Alexandre m'a donné cette perle, dit Jensine, en rougissant de son mensonge.

Peter pensa, comme le bijoutier, que ce n'était là qu'une générosité facile pour un lieutenant de faire un beau cadeau à l'héritière qu'il allait épouser. Puis il lui répéta les paroles du vieillard : « M. Alexandre, avait dit celui-ci, prouve qu'il est un connaisseur rare au point de vue des perles ; je n'hésiterais pas à dire que cette perle, à elle seule, vaut toutes les autres. »

Terrifiée, Jensine eut le courage de sourire en remerciant Peter. Et pourtant, il s'en alla tout triste, en devinant qu'il l'avait ennuyée et effrayée.

La jeune femme était souffrante depuis quelque temps, et lorsque, en septembre, il y eut à Copenhague une période de temps orageux, Jensine perdit ses couleurs et son sommeil. Son père et ses deux vieilles tantes s'inquiétèrent en la voyant ainsi, et l'invitèrent à séjourner à la villa située hors ville, au bord du quai. Mais elle refusa de quitter sa maison et son mari.

Elle s'imaginait aussi qu'elle ne se remettrait pas avant d'avoir élucidé le mystère des perles. Après une semaine d'hésitation, elle résolut d'écrire au cordonnier d'Odda. Si, comme le lui avait raconté M. Ibsen, le vieil artisan avait fait des études, et s'il était poète, il serait capable de lire sa lettre et de lui répondre. Dans l'état d'esprit où se trouvait Jensine, ce vieux bonhomme estropié représentait le seul véritable ami qu'elle eût au monde. Elle aurait désiré revenir dans son échoppe, revoir les murs nus, et le petit escabeau à trois pieds ; elle en rêvait la nuit. Le cordonnier lui avait souri, avec douceur ; il savait beaucoup de contes pour enfants, et il saurait aussi lui venir en aide. Un jour, elle trembla à la pensée qu'il pourrait être mort : en ce cas, elle ne saurait jamais la vérité.

Au cours de la semaine suivante, le spectre de la guerre se précisa. Le père de Jensine s'en inquiétait fort ; il s'inquiétait aussi de la santé du roi Frédéric.

Mais le vieux commerçant s'enorgueillissait d'avoir une fille mariée à un soldat, ce qu'il n'eût jamais fait autrefois. Le père et les deux tantes traitaient Alexandre et Jensine avec un grand respect.

En ce temps-là, et presque contre sa volonté, Jensine demanda à brûle-pourpoint à son mari s'il croyait à la guerre.

— Oui! dit Alexandre, d'un ton confidentiel; la guerre va éclater; elle est inévitable.

Il se mit à siffler quelques mesures d'une chanson de soldat. Mais un regard jeté sur le visage de sa femme le fit s'arrêter brusquement, et il demanda à Jensine :

— As-tu peur de la guerre?

Mais elle jugea inutile, et même inconvenant, de lui expliquer ses sentiments concernant la guerre. Alexandre reprit :

— Aurais-tu peur pour moi?

Elle détourna la tête.

— Le rôle de veuve de soldat te conviendrait parfaitement, ma chérie.

Cette plaisanterie fit monter les larmes aux yeux de Jensine, larmes autant de colère que de tristesse.

Alexandre lui prit la main :

— Si je tombe sur le champ de bataille, dit-il, j'aurai pour consolation le souvenir de t'avoir embrassée autant de fois que tu me l'as permis.

Là-dessus, il l'embrassa une fois de plus et ajouta :

— En seras-tu consolée, toi aussi?

Jensine était une honnête personne. Quand on l'interrogeait, elle s'efforçait de répondre sincèrement. A présent, elle se demandait : serait-ce un consola-

tion pour moi ? Mais son cœur ne lui dicta aucune
réponse.

Toute préoccupée par l'imminence de la guerre, la
jeune femme avait presque oublié le vieux cordonnier ;
quand, un beau matin, elle trouva une lettre de lui sur
la table du petit déjeuner. Elle crut d'abord que c'était
une lettre de mendiant, car elle en recevait beaucoup.
Mais, l'instant d'après, elle pâlit. Son mari, assis en
face d'elle, lui demanda ce qui lui arrivait ; elle ne lui
répondit pas, mais quitta la table, et se rendit dans son
salon particulier pour ouvrir la lettre près de la
cheminée.

Les caractères soigneusement tracés lui rappelèrent
aussi vivement les traits du vieillard que s'il lui avait
envoyé son portrait.

Chère petite dame danoise, écrivait le cordonnier, *j'ai en
effet ajouté une perle à ton collier ; je pensais te faire une petite
surprise. Le soin que tu as pris de compter tes perles, quand tu
me les as apportées, me donnait presque à croire que tu
craignais que je ne t'en vole une.*

*Les vieilles gens, tout autant que les jeunes, ont le droit de
s'amuser un peu de temps à autre. Si je t'ai fait peur, je te
demande de me pardonner.*

*Je possède cette grosse perle depuis deux ans. En réparant le
collier de la noble dame anglaise, j'ai oublier d'enfiler une des
perles, que je n'ai d'ailleurs retrouvée que plus tard ; je l'ai donc
gardée pendant deux ans, mais elle ne me sert à rien. Il vaut
mieux qu'elle appartienne à une jeune dame ; et je me souviens de
toi, si jeune et si jolie, assise en face de moi.*

*Je te souhaite beaucoup de bonheur, et qu'un événement
heureux se présente pour toi le jour même où tu recevras ma*

lettre. Puisses-tu porter pendant longtemps ton collier en toute humilité de cœur et dans la foi au Seigneur, te souvenant avec amitié de moi, le vieux cordonnier d'Odda.

Adieu.

      Ton ami,

             Peiter Viken.

Jensine avait lu la lettre les deux coudes appuyés sur le manteau de la cheminée pour ne pas chanceler. En levant les yeux, elle aperçut dans la glace les yeux graves de son propre visage. Ils étaient sévères, ces yeux, comme s'ils voulaient lui dire : « En vérité, tu n'es qu'une voleuse, ou, du moins, tu gardes un bien volé, ce qui ne vaut pas mieux. »

Elle resta un moment clouée sur place ; enfin, elle se dit : « Tout est fini ; je vois clairement maintenant que jamais je ne viendrai à bout de ces gens, qui ne connaissent ni soucis ni peur. C'est comme dans la Bible : « Je blesserai leur talon, mais ils m'écraseront la tête. » Alexandre aurait dû épouser la dame anglaise. »

A sa grande surprise, Jensine s'aperçut que tout cela lui était parfaitement égal. Alexandre, lui-même, se réduisait à n'être qu'un personnage insignifiant, sur l'arrière-plan de l'existence ; ce qu'il faisait, ou pensait, n'avait aucune importance, et elle ne se souciait même plus d'avoir été ridicule. « Dans cent ans, se disait-elle, tout cela ne signifiera plus rien du tout. »

Mais alors, qu'est-ce qui restait important ?

Jensine essaya de penser à la guerre, et elle trouva que la guerre même n'importait pas. Jensine se sentait prise de vertige ; la chambre semblait vaciller autour d'elle, mais cette impression n'avait rien de désagréable. « N'y a-t-il donc rien qui demeure remarquable sous la lune ? » pensa-t-elle.

En évoquant la lune, la jeune femme, dans le miroir, ouvrit les yeux tout grands : Jensine et son image s'interrogeaient intensément. Une chose restait importante, de toute façon, et le resterait dans cent ans : les perles.

Dans une centaine d'années, un jeune mari les offrirait à sa femme, et lui raconterait l'histoire de Jensine, tout comme Alexandre lui avait offert le collier en lui parlant de sa grand-mère. La pensée de ces jeunes époux, qui vivraient dans une centaine d'années, émut vivement Jensine. Elle éprouva pour eux une tendresse telle que ses yeux se remplirent de larmes, mais elle était heureuse comme s'ils eussent été de vieux amis, enfin retrouvés.

« Faut-il rendre les armes et crier grâce ? pensa Jensine. Pourquoi non ? Oui ! Je crierai de toutes mes forces ! Je ne me rappelle plus les raisons que j'avais de ne pas crier grâce. »

Le tout petit personnage d'Alexandre, à la fenêtre de la pièce voisine, annonça à Jensine :

— Voici la plus âgée des tantes qui traverse la rue, portant un gros bouquet.

Lentement, lentement, Jensine se détourna du miroir et revint au monde actuel. Elle alla à la fenêtre :

— Oui, dit-elle, ces fleurs viennent de Bella Vista.

C'était le nom de la villa de son père.

Le mari et la femme regardaient la rue, chacun de sa fenêtre respective.

Les irréductibles
propriétaires d'esclaves

« Ce pauvre Jean ! » dit un soir d'été de l'année 1875, dans un hôtel de Baden-Baden, un vieux général russe, aux favoris teints : « Ce pauvre Jean est vraiment une personnalité tout à fait remarquable ! Vous connaissez Jean, n'est-ce pas ? Le premier valet de chambre, le plus ancien domestique de l'hôtel ? Mais je voudrais que vous sachiez toute la valeur réelle de cet homme. J'ai pris l'habitude de manger chaque matin un fruit de choix après mon café ; non pas une pêche ou un abricot quelconques, mais un fruit tout à fait mûr, et pas trop mûr. Ce matin, Jean s'approcha de ma table, blanc comme un linge, à tel point que je l'ai cru malade, et il m'a dit : « C'est terrible, Votre Excellence... » sans pouvoir articuler un mot de plus.

« Je lui demande :

« — Qu'est-ce qui est terrible, mon ami ? La guerre aurait-elle éclaté ? Le grand-duc serait-il mort ?

« — Non, répond Jean, mais c'est terrible ! Il est arrivé quelque chose de terrible : impossible de trouver ce matin une NECTARINE dans toute la ville.

« Et, tandis qu'il parlait, de grosses larmes roulaient

sur ses joues. Jean est vraiment un type remarquable. »

Le personnage auquel parlait le géneral était un
jeune Danois du nom d'Axel Leth, beau garçon aux
cheveux blonds, assez peu loquace, mais auditeur
attentif et patient, auquel s'adressaient volontiers les
hôtes de la ville d'eaux, qui aimaient s'entendre parler
eux-mêmes.

Le général se tut et regarda Axel pour se rendre
compte de l'effet produit sur le jeune homme par son
récit.

Au même instant, une dame anglaise vint se joindre
aux deux interlocuteurs, et le général, par courtoisie,
lui répéta ce qu'il avait dit à Axel, au sujet de Jean et
de la nectarine. La vieille Anglaise l'écouta de l'air à la
fois méprisant et railleur qu'elle adoptait généralement
à cette heure de la journée pour tout ce qu'on lui disait.

— A qui le dites-vous ? dit-elle ; ce Jean, mais je l'ai
connu bien avant que vous, mon cher, n'ayez jeté les
yeux sur lui. Il y a neuf ans, il s'est coupé le doigt en
tranchant un poulet à mon intention. Je m'entends à
soigner les blessures, et ne me souciais nullement de
voir un médecin allemand mutiler mon bon Jean ;
aussi, je le pansai moi-même. Il ne voulait pas me
laisser faire, indigné, bouleversé à la seule pensée de la
peine que je prenais pour lui. Je suis persuadée que le
vieil imbécile aurait préféré perdre son pouce. Depuis,
il passerait par l'eau et le feu pour moi, et naturellement il mourrait pour moi s'il le fallait.

Elle n'attendit pas la réponse du général, mais se
tourna vers le jeune Danois avec un petit sourire

malicieux pour manifester le peu d'estime qu'elle éprouvait pour le Russe :

— Je vous ai promis hier soir de vous en raconter davantage sur la revue à Munich, dit-elle.

Axel, élevé par sa mère et sa grand-mère, était habitué à témoigner beaucoup de respect aux vieilles dames, aussi prit-il un air très intéressé.

— Pour moi, dit l'Anglaise, cette revue était singulièrement passionnante, car je comprends le roi Louis, le « Cygne ermite ». Lui et moi avons beaucoup de points communs. Un poète français a écrit ces paroles à son sujet : « Seul Roi de ce siècle, Salut ! » C'est exactement ce que je pense. Pour moi, la solitude complète du roi à Neuschwanstein est admirable, même sublime. Le roi Louis ne peut pas vivre à Munich ; il ne peut pas respirer l'air que polluent les masses ; il n'en supporte pas l'odeur rance. Il n'est pas capable de jouir véritablement de l'art qu'il adore, en présence des profanes, et il ordonne souvent à la direction du théâtre de la Résidence de donner une représentation dont il sera le seul spectateur. C'est un aristocrate cent pour cent, car le nouvel ordre, dont lui-même est le grand maître, et qui s'intitule l' « Ordre des Chevaliers de l'Immaculée Conception de la Sainte Vierge », n'est décerné qu'à ceux qui ont soixante-deux quartiers de noblesse. Cependant, à Neuschwanstein, planant très haut au-dessus du monde de la plèbe, le roi est heureux. Là-haut, il vit sur les sommets ; il rêve, il réfléchit, et se sent près de Dieu.

— Il n'est guère populaire, à ce que j'ai entendu dire, objecta le général, comme en passant.

La vieille dame demanda avec hauteur :

— Par qui l'avez-vous entendu dire? Ce n'est évidemment pas un des nombreux assistants à la revue de Munich, qui vous a donné ce renseignement. L'impatience et l'émotion de la foule attendant de voir son roi m'ont profondément touchée. Ceux qui, déjà, avaient eu l'occasion de l'apercevoir, étaient bien peu nombreux. Le roi Louis s'exhibe rarement en public. Quand il s'avança sur son cheval d'un blanc de neige, l'enthousiasme ne connut plus de bornes; on eût dit que les cœurs eux-mêmes s'élançaient vers lui. Toute l'assistance semblait vouloir se prosterner à ses pieds. Les larmes jaillissaient des yeux de ces artisans, de ces ouvriers; des mains calleuses soulevèrent des petits enfants pour les faire voir au roi, et des voix rudes et enrouées poussèrent un cri unanime : « Vive le roi ! »

« Ce fut une journée inoubliable! » conclut l'Anglaise, apparemment ravie, en faisant doucement claquer sa langue.

Le général se taisait, et Axel, qui louchait de son côté, vit son visage changer d'expression. Le Russe, à l'aspect flegmatique, fixait d'un regard enchanté la porte de la pièce voisine, et les yeux de la vieille dame suivirent la même direction. Alex devina qu'une belle inconnue venait de franchir le seuil. Le visage ridé de l'Anglaise changea d'expression lui aussi. Deux jeunes femmes, que le Danois n'avait jamais aperçues à l'établissement de bains, venaient d'entrer dans le salon aux murs tendus de velours. Il s'agissait, sans aucun doute, d'une noble demoiselle appartenant à une famille des plus distinguées, et de sa dame de compagnie.

La surprise et l'admiration que suscitait la grâce exceptionnelle de cette jeune fille rappelèrent à Axel l'appréciation formulée par un esthète célèbre au sujet d'une actrice allemande : « Elle arrive sur la scène, et avec elle toute l'extravagante splendeur de la nature. » Mais la nouvelle venue répondit à l'admiration générale par un petit sourire de pitié, de surprise et de moquerie.

Elle était vêtue comme l'eût été une écolière de quatre ans sa cadette ; son pantalon, ses cheveux flottants la faisaient ressembler à une poupée, et éveillaient dans son entourage la tendresse protectrice inspirée par un grand et merveilleux jouet. La fillette était plutôt grande que petite ; elle rappelait une rose sur haute tige. On aurait pu se figurer que, laissant son créateur la contempler avec orgueil après l'avoir formée, elle avait glissé hors de sa main puissante, et en tombant avait légèrement déformé son jeune corps. Les jolis mollets étaient placés très haut, de même que les hanches, dont l'ampleur n'avait pas encore atteint leur plein développement. Mais les cuisses et les genoux, que sa démarche vive et légère découvraient souvent, malgré les garnitures de la robe, restaient minces et droits. Sa jeune poitrine s'arrondissait jusque sous les bras, très haut au-dessus de la taille svelte. Le cou, d'un blanc de neige, était long et singulièrement robuste ; il semblait presque monumental chez un être aussi jeune. Il était marqué à la base d'un sillon profond, qu'on appelle « collier de Vénus ». Les cheveux de l'adolescente semblaient défier les lois de la pesanteur ; ils s'étalaient pour ainsi dire horizontalement derrière le turban, qui les empê-

chait de tomber sur le front. Cette abondante chevelure était d'une couleur étrange, sorte de rose corail
sans aucune tendance vers le jaune. Cette nuance
rappelait la teinte des coquillages que l'on ramasse sur
la grève.

Le clair visage rougissait, sans la moindre trace de
poudre ou de fard ; pas de rides non plus.

Les yeux, dont le tracé délicat des sourcils noirs
accentuait l'éclat, brillaient dans ce visage lisse,
comme deux morceaux de verre bleu. Les hautes
pommettes, le nez un peu retroussé, n'attiraient pas
autant le regard que la bouche, une bouche enfantine,
écarlate comme une rose épanouie, dont les fortes
lèvres esquissaient une expression hautaine.

On aurait pu croire que toute la personne de celle
qui attirait ainsi l'attention générale ne servait que de
digne support à ces lèvres flamboyantes. La robe
blanche, très courte, la large ceinture de soie, nouée à
hauteur de la taille et formant un grand nœud par-
derrière ; les bras blancs, et les jolis petits souliers à
lanières remska ; tout ce que portait l'inconnue était de
qualité rare : vrai trousseau d'une poupée que l'on
vient de sortir de sa boîte. Elle avait entouré son cou
d'un ruban de velours, mais ne s'était parée d'aucun
bijou.

Elle s'avança rapidement dans le salon sans tourner
les yeux à droite ou à gauche ; si légère et si frémissante
de vie, elle paraissait tendre à la fois toutes ses forces
pour s'éloigner du monde, et pour se donner à lui.

Le poétique Axel se souvint d'une strophe qu'il avait
lue récemment :

> *D'un air placide et triomphant*
> *Tu passes ton chemin, majestueuse enfant[1] !*

La personne qui suivait la fillette était une dame
vêtue de soie noire à l'air fort réservé; une chaînette
d'or retenait ses lunettes de verre fumé. Tout, en elle,
était d'une sévérité pleine de distinction; elle semblait
ne pas exister par elle-même, mais personnifier le mot
de gouvernante, ou de duègne. Son attitude, ses
mouvements avaient quelque chose « d'à part », une
souplesse féline, et en même temps on devinait chez
elle un esprit de décision calme et grave.

Les deux nouvelles venues formaient un groupe très
attachant et leur harmonie singulière et paradoxale
était encore accentuée par la nuance rougeâtre des
cheveux, que la plus âgée d'entre elles portait lissés en
arrière; ils étaient le véritable reflet des boucles
rebelles de la fillette. On aurait pu croire que l'artiste,
après avoir coloré la chevelure de l'une, avait encore
trouvé sur sa palette un soupçon de couleur, et eût
répugné à perdre un aussi précieux mélange.

— *Nom d'un chien*[1] ! dit le général à Axel.

Après le souper, il vint encore trouver le jeune
homme; le renouveau de jeunesse qui accélérait la
circulation de son sang rosissait ses vieilles joues.

— Je suis en mesure de vous citer quelques faits
nouveaux sur « notre beauté ».

Et il apprit à Axel que celle qu'il appelait ainsi
appartenait à une très ancienne famille; puis il ajouta

---

1. En français dans le texte.

encore une quantité de détails concernant l'histoire et les alliances familiales. Il raconta que la jeune fille s'appelait Marie, mais la gouvernante lui donnait le nom de Mizzi. Pour autant qu'il s'en souvenait, le père de Mizzi avait été un joueur célèbre dans tous les plus fameux casinos d'Europe. Ne disait-on pas qu'un jour il avait même fait sauter la banque à Monte-Carlo ? Le général avait appris que cet homme, vieillissant, avait contracté récemment un second mariage.

— Inutile de dire que l'enfant est la victime d'une belle-mère jalouse, parvenue à l'âge dangereux où les forces de la femme interviennent comme un poison dans son organisme. La belle-mère donnerait de la mort-aux-rats à la jeune fille détestée, si elle l'osait, mais elle est forcée de se contenter de l'envoyer jusqu'ici avec cette jésuite de suivante.

— Croyez-vous qu'elle la fouette ?

— Peut-être commet-elle simplement le péché mortel de l'habiller comme un bébé, et s'en amuse-t-elle ? Alors que Marie est faite pour porter un diadème, plus qu'aucune des femmes réunies dans cette pièce. Quelle démarche royale ! Quelle innocence sublime ! Mais, en son for intérieur, elle est furieuse, je vous le garantis, et elle aura sa revanche ! Je voudrais avoir votre âge !

On fit de la musique au salon pendant la soirée. Un vieux monsieur joua une fugue de Bach. Quand la pendule sur la cheminée sonna dix heures, la gouvernante jeta un regard à Mizzi et lui dit quelques mots à voix basse. Mizzi se leva immédiatement, tel un soldat à la parade. En se dirigeant vers la porte elle perdit son petit mouchoir. Deux jeunes gens, l'un en uniforme, l'autre vêtu de noir, se précipitèrent pour le ramasser ;

mais Mizzi ne les vit même pas. Ce fut la dame de
compagnie qui, avec une gracieuse inclination de tête,
leur prit le mouchoir des mains, tout en ouvrant la
porte à sa jeune pupille, qui la suivit comme son ombre
et disparut.

Vers la fin de la soirée, Axel sortit sur la terrasse
pour fumer un cigare, et regarder les lumières de la
ville ; puis il leva les yeux vers les étoiles, ce qu'il faisait
souvent.

Il s'imaginait entendre encore le bruit des conversations au salon, et il pensait que la parole humaine est
une fonction centrifuge, qui sans cesse échappe au
contrôle de celui qui parle. Axel ne connaissait les
hôtes de Baden-Baden que d'après leur propos, et par
conséquent il n'était pas en relations avec tous. Il en
était de même pour eux à son égard. Quelques-uns
d'entre eux lui avaient raconté qu'on avait soupçonné
le vieux général d'avoir empoisonné sa femme ; Axel se
garderait de toucher à ce sujet. Cependant, quand il
était au lit, seul avec ses rêves, il se demandait si le
vieux général n'était pas un assassin sincère et honnête. Il essayait de s'imaginer tous ces gens, par
exemple le général et la vieille Anglaise, endormis tels
qu'ils devaient l'être à cette heure. Mais cette idée lui
paraissant mélancolique, il l'écarta et se remit à penser
à la jeune fille qu'il avait vue ce jour-là pour la
première fois. Elle aussi dormait en ce moment. Elle
devait être toute rose dans son sommeil, et fraîche
comme une fleur dans ses draps blancs ; les paupières
bien closes ; sa chevelure rousse répandue sur l'oreiller.
Elle avait certainement l'air grave d'un enfant

endormi, pour lequel le sommeil est une tâche, une occupation sérieuse.

Pendant longtemps Axel ne pensa qu'à Mizzi. Il avait l'impression qu'il en avait le droit sans l'offenser, car il pensait à elle comme un jardinier qui se promène de nuit dans une roseraie. En ce moment, Mizzi était libre de circuler partout où elle le désirait, et Axel se demandait à quoi elle rêvait. « Serais-je capable de m'éprendre d'elle ? » se disait-il.

Il avait aimé déjà, et son roman d'amour malheureux avait été, en quelque sorte, la raison de son voyage à Baden-Baden.

Il croyait, étant encore très jeune, que jamais plus il n'aimerait. Mais il aurait voulu être le frère de Mizzi, ou bien un vieil ami autorisé à venir à son secours, si jamais elle réclamait son appui.

Il s'était senti très isolé dans cette ville d'eaux et presque honteux d'être venu en malade obligé de se soigner à l'air nocturne de la terrasse, mais il lui semblait que ce monde lui réservait cependant espoir et force, et une petite amie précieuse dormait dans cet hôtel. Dès qu'elle se réveillerait, elle et lui se comprendraient parfaitement : « Alors, pensa-t-il tristement, il nous faudra sans doute nous séparer et suivre chacun notre route sans même nous être parlé ; ainsi va la vie. »

En l'espace de quelques jours les abeilles et les papillons de la station balnéaire voltigèrent autour de la belle rose parfumée et du mince et noir échalas auquel elle était liée. L'approche difficile de Mizzi, et ce quelque chose de pathétique qui se dégageait de tout son être, faisaient appel à l'esprit chevaleresque et audacieux de ses courtisans. Chacun d'eux se figurait qu'il était saint Georges en face du dragon et de la princesse captive. La situation eût été piquante et pleine de promesses s'il avait été possible de décider la princesse à rejoindre ses partisans et à jouer quelque bon tour au dragon. Mais il s'avéra que la princesse était d'une loyauté absolue envers sa duègne, et qu'il était impossible d'obtenir de la belle le moindre sourire, le moindre regard derrière le dos de Miss Rabe. La personne distinguée de la gouvernante prenait un aspect émouvant. Quel était donc le pouvoir secret de cette femme, qui tenait une jeune personne énergique dans une telle sujétion ?

La vieille dame anglaise prit le parti le plus sage et patronna gracieusement la gouvernante. La stratégie dont elle fit preuve lui valut une surprise : elle fut sincèrement frappée par les talents et les excellents principes, le tact de Miss Rabe. Elle proclama en face du monde entier que cette gouvernante en valait mille autres, et elle fut récompensée de sa peine par l'importance accordée à sa propre personne au bout de deux ou trois jours dans le parc du Casino, car maintenant elle pouvait présenter ses amis et connaissances à Mizzi. Cette entreprise lui permit de déployer toutes ses capacités d'ancienne entremetteuse. Pour toute faveur, elle était payée par des compliments et des attentions.

A cause de la vieille amitié qui l'attachait à elle, Axel fut le premier qu'elle présenta en souriant à la jeune fille ; et Axel, un peu étonné et se moquant un peu de lui-même, tomba amoureux de Mizzi. Cet amour, d'un caractère tout nouveau pour lui, était plus contemplatif que possessif. Il se plaisait même à la voir entourée d'admirateurs, car rien n'est plus charmant que le succès chez une jolie fille. Elle acceptait les hommages de la jeunesse dorée de Baden-Baden avec tant de simplicité et de dignité qu'elle paraissait tenir la rivalité de ses soupirants pour l'attitude normale de jeunes hommes envers une jeune fille. Elle permettait seulement à sa propre vitalité de s'épanouir un peu plus dans une atmosphère, qu'elle trouvait toute naturelle.

Par moments, Axel se laissait emporter par son imagination. Il voyait alors dans la jeune fille une héroïne de roman. C'est à elle que l'on dédiait les chansons les plus célèbres. C'était elle qui inspirait les grands musiciens. Axel croyait la voir au pays qui lui était le plus cher, au Langeland, au Danemark. Ce qui l'enchantait surtout, c'était de voir rougir Mizzi si profondément pour des raisons connues d'elle seule, et qui lui demeuraient incompréhensibles. Jamais un compliment, ni un regard ardent, ni une pression de ses doigts effilés ne provoquaient ces rougeurs.

Elle considérait ses soupirants d'un regard paisible, alors même qu'ils balbutiaient d'émotion en sa présence. Mais, parfois, lorsque assise à l'écart des autres dans le parc, elle écoutait la musique, ou bien lorsqu'un vieux gentleman de l'hôtel lui parlait politique, une flamme violente empourprait lentement ses joues, puis envahissait tout son visage, depuis le cou jusqu'à la racine de ses cheveux. Ce visage brillait alors comme si, au-dessus de Mizzi, un vitrail d'église eût projeté une lumière écarlate. Puis l'intensité en dimi-

nuait peu à peu pour finir par s'éteindre entièrement.
Le spectacle qui s'offrait ainsi était charmant et rare.
Mais Axel y voyait bien davantage qu'un spectacle.
Pour lui, l'attitude de Mizzi était un symbole, un
mystère, une manifestation de l'être intime de la jeune
fille, un muet aveu plus significatif qu'une déclaration.

Quelles étaient les forces cachées au fond d'elle-
même ? Que soupçonnait, et craignait, cette simple et
énergique créature ? Qu'est-ce qui lui valait les fluc-
tuations de son jeune sang ? L'imagination d'Axel
jouait en quelque sorte avec les rougeurs de Mizzi.

Il se la figurait heureuse, gâtée, dans un foyer
harmonieux qui serait le sien, et il se demandait si,
alors, elle changerait de couleur de la même manière.
Occupée à un ouvrage de couture près de la fenêtre, ou
en se promenant avec son mari, rougirait-elle brusquement comme le ciel matinal ? Et le jeune homme
pensait : « Un nouveau marié pourrait-il rêver compliment plus divin, plus fier, plus généreux, plus honnête
de son épouse, que cette montée de sang involontaire
et silencieuse ? »

Le phénomène pouvait aussi être une menace ; il
était inquiétant pour un vieux mari, et pouvait mener
à sa perte un homme vaniteux et sans énergie.

Axel comprenait parfaitement le danger, puisque
avant de rencontrer Mizzi, il s'était senti faible et
dépourvu de toute valeur. Si un mari, après cinq ou
dix ans de vie conjugale, surprenait sa femme en train
de rougir en silence aussi intensément à ses propres
pensées, qu'en conclurait-il ?

Parfois Axel croyait qu'une remarque particulière,
au cours de la conversation, faisait rougir cette jeune

fille comme si elle avait eu honte de la vanité et de la
fausseté de son entourage ; et il s'en réjouissait, ayant
lui-même souffert du vide de ce monde dans lequel il
vivait. Il se disait alors : « Cette jeune fille pareille à
une pêche savoureuse éprouve un respect impitoyable
pour la vérité ; elle est horrifiée par notre manière de
vivre si frivole. »

Il aspirait alors à parler à Mizzi des pensées qui
occupaient son esprit.

Ces réflexions étaient, en somme, fort plaisantes,
mais le comportement de Mizzi inspirait à Axel
d'autres sentiments, dont il souffrait. Il lui arrivait de
s'imaginer qu'il promenait la jeune fille dans les bois
de Langeland, et dans sa maison danoise, et la
silhouette de Miss Rabe s'insinuait dans cette image et
n'en disparaissait plus, et il lui était plus difficile de
s'accommoder de l'inquiétude qu'il éprouvait en la
présence de ce sombre personnage, que des rêves qu'il
faisait pendant le jour, d'autant plus que cette inquiétude prenait une forme positive et palpable.

Il se sentait obligé d'abattre le dragon, et d'emporter Mizzi. Quelle suave, et glorieuse aventure ! C'était
bien ce que tous ses rivaux rêvaient de faire. Mais Axel
était un jeune homme raisonnable, et il voyait plus loin
que ses rivaux. S'il emportait Mizzi sur son cheval,
était-il bien sûr de ne pas emporter aussi Miss Rabe
sur le pommeau de sa selle ?

Axel était aussi un observateur. Il s'était amusé de
découvrir que la jolie fille n'avait pas vécu un seul jour,
et sans doute était incapable de vivre un seul jour sans
un soupirant sur ses talons. Jamais elle n'ouvrait elle-
même une porte ; jamais elle ne poussait une chaise

vers la table ; jamais elle ne ramassait son mouchoir quand elle le laissait tomber. Jamais elle n'avait mis son chapeau elle-même, quelqu'un se chargeait du soin de ses vêtements si absurdement enfantins. Quelqu'un brossait ses cheveux, polissait ses ongles, chaussait ses ravissants petits pieds. Il lui fallait une esclave. Lorsqu'un beau jour le nœud de sa ceinture se défit, elle essaya de le renouer ; puis elle rougit et resta immobile jusqu'à ce que Miss Rabe se précipitât pour réparer le dommage.

« Sans doute, pensa Axel, l'habille-t-on, et la déshabille-t-on comme une poupée. Son existence entière dépend du travail, constant, attentif et infatigable, de ses esclaves. »

Miss Rabe était le silencieux et omniprésent symbole de ce système, et Axel la craignait à cause de ce rôle.

Axel avait de la fortune ; il était héritier d'un beau domaine au Danemark, et dans son pays il passait pour un beau parti ; mais il n'était pas riche selon la norme du milieu qu'il fréquentait à Baden-Baden, et il reconnaissait tristement qu'il ne pourrait donner à sa femme les esclaves, qui, pour elle, étaient une nécessité vitale. La perte de ces esclaves serait-elle compensée entièrement par la liberté que lui vaudrait son mariage avec Axel, et l'amour qu'il aurait pour elle ? Ne regretterait-elle pas Miss Rabe dans la maison de son mari, et jusque dans ses bras ? Quelle perspective désolante !

A ce point de ses réflexions, Axel s'aperçut qu'il doutait de leur légitimité, et il les condamnait. C'était une opinion à la fois drôle et touchante que celle qui les appliquait à Mizzi, personne évidemment prête à affronter sa destinée. Mais, en soi elle était contraire à l'idée qu'il se faisait d'une existence humaine digne de ce nom.

Nombre de ses rivaux étaient en mesure d'offrir à Mizzi le genre de vie pour lequel elle avait été élevée. Il y avait à Baden-Baden un prince napolitain et un jeune Hollandais très riches. Ce dernier, disait-on, avait des propriétés aux Indes néerlandaises. Axel le trouvait sympathique, et estimait que son physique était supérieur au sien. Parfois il pensait que Mizzi était de son avis; il pesait consciencieusement le pour et le contre de la situation durant ses heures d'insomnie. Ah! si Mizzi voulait une fois, une seule fois, le remercier d'avoir ramassé son gant, ou mettre dans un vase le bouquet qu'il lui offrait! Mais elle déposait gracieusement gant et bouquet sur une table, et puis n'y faisait plus attention. Miss Rabe se chargeait de donner de l'eau aux fleurs.

Un samedi soir, il y eut un bal à l'hôtel, et l'orchestre joua des valses de Strauss. Axel dansa avec Mizzi; elle avait l'air d'une fleur et il le lui dit. Ils parlèrent des étoiles et Axel apprit à Mizzi que certains philosophes croyaient qu'elles étaient habitées par des créatures vivantes semblables à celles de la terre. La danse finie, les deux jeunes gens s'aperçurent qu'ils étaient tout près du général russe. Celui-ci observait un couple de danseurs.

— Considérez, mes jeunes amis, dit le général, combien l'homme est un animal singulier! Pour lui, la moitié vaut mieux que l'entier; voici (et il cita les noms des deux danseurs):

« Ils sont mariés depuis quinze jours ; tous les journaux ont annoncé le mariage ; ce sont de nouveaux Roméo et Juliette ; leurs familles ennemies à cause d'une ancienne querelle se sont pendant longtemps opposées à leur union. En ce moment, ils vivent leur lune de miel dans un château à quinze milles d'ici ; ils sont seuls enfin, et libres de s'abandonner à la splendeur de leur amour ; et que font-ils... Ils font quinze milles en voiture pour danser à l'hôtel parce qu'il y a un excellent orchestre et un bon parquet, et qu'ils dansent l'un et l'autre la valse à la perfection. Il y a des gens qui soutiennent que la valse est l'avant-goût des joies de l'amour au lieu de les remplacer. Elle semblerait plutôt en être la fleur ou l'essence : la moitié est supérieure au tout. Mais la théorie ne vaut, dit orgueilleusement le général, que pour un tempérament vraiment aristocratique.

« Un jeune mari de la bourgeoisie est capable de venir ici danser la valse avec sa femme par vanité. Des époux campagnards, après la première danse, échangeraient la salle de bal pour le grenier à foin.

Après ces paroles du général, Axel et Mizzi s'éloignèrent en dansant.

Cette nuit-là, toute chose ravissait Axel, et la petite leçon du général lui parut spirituelle et charmante. Il se représentait passant avec Mizzi leur lune de miel dans la montagne et venant danser à l'hôtel parce que « la moitié vaut plus que le tout ». Au milieu de la valse, il s'aperçut que Mizzi le regardait, ou plutôt, puisque ce n'étaient pas les yeux qui comptaient le plus chez Mizzi, il vit que la jeune fille tournait vers lui son visage et ses lèvres.

Le visage animé avait une expression résolue, presque de défi. Mais, la danse finie et tandis qu'il la reconduisait vers son siège près de la vieille dame anglaise, à l'autre bout de la salle de bal, elle lui dit doucement et à voix basse qu'elle quittait Baden-Baden avec Miss Rabe, le mercredi suivant.

Cette nouvelle précipita Axel du haut de sa félicité.

L'espace d'un instant, la salle brillamment éclairée lui parut obscure ; puis il réfléchit que trois jours de bonheur lui restaient encore.

A une heure de marche environ de l'établissement de bains, il y avait, dans une forêt de pins de la montagne, un pavillon d'été en bois, construit dans le style romantique comme une tour de guet couronnée de créneaux. L'escalier en était si démoli que personne n'osait plus s'y risquer ; mais Axel, un jour qu'il passait devant le bâtiment, pensa que la vue d'en haut ne pouvait être que fort belle. Il prit donc une voiture le dimanche suivant et se rendit au pavillon pour y réfléchir dans la solitude à la lettre qu'il écrirait à Mizzi pour demander sa main.

L'après-midi était d'un calme si parfait, la lumière était si dorée, que le jeune Danois avait l'impression d'être un personnage de quelque tableau classique italien, et il en était heureux. Le parfum aromatique des pins augmentait encore son illusion. Quand il eut renvoyé sa voiture de louage, il monta au sommet de la tour, mais la vue le désappointa : les arbres, trop hauts, cachaient le paysage. Cependant, en levant les yeux, Axel vit le ciel bleu strié de blancs nuages.

Sur la plate-forme il y avait une table et deux chaises, abîmées par le soleil et la pluie.

De cette hauteur, et dominant le monde lointain, Axel croyait vivre uń rêve. En se penchant par-dessus les créneaux, il vit un chevreuil sortir gracieusement des bois, traverser la route et disparaître dans les fougères de l'autre côté.

Un banc rustique avait été placé sur l'herbe verte au-dessous de lui. Il ôta son chapeau.

Axel resta pendant un moment plongé dans ses pensées ; de temps à autre, il écrivait quelques mots au crayon ; puis il entendit un bruit de voix sur le sentier forestier. Le bruit se rapprocha lentement. Deux femmes échangeaient quelques paroles, mais l'une d'elles interrompait sans cesse la conversation par de pitoyables sanglots, comme un enfant perdu, comme Gretel livrée au pouvoir de la sorcière dans la sombre forêt.

Quelques mots entrecoupés parvinrent à Axel : c'était Mizzi qui les prononçait. Axel se leva ; il allait courir à son aide, et, pour un peu, se serait jeté du haut de son parapet, s'il n'avait au même instant perçu au milieu des sanglots une note à la fois irritée et plaintive, telle qu'il ne se fût jamais attendu à l'entendre chez Mizzi. Cette fois, c'était le ton d'une enfant demandant à être rassurée, réconfortée et dorlotée.

D'abord, Axel fut en proie à une tempête de jalousie ; puis il se demanda si, dans la forêt, Mizzi faisait des confidences à une amie de Baden-Baden. Il aurait voulu s'éloigner, mais il était trop tard maintenant qu'il avait entendu pleurer la jeune fille. « Peut-être, se dit-il, vont-elles poursuivre leur route ? » Malheureusement, elles s'arrêtèrent et s'assirent sur le banc au pied de la tour.

Quelle étrange et dramatique situation : être au-
dessus de deux femmes comme un oiseau de proie
épiant des tourterelles !

— Mais si tu l'aimes, ma petite sœur chérie, disait
l'une d'elles, ce n'est pas un désastre ; il t'aime ; ils
t'aiment tous et te trouvent délicieuse.

C'était la voix de Miss Rabe, mais une voix toute
nouvelle pour Axel, beaucoup plus jeune que celle
qu'il connaissait, une voix plus sonore, plus libre ; elle
venait du cœur de celle qui parlait, mais c'était en
même temps une voix fatiguée.

Mizzi répondit après un silence ; ses phrases, d'ailleurs, ne se suivaient qu'à de longs intervalles.

— Non, dit-elle, et sa voix à elle avait aussi changé ;
on la sentait venir librement du cœur et, comme celle
de la femme plus âgée, elle avait un accent de grande
fatigue.

— Non, je ne l'aime pas ! On n'aime pas une dupe !
Comment aimer des gens que l'on trompe. Je les
trompe tous, Lotti ! Je n'en aime aucun, non, pas un
seul !

— Pourtant, ma chérie, dit Miss Rabe, qui, dans
cette forêt, semblait s'appeler Lotti, tu serais malheureuse s'ils ne t'aimaient pas.

Mizzi se taisait ; enfin elle reprit :

— Oui, ils m'aiment parce qu'ils croient que je suis
pareille à eux, riche, habituée à tous les raffinements
de la vie, assurée quant à l'avenir. Et lui m'admire
parce qu'il me trouve pareille à une fleur, aussi
délicate, aussi suave, aussi pure. Il croit que j'ignore
tout du monde. S'il savait combien j'en sais long...
m'aimerait-il ? Oh non ! Pas lui !

— Il ne saura jamais, dit Lotti.

— Bien sûr que non, l'imbécile !

Puis, après un nouveau silence, elle ajouta :

— Mais s'il savait, s'il savait que j'ai été acheter des choux au marché, et que je t'ai rapporté ces choux dans un panier. S'il savait que je donne à manger aux poules, que je nettoie le poulailler ? S'il savait que j'étends la lessive sur des cordes !

Axel comprenait que, tout à leur entretien, elles ne lèveraient pas les yeux, et il se pencha davantage par-dessus les créneaux. Elles étaient assises, serrées l'une contre l'autre, lui tournant le dos. Mizzi appuyait sa tête sur l'épaule de Lotti ; elle avait déposé son chapeau sur le banc ; sa merveilleuse chevelure couvrait à demi le dos frêle de l'autre femme.

— Pourtant, tu as eu quelques plaisirs ici, dit Lotti ; tu as dansé la nuit dernière ; j'aurais voulu danser aussi.

— Oui, dit Mizzi, d'un air hautain et malicieux. N'es-tu pas lasse d'être Miss Rabe ?

Puis, elle explosa, et dit d'une voix rauque et désespérée :

— Et mes vêtements ! Je suis bien trop grande pour eux. L'an prochain je n'y entrerai plus, et je ne pourrai plus me montrer nulle part ; je rentrerai sous terre de honte, car, à ce moment-là, je n'aurai ni robe à la mode, ni chapeau garni de plumes d'autruche, ni gants, ni bas de soie comme les autres femmes.

« Elles ont toutes des idées si romanesques, s'écria Mizzi avec mépris. Elles croient que je possède un collier de perles, des boucles d'oreilles, des bracelets, et que ce n'est que ma belle-mère qui m'en a privée

récemment. Si elles se doutaient que je n'ai rien, rien
de tout cela !

Elle éclata en sanglots.

— En tout cas, tu seras encore plus jolie l'an
prochain, dit Lotti.

— Que je te déteste, Lotti ! Que je te méprise quand
tu me cajoles comme si j'étais un bébé ! Autant dire
que je serais plus jolie sans aucun vêtement !

— Oh, Mizzi ! dit Lotti.

— Je sais, dit Mizzi, que c'est une chose terrible à
dire, mais tu ne vaux pas mieux que les autres en
parlant comme tu le fais. Je voudrais être morte, Lotti.

Lotti la caressa en murmurant : « Ne pleure pas ! »
mais sa tendresse n'eut aucun effet sur Mizzi, qui
déclara tout à coup :

— Mourons ensemble, Lotti ; le monde est trop
affreux ! Ailleurs il peut être différent. Songe comme
l'espace est immense ; il fourmille d'étoiles. Les
savants croient que ces étoiles sont habitées comme la
terre ; je sens qu'on y vit mieux, là-bas.

Nouveau silence ; et Mizzi reprit encore :

— Comment papa peut-il dépenser tout cet argent
au Casino ?

Lotti répondit :

— Papa est obligé de conserver sa réputation.

— Oui ! fit Mizzi d'une voix faible. Pauvre papa !

Elles restèrent encore un moment sans parler, puis
Lotti dit d'une voix tremblante, et comme si elle
comprenait elle-même la témérité de son affirmation :

— Peut-être que si Axel Leth savait tout, il t'aimerait quand même.

Cette fois, Mizzi répliqua sans hésiter d'une voix basse et dure :

— C'est ce que je ne pourrais supporter ! Plutôt mourir !

Quelques minutes plus tard, elle ajouta :

— Viens ! Partons ! On pourrait s'apercevoir que nous n'avons même pas pu prendre une voiture pour aller dans la forêt.

— Eh bien, je dirais que le docteur t'a ordonné des promenades à pied !

Peu après, Mizzi et Lotti se levèrent et redescendirent vers la ville, le long du sentier. Quand il les vit disparaître, tendrement enlacées, dans la forêt verte, Axel appuya sa tête sur ses bras étendus sur la table. Plus tard, il n'aurait su dire si, dans cette position, il avait ri ou pleuré. Il resta sans bouger près d'une heure ; puis il se redressa, prit son menton dans sa main et essaya de mettre de l'ordre dans ses idées. Il avait le sens de l'art. Les deux sœurs au destin tragique avaient formé pendant leur crise de désespoir dans la forêt, avec leurs boucles rousses, rutilantes au soleil, un tableau si harmonieux que le jeune Danois croyait voir en elles la reproduction d'un groupe classique : enlacées de la sorte, elles paraissaient enfermées dans les anneaux mortels du serpent. Jamais il ne les séparerait plus l'une de l'autre dans ses souvenirs.

A la grande surprise d'Axel, c'était Lotti qui occupait maintenant sa pensée. Mais, en réalité, il ne se figurerait plus les deux sœurs l'une sans l'autre. Mizzi pourrait bien tourner encore vers lui son jeune visage épouvanté, ses bras, son étreinte étaient ceux de Lotti.

L'idée de faire la cour à l'une des deux femmes était aussi absurde, aussi scandaleuse que de faire la cour à l'une des sœurs siamoises. Les anneaux mêmes du serpent les liaient l'une à l'autre.

La dernière pensée qui s'imposa à Axel avant de descendre de la tour fut la suivante : « Bénie soit la Providence qui a fait de moi, et non d'un des autres jeunes hommes de Baden-Baden, le témoin de la conversation dans la forêt. Les autres auraient pu rabaisser les deux sœurs au rôle d'aventurières venues à l'hôtel pour capturer un riche mari. Mais Mizzi et Lotti étaient aussi incapables que possible d'avoir conçu un projet semblable. Elles étaient venues à Baden-Baden comme les oiseaux de passage viennent aux lieux où ils se posent d'ordinaire dans leurs migrations, et à cette époque, Baden-Baden ou un endroit similaire, se trouvait être un de ces lieux. Si Lotti et Mizzi n'étaient allées à Baden-Baden, elles se seraient arrêtées à quelque autre station balnéaire ; mais partout, puisqu'il fallait bien qu'elles soient quelque part, leurs problèmes eussent été les mêmes.

Et Axel reprit le chemin du retour ; mais il avait acquis un peu plus de sagesse qu'il n'en avait en quittant l'hôtel.

Dans la soirée, toute la société se montra désolée à la perspective du prochain départ de Mizzi. Axel crut comprendre qu'un jeune officier l'avait demandée en mariage. La vieille dame anglaise questionna miss Rabe sur ses projets de voyage avec sa pupille, et la gouvernante lui dit qu'elles rentraient chez elles, aux environs de Stuttgart. Le Hollandais, entendant cette réponse, déclara qu'il allait lui aussi à Stuttgart. Ces dames lui feraient-elles l'honneur de lui permettre de les accompagner jusqu'à cette ville?

Le prince italien, qui s'était répandu en lamentations, s'écria aussitôt que lui aussi avait à faire à Stuttgart, et demandait à partager cet honneur.

Miss Rabe et Mizzi échangèrent un bref regard, puis acceptèrent l'offre des deux jeunes gens. D'ailleurs, Mizzi paraissait radieuse ce soir-là.

Plus rose que jamais, pour un peu on eût dit que la désolation générale exerçait sur elle une influence exaltante. Elle paraissait plus âgée qu'auparavant.

Dans le courant de la soirée, Axel s'aperçut qu'elle le fixait du regard; mais ils ne se parlèrent pas.

Dans la matinée, le jeune Danois acheta en ville un grand bouquet de roses pour Mizzi. Sur la carte jointe au bouquet, il avait écrit ces lignes de Gœthe :

> *Die Sterne die begehrt man nicht*
> *Man freut sich ihrer Pracht*[1]

> « On ne désire pas les étoiles
> on se réjouit de leur splendeur. »

Il avait eu l'intention d'en écrire davantage pour exprimer son chagrin de ne plus la revoir; mais il se ravisa, car il répugnait à dire un mensonge.

Dans l'après-midi, tandis que tous les hôtes de l'hôtel étaient sortis dans la montagne pour un pique-nique d'adieu en l'honneur de Mizzi, il fit remettre un mot à la jeune fille, disant qu'il était appelé pour une

---

1. En allemand dans le texte.

semaine à Francfort et confiait ce billet aux soins du portier. Puis il se rendit à la gare et prit une place pour Stuttgart.

Axel avait déjà été à Stuttgart, en se rendant en Italie. Arrivé dans son hôtel habituel, il y demanda l'adresse d'un tailleur, et commanda aussitôt une longue redingote et un costume complet de domestique de grande maison, livrable le lendemain. Il acheta aussi un chapeau, et une cocarde qu'il fixa à ce couvre-chef. Un petit jeu de société lui avait révélé les couleurs adoptées par la famille de Mizzi pour les livrées de ses domestiques.

Pendant ses précédents séjours à Stuttgart, il avait visité le théâtre avec un ami, et on lui avait montré les coulisses. Aujourd'hui, il se mit en quête du costumier de l'établissement, et lui confia qu'il était engagé dans un pari de grande importance, et qu'il devait assumer le rôle d'un respectable serviteur de famille. Le vieux costumier, un Italien, entra immédiatement dans le jeu, comme si sa propre vie en dépendait. Il interrompit les exclamations de son client par une série de suggestions de son cru et tourna autour de lui pour étudier tous les aspects de son personnage.

Le jeudi matin, quand le tailleur eut remis la livrée à Axel, celui-ci trouva ses vêtements admirablement adaptés à leur objet. La femme de l'Italien, évidemment initiée au projet, entra pour aider son époux à faire les retouches finales. On poudra les cheveux d'Axel, on orna ses joues de deux petites côtelettes, et on lui donna un teint bronzé, sans oublier de le gratifier de quelques rides, et d'arranger ses sourcils. Tout fut exécuté de manière exquise; leur œuvre terminée, les deux artistes exultaient d'orgueil. Comme ils l'invitaient à se regarder dans la glace, Axel ressentit un léger choc, tant le personnage qu'il découvrait lui était étranger. Il se trouvait en face d'un vieux serviteur, portant gants et chapeau, homme de confiance vénérable et sûr de lui. Il revint à l'hôtel en prenant soin de marcher lentement ; il s'exerça à garder le maintien approprié dans les rues de Stuttgart, et trouva que son rôle le troublait davantage en présence du concierge, ou des cochers de fiacre, que lorsqu'il se trouvait avec les dames et les messieurs de la société raffinée de Baden-Baden.

A l'hôtel, il commanda des chambres et le dîner à une table fleurie pour deux dames.

Il était de retour à Baden-Baden avant midi.

En repensant, plus tard, à son aventure, il s'étonnait d'avoir fait preuve d'autant de calme et de certitude du succès.

Il faisait gris, et Axel essuya une petite averse comme si, à Baden-Baden, la nature elle-même pleurait en voyant partir Mizzi. Personne ne parut douter le moins du monde de l'authenticité du vieux domestique. Il s'était modestement présenté au concierge sous le nom de Frantz, le serviteur de Mizzi, et lui avait demandé de dire à sa maîtresse que Frantz était arrivé et attendait ses ordres dans le vestibule.

Un chasseur de l'hôtel monta l'escalier pour porter le message. Mizzi descendit elle-même, vêtue d'un cache-poussière, et coiffée d'un chapeau de paille enfantin, noué sous son menton. Elle descendit d'un pas rapide, de sorte qu'elle rencontra Axel au pied de l'escalier. Bien entendu, elle était un peu alarmée et

ouvrit ses yeux tout grands. Elle s'arrêta court à la vue
du jeune homme comme si elle avait aperçu un
fantôme.

Il sentit qu'elle l'étudiait de la tête aux pieds,
remarquant la couverture de voyage sur son bras, et la
cocarde de son chapeau. Pendant cet examen, elle
changea de couleur et devint d'une pâleur mortelle, sa
bouche même était exsangue. Axel la crut sur le point
de tomber; mais un violent effort la redressa; elle
descendit les trois dernières marches, et les deux
jeunes gens se trouvèrent face à face.

Au même instant, deux clientes de l'hôtel entrèrent
précipitamment dans le vestibule, déposèrent leurs
petits parapluies et secouèrent leurs vastes jupes d'un
air éploré. Elles coururent à Mizzi, et se lamentèrent
tendrement sur son départ.

— Nous quittez-vous aujourd'hui, chère enfant?
demanda l'une d'elles.

Et elle ajouta:

— Est-ce votre domestique? en jetant un regard sur
Axel.

— Oui, dit Mizzi, toujours pâle et effarée, d'une
voix tremblante.

— Sans doute l'avez-vous fait venir pour vous
accompagner? dit l'autre dame. C'est une sage précaution; il est désagréable pour des femmes de voyager
seules.

Par-dessus la tête de Mizzi, Axel aperçut Miss Rabe
sur le palier. Mais la dame reprit:

— Ce vieux domestique fait très bonne impression;
comment s'appelle-t-il donc?

— Frantz! dit Mizzi.

Tous les hôtes de la ville d'eaux vinrent assister au départ de Mizzi. Sa voiture débordait de fleurs. Axel suivait dans un cabriolet avec les bagages. Auparavant, il avait pris les billets des deux dames et réservé leurs places. A la gare, il les installa dans le train.

Une petite fille qui habitait l'hôtel, et s'était lié d'amitié avec Mizzi, fondit en larmes en offrant une belle rose à la voyageuse, et Mizzi se pencha pour l'embrasser, puis fixa la fleur à son corsage, tandis que ses cheveux lui couvraient la figure.

De la fenêtre de son propre compartiment, Axel vit flotter les mouchoirs, puis le train s'éloigna de Baden-Baden.

Pendant toute la journée, le faux domestique se comporta comme une personne qui sait être l'instrument de la destinée. Chose étrange, la prochaine séparation d'avec Mizzi, qui lui causait une souffrance physique, paraissait affermir sa résolution. Il échangea quelques mots avec ses compagnons du compartiment, et prêta une main secourable à une jeune femme chargée d'un bébé et de deux lourdes corbeilles. Un ouvrier lui passa un journal, et lui fit une déclaration politique véhémente.

Mizzi le regarda à deux reprises. Le train s'étant arrêté à une petite gare, elle fit quelques pas sur le quai avec un de ses cavaliers de Baden-Baden, qui l'abrita sous son parapluie ; le reste de la société resta dans le wagon avec Miss Rabe, qui refusa de se promener sous l'averse. Des enfants vendaient des fruits près de la barrière. Le soupirant de Mizzi courut en acheter et tendit avec désinvolture le parapluie à Axel, qui fut pour ainsi dire forcé de rester seul à côté de Mizzi.

Mizzi ne détourna pas ses yeux ; elle cherchait visiblement à leur faire exprimer tout ce qu'elle pensait du
pseudo-Frantz, qui gémissait intérieurement sous ce
regard. Pour un peu, Mizzi l'aurait frappé, tué, car elle
était furieuse contre lui et ne connaissait pas la peur.
Mais un symbole sacré plus puissant qu'elle-même
l'empêchait d'élever la voix, et même de regarder Axel
pendant plus d'une minute de suite. Ce symbole
n'était autre que la cocarde aux couleurs de Mizzi,
fixée sur le chapeau du jeune Danois. Quand Miss
Rabe la rappela, elle permit à Axel, toujours chargé du
parapluie, de longer le quai avec elle. Pendant cette
marche d'une centaine de pas environ, les relations
entre Mizzi et Axel se fixeraient ; et elles avaient
atteint leur aspect définitif quand les deux jeunes gens
s'immobilisèrent : le personnage d'Axel Leth avait
disparu ; Frantz, le domestique, avait pris sa place.
    Axel comprit, tandis qu'il tenait respectueusement
le parapluie, puisqu'il était en livrée, que le propriétaire de l'esclave est lié à l'esclave par des liens plus
forts que la mort et plus cruels que ceux de la tombe.
L'esclave tient entre ses mains la vie de son maître
comme Axel tenait le parapluie de Mizzi. Mizzi aurait
pu trahir Axel Leth, elle lui en aurait voulu, mais, dans
sa colère ou sa tristesse elle restait la même personne.
En revanche, son existence même dépendait de la
loyauté et du dévouement de Frantz, son serviteur. Si
elle n'avait été sûre à tout moment que Frantz
accepterait de mourir pour elle, elle n'aurait pu vivre.
Et, poursuivant ses réflexions, Axel se disait que si,
chez elle, un amoureux l'ennuyait par ses assiduités, si
un adorateur jaloux lui faisait une scène, elle n'aurait

qu'à sonner Frantz, et à lui demander de mettre à la porte l'importun, pour que le soupirant passionné, qui eût bravé un père ou un mari, s'inclinât humblement devant la puissance de Frantz, et le suivît sans mot dire.

Revenu dans son wagon, Axel se disait : « Si en ce moment nous étions victimes d'un accident de chemin de fer, elle se préoccuperait avant tout de me mettre hors de danger. »

A Stuttgart, Miss Rabe et Mizzi dépendirent entièrement de la sollicitude de leur vieux domestique. Il les conduisit à l'hôtel, où le portier le reconnut immédiatement, et lui tendit les clés des chambres retenues.

A présent que l'entente entre les trois acteurs de cette comédie était bien établie, et confirmée, Axel devina la raison principale de l'effroi qu'il inspirait aux deux sœurs. Elles lui reprochaient l'intention de les suivre jusqu'au terme de leur voyage, et de vouloir les mettre, en un mot, plus bas que terre. Elles avaient fait le projet de partir au petit matin, à l'insu de tout le monde, et, tels deux oiseaux pris au piège, elles tremblaient en voyant menacée leur liberté de disparaître.

Mais rien n'était plus éloigné de la pensée d'Axel : il souffrait de se voir si mal jugé par Mizzi et Lotti.

De sorte que, lorsqu'il eut fait monter leurs bagages, et constaté que rien ne manquait, il demanda respectueusement à Miss Rabe, si elle avait quelque autre ordre à lui donner. Dans le cas contraire, il prendrait le train de nuit pour recevoir ces dames à leur arrivée. Elles le laissèrent partir avec un soulagement visible, et il devina que Mizzi frémissait toute, bien qu'elle lui tournât le dos, ne fît pas un geste, et ne dît pas un mot.

Il se retrouva donc seul dans le vestibule, et, à partir de ce soir-là, le vestibule lui apparut toujours comme la pièce centrale d'un hôtel, le lieu où se passent les choses importantes. Sa tâche était accomplie, et il n'avait plus qu'à partir. Mais tout ne pouvait finir ici ; il lui fallait encore un mot ou un regard de Mizzi ; il lui fallait la revoir une dernière fois, au moment où elle descendrait pour le dîner.

Quand les hôtes de l'hôtel entrèrent dans la salle à manger, il s'approcha de la porte, et jeta un coup d'œil du côté de la table réservée pour Mizzi, et constata avec satisfaction qu'elle était bien fleurie.

Les deux soupirants de Baden-Baden se trouvaient dans le vestibule comme Axel ; ils dînaient dans la même salle que ces dames, bien qu'ils n'eussent pas osé s'asseoir à leur place ; mais ils les attendaient pour les escorter jusqu'à leur place. Enfin, les deux sœurs apparurent en haut de l'escalier et Axel se disait qu'en dépit de leurs infortunes, elles paraissaient étrangement, pathétiquement heureuses, et en harmonie avec l'existence. Elles saluèrent leurs cavaliers, échangèrent avec eux quelques mots si aimables et gais que les deux jeunes gens en furent étonnés et ravis. Pour quelques instants, eux aussi furent les amis et alliés des voyageuses et non des ennemis secrets.

L'existence s'avérait donc douce pour elles, puisque Frantz, le fidèle Frantz, était là.

Elles entrèrent en riant dans la salle à manger, et lui, les ayant revues, pouvait s'en aller sous la pluie.

Déjà il ouvrait la porte de sortie quand la voix basse et nette de Mizzi le rappela : « Frantz ! » dit-elle.

Elle avait quitté la salle à manger, et était debout au milieu du vestibule. Ses traits n'exprimaient plus aucune confusion, aucune colère, et, debout au milieu du vestibule, malgré ses vêtements enfantins, elle avait l'air d'une grande personne :

— Voici la lettre, Frantz ! dit-elle en lui tendant une enveloppe.

Quand il la prit, leurs doigts se rencontrèrent.

Il avait, à maintes reprises, baisé la main de Mizzi ; il lui avait entouré la taille de son bras en dansant la valse, mais combien ce contact fugitif était plus significatif que tous les autres...

Axel se rendit chez le costumier du théâtre, en quittant l'hôtel. Le vieillard était absent, mais sa femme débarrassa son client de ses vêtements, et le démaquilla. Ce faisant, elle s'enquit discrètement du succès de son pari.

— Je l'ai gagné ! répondit-il.

La pénible opération de nettoyage et de transformation achevée, la femme conduisit Axel devant le miroir : Axel Leth était de retour, Axel Leth, le garçon qui n'avait d'importance pour personne ; et Frantz avait disparu pour toujours.

Où donc Axel Leth devait-il porter ses pas ? Peu importait à présent. Il décida de se rendre à Francfort, obéissant à un vague respect pour la vérité.

Après avoir emballé la livrée de Frantz, il considéra l'enveloppe que Mizzi lui avait remise. La lettre aussi appartenait à Frantz, et légalement il n'avait pas le droit de la lire ; mais peut-être qu'elle comportait un

message destiné à Axel Leth, par l'entremise de
Frantz.

L'enveloppe contenait une rose un peu fanée, mais
encore suave et humide. C'était la rose que l'enfant
avait donnée à Mizzi à la gare de Baden-Baden.

En revenant à l'hôtel de Baden-Baden, Axel
constata que l'on ne déplorait plus guère le départ de
Mizzi, et que la mélancolie qu'il avait suscitée disparaîtrait vite avec l'arrivée de nouveaux clients. Le
jeune Danois estima que sa cure était terminée, et fixa
la date de son retour au Danemark.

La vieille dame anglaise se révéla la plus fidèle de
toutes les amies de Mizzi. Elle fit faire à deux reprises
des promenades en voiture à Axel pour lui parler de la
jeune fille, persuadée qu'Axel avait demandé Mizzi en
mariage, et avait essuyé un refus. Elle prenait un secret
plaisir à retourner le fer dans la plaie. Elle faisait
l'éloge de Mizzi, la qualifiant de vraie grande dame, de
rose en bouton, élevée selon les plus nobles principes
de l'ancien monde, rose que nul contact impur n'avait
contaminée, jeune cygne à l'abri de toute souillure.
Impossible d'affirmer, dans l'état actuel des choses, et
étant donné l'esprit de rébellion de la jeunesse, s'il y
aurait encore, dans une centaine d'années, de telles
grandes dames en ce monde, de grandes dames dignes
des hommages des hommes. Et que ferait donc
l'homme, pauvre créature instable en ce temps-là ?

— Ah ! ce teint merveilleux de Mizzi, et ces ravis-
santes jambes !

Le soir, en se retrouvant seul sur la terrasse, Axel
pleurait sur le vide de ce monde, mais il resta résigné et
fataliste comme toujours.

Le lendemain de son retour, il alla voir une petite cascade dans la montagne. Par cette journée grise, après une semaine de pluie, les routes forestières étaient humides. L'eau qui se brisait sur les rochers chantait une sorte de mélodie élégiaque, voix des bois silencieux et mouillés. Les flots rapides répandaient une odeur presque rafraîchissante.

Axel resta assis au bord de la cascade, et pensa à Mizzi. « Que deviendront, se disait-il, les deux sœurs assez honnêtes pour jeter à la face de la vie ses mensonges et ses faussetés, et pour rester fidèles à un idéal qui ne cessait de les fuir ; ces deux grandes et charmantes dames étant incapables de vivre sans esclaves ? »

« Aucun esclave, pensait Axel, ne soupirerait aussi désespérément après la liberté, et ne souffrirait davantage de sa dépendance, que ne soupireraient Mizzi et Lotti pour la possession d'esclaves. » Et la liberté des esclaves n'était, en aucune façon, aussi essentielle pour eux que l'était pour les deux sœurs la possession d'esclaves, condition majeure de leur vie.

Sans doute l'an prochain les rôles seraient-ils changés : Lotti serait la maîtresse et Mizzi l'esclave. Peut-être Lotti jouerait-elle le personnage d'une dame malade, de haut rang, et se ferait promener dans un fauteuil roulant, parce que ce rôle ne comportait pas forcément des bijoux et des plumes d'autruche, dont Mizzi avait déploré l'absence dans la forêt.

Et Mizzi serait la compagne modeste, vêtue comme une simple infirmière, supportant avec patience les caprices de sa maîtresse.

Axel se consola à l'idée que, parfois, elles seraient

libres quand même de pleurer dans les bras l'une de l'autre, et de s'embrasser, comme font deux sœurs.

Le jeune homme ne quittait pas la cascade des yeux. Transparente et pareille à une colonne lumineuse dressée au-dessus de la mousse et des pierres, elle gardait sa forme inaltérable, de jour comme de nuit. En son centre jaillissait une cascade plus petite, là où l'eau frappait un rocher, et la petite, comme la grande cascade, restait immuable, pareille à une fêlure récente dans le marbre de la chute.

En revenant dix ans plus tard, Axel la trouverait inchangée et de même forme, telle une œuvre d'art harmonieuse et immortelle. Pourtant, à chaque seconde, de nouvelles gouttes liquides étaient projetées dans l'espace, et tombaient dans un précipice, où elles disparaissaient. C'était une fuite éperdue, un tourbillon, une incessante catastrophe.

« La vie nous offre-t-elle des phénomènes semblables ? se demandait Axel. Y a-t-il un mode paradoxal d'existence correspondant à ce mouvement de la cascade, fuite statique, courant toujours semblable à lui-même ? » Le phénomène existe en musique : on le qualifie de « fugue » :

> *D'un air placide et triomphant*
> *Tu passes ton chemin, majestueuse enfant*[1] *!*

1. En français dans le texte.

L'héroïne

Un jeune Anglais, du nom de Frédéric, descendait d'une lignée de pasteurs et de savants. Il étudiait lui-même la philosophie religieuse, et à l'âge de vingt ans, il attira l'attention de son professeur, par son intelligence et sa persévérance. En 1870, on lui accorda une bourse de voyage. Il partit pour l'Allemagne, dans l'intention d'écrire un livre sur la doctrine du pardon des péchés, et il ne pensait plus qu'à son sujet.

Frédéric avait mené une vie retirée au milieu de ses paperasses. A présent, chaque jour lui apportait des impressions nouvelles : le monde, tel un gros vieux livre, s'ouvrait devant lui, et tournait doucement lui-même une page après l'autre.

Le premier grand phénomène qui s'offrit à Frédéric fut l'art de la peinture. Un jour, comme il parcourait la galerie du Vieux Musée, il tomba en arrêt devant le tableau de Venusti : *Le Christ au mont des Oliviers,* dont un de ses amis lui avait parlé. Il fut stupéfait de se voir entouré d'œuvres rattachées à ses propres études ; il ignorait qu'il y en eût autant en ce monde, et il ne cessait de revenir les voir.

Puis, des tableaux religieux, il passa aux peintures profanes des grands maîtres.

Frédéric n'était encore qu'un très jeune homme, sans personne pour le guider, et sans illusions sur ses connaissances personnelles concernant les arts. Il retournait voir les tableaux parce qu'il se sentait heureux parmi eux ; il finit par se trouver tout à fait chez lui dans la galerie, reconnaissant les sujets bibliques au premier regard, et saluant aussi, comme des amis, les personnages mythologiques et allégoriques représentés par les artistes. De tous les êtres qu'il rencontrait à Berlin, c'étaient bien ceux-là qui lui étaient les plus familiers, car il ne liait pas facilement connaissance en dehors du musée.

Tandis qu'il restait absorbé dans ses propres pensées, le monde autour de lui ne restait pas inerte, mais vivait dans une fiévreuse agitation : une grande guerre !

Frédéric ne comprit la situation que lorsque, par une chaude journée de juillet, il rencontra un jeune homme, dont la famille habitait le château voisin du presbytère paternel. En guise de salut, son concitoyen lui cria fièrement ces mots de Hamler : *Upon my life, Lamond !* Puis il se répandit en commentaires passionnés sur la guerre imminente entre la France et la Prusse. Tout, en lui, paraissait être en ébullition.

Un frère de ce jeune homme était attaché à l'ambassade d'Angleterre à Paris, et Frédéric apprit qu'il ne manquait pas un bouton de guêtre dans l'armée française. Quand il s'aperçut que, lui aussi, réservait sa sympathie à la France, il pensa que ce qu'il avait de mieux à faire était de quitter Berlin. Aussitôt, il rassembla ses manuscrits et emballa ses vêtements ; puis il alla dire adieu aux tableaux qu'il aimait, priant Dieu qu'ils fussent épargnés lors du siège imminent de Berlin. Alors, il se mit en route pour la frontière.

Mais il dut bien vite constater qu'il avait été trop lent. A cette époque déjà, les voyages s'avéraient difficiles. Frédéric ne réussit pas plus à revenir sur ses pas qu'à se diriger vers l'Angleterre. Il changea donc ses plans et décida de se rendre à Metz, où il avait des relations ; mais il lui fut impossible aussi de parvenir jusqu'à Metz. A la fin, il s'arrêta près de la frontière, dans la petite ville de Sarrebourg, où on l'autorisa à séjourner.

Quelques voyageurs français avaient également échoué dans le modeste hôtel de Sarrebourg. Parmi eux se trouvait un vieux prêtre, venant d'un collège de Bavière, deux religieuses fort âgées, qui avaient quitté leur couvent, une veuve, tenancière d'un hôtel dans une ville de province, un riche viticulteur, et un voyageur de commerce. Tous ces gens étaient dans une grande agitation : les optimistes espéraient obtenir la permission de passer la frontière du Luxembourg et, de là, se rendre en France. Les pessimistes répétaient à longueur de journée des histoires alarmantes : selon eux, des Français avaient été accusés d'espionnage et tués.

Le propriétaire de l'hôtel était hostile à ses clients, car un petit nombre d'entre eux avaient quitté leur domicile en toute hâte, sans bagages et sans argent. Pour comble de malchance, cet hôtelier était athée et détestait l'Église. La tranquillité d'esprit du jeune étudiant anglais fut une sorte de sédatif pour tous ces fugitifs, et ils vinrent lui confier leurs soucis et leurs craintes.

Le vieux prêtre entama avec lui de longues discussions théologiques. Il lui raconta que dans son jeune temps il avait écrit un opuscule sur le reniement de Pierre. Frédéric répondit à sa confiance en lui traduisant quelques passages de son propre manuscrit.

A l'extrême fin de juillet, la marche des événements mit Sarrebourg en ébullition. Des bruits couraient sur l'arrivée prochaine des troupes prussiennes en route vers la France. Se figurant par avance la force de cette armée, l'hôtelier raidit son attitude à l'égard des Français : il fit pleurer les deux bonnes sœurs, et la veuve se trouva mal et fut obligée de se mettre au lit après avoir eu avec lui une scène violente. Le reste de la société se tint coi.

Pendant ces jours d'épreuves, une dame française arriva de Wiesbaden avec sa femme de chambre. Cette dame fut aussitôt le centre du petit groupe. Elle portait un nom, qui, pour Frédéric, évoquait les pages les plus héroïques de l'histoire de France.

Il lut d'abord ce nom sur plusieurs malles et valises dans le vestibule de l'hôtel, et s'attendit à se trouver en face d'une vieille dame, majestueux symbole d'un glorieux passé. Mais, en réalité, elle était aussi jeune que Frédéric lui-même, une véritable rose en fleur et d'une grande beauté.

Il se dit à part lui : « Cette femme a l'air d'une lionne qui se promènerait paisiblement au milieu d'un troupeau de moutons. »

Sans doute avait-elle trop tardé à quitter Wiesbaden, n'ayant même pas eu l'idée qu'elle pût être personnellement atteinte par le cours des événements, et elle refusait encore d'y croire. Elle ne partageait pas le moins du monde l'anxiété de son entourage blême de peur, et elle y opposait une sereine indulgence, comme si elle pensait qu'ils avaient été comme suspendus à l'attente de son arrivée. En face du danger actuel, de la timidité du petit groupe, de l'hostilité du milieu, elle prenait un aspect de plus en plus héraldique ; on aurait cru voir une lionne d'armoiries. En dépit de sa jeunesse, de sa fragilité, elle se transformait d'heure en heure aux yeux de Frédéric jusque dans son maintien, son expression et son parler, en un personnage traditionnel et idéal : « Madame », haute et puissante personnification même de la vieille France.

Les réfugiés venaient s'abriter auprès d'elle contre l'adversité. Elle écartait d'un geste l'hôtelier de leur existence, et changeait aussi les manières du personnel. Elle régla aussi les factures, fit venir un manteau pour Mme Bellot. A cette occasion, elle eut besoin d'un messager, et c'est ainsi que Frédéric fit sa connaissance.

Si Frédéric avait rencontré cette dame six mois plus tôt avant son départ d'Angleterre, il eût été intimidé et fort embarrassé. A présent, habitué à la présence de la jeune femme, il était familiarisé non pas précisément avec ses traits, mais au moins avec ceux de certaines de ses sœurs et de ses pareilles.

Certes, elle était d'une élégance toute moderne, mais cela ne l'empêchait pas de ressembler aux déesses du Titien ou de Paul Véronèse. Ses longues boucles soyeuses brillaient du même éclat doré que les leurs ; son maintien rappelait exactement leur maintien, soit

qu'on les eût représentées dansant, ou assises sur un
trône; et son teint avait la même mystérieuse fraîcheur, le même éclat que celui de ces divines créatures.

Elle portait un petit chapeau de chasse, orné d'une
plume d'autruche rose, une robe gris tourterelle d'une
ampleur extraordinaire, de longs gants de suède et un
étroit ruban de velours noir encerclait son cou blanc.
En fait de bijoux, elle avait des perles aux oreilles, et
des bagues de diamant aux doigts.

Jamais Frédéric n'avait rencontré personne qui
ressemblât à cette nouvelle venue; mais elle aurait
parfaitement pu descendre d'un cadre doré du Vieux
Musée de Berlin. Il apprit qu'elle était veuve, et
qu'elle avait été mariée très jeune; mais rien de plus.
Cependant, il savait, sans que personne le lui eût
dit, où elle avait passé toutes les années qui avaient
précédé leur rencontre : c'était au milieu de lumineu-
ses colonnes de marbre, dans la brillante verdure, en
face de la mer bleue, et sous les nuages d'argent et de
corail, qu'il avait admirés dans les galeries de peinture.

Peut-être avait-elle un petit nègre pour la servir?
Parfois, il laissait vagabonder ses pensées, et il la
voyait sous l'aspect même de Vénus; mais ces fantaisies de l'imagination restaient candides et imperson-
nelles, pour rien au monde il n'eût voulu offenser cette
femme.

Elle avait envers lui une attitude aimable et frater-
nelle, un peu brusque par moments comme si elle
s'impatientait contre un monde bien moins parfait
qu'elle ne l'était elle-même.

Frédéric pensait que, si différents qu'ils fussent l'un
de l'autre, ils avaient pourtant un trait commun, celui

de fermer les yeux sur certains petits faits qui, à d'autres gens, paraissaient de la plus grande importance. Il avait quant à lui le sentiment d'être loin du monde en général, de lui être étranger. « Mais Héloïse, se disait-il, n'accepte que son propre jugement, les circonstances elles-mêmes prouvent qu'elle domine le monde et qu'elle ne souscrira à aucune de ses absurdités. Elle est l'héritière légitime des grands conquérants, des chefs, voire des tyrans, de cette terre. »

Les malles d'Héloïse avaient révélé son nom de baptême à Frédéric.

Conscients de son pouvoir, les réfugiés de l'hôtel vécurent deux jours heureux. Au bout de ces deux jours, ils étalèrent même un peu trop une superbe assurance. Pendant le souper, attablés devant un poulet rôti accompagné d'un excellent vin, ils causèrent librement et sur un ton plein d'espoir. Le voyageur de commerce, petit homme timide, mais doué d'une jolie voix, chanta quelques chansons. Il y avait un piano dans la salle à manger, et le vieux prêtre accompagna le chanteur. A la fin, toute la société entonna : *Partant pour la Syrie...*

Avant la fin de la chanson, un bruit de tonnerre ébranla la porte, mais personne n'y prit garde, et on alla jusqu'au bout des paroles, puis on se sépara sans appréhension pour la nuit.

Le lendemain, l'armée allemande, enivrée par la certitude de la victoire, entra à Sarrebourg, et dans l'après-midi, les hôtes de l'hôtel, à l'exception de Mme Bellot, toujours au lit, furent arrêtés et emmenés devant le magistrat.

A sa grande surprise, Frédéric apprit qu'il était

accusé d'espionnage, ainsi que le vieux prêtre, et que leurs longues conversations, son propre manuscrit et ses notes constituaient le chef d'accusation. Le magistrat prétendit que le passage d'Isaïe, LIII, 8, cité par Frédéric :

« Frappé pour les péchés de mon peuple »,

se rapportait à l'heure, au jour, au mois de l'avance des Allemands. Frédéric se rappela qu'auparavant déjà, il avait entendu d'étranges interprétations d'Isaïe, et il essaya de discuter avec le juge. Mais il s'aperçut que ce personnage, obsédé par les grandes émotions de l'heure présente, restait insensible à tout argument. Quant au vieux prêtre, il ne pouvait, ou ne voulait pas parler.

Peu à peu, au cours de la journée, Frédéric ne douta plus d'être tué avant la nuit. Cette certitude lui valut une profonde agitation. Maintenant, se dit-il, je vais savoir s'il y a une vie après la mort. Et le vieux prêtre allait connaître la vérité en même temps que lui. Cette idée lui parut difficile à concevoir, le vieillard étant un tel doctrinaire.

Mais, au coucher du soleil, le magistrat, lui-même las de l'interrogatoire, renvoya les deux accusés devant un groupe d'officiers, qui résidaient en banlieue, dans une villa dont le propriétaire s'était enfui de crainte d'une invasion française.

Frédéric y retrouva les autres clients de l'hôtel. L'atmosphère était différente de celle du bureau de la municipalité.

Les trois officiers allemands avaient voulu dîner

confortablement au salon, richement orné de rideaux
et de tentures en soie brochée cramoisie. Des tableaux
couvraient les murs. Le dessert et les vins restaient
encore sur la table quand les inculpés furent intro-
duits. Leurs juges étaient échauffés par la boisson,
mais encore plus par l'orgueil, car, une heure auparavant, ils avaient reçu la nouvelle de la bataille de
Wissembourg. Le télégramme était posé à côté de leurs
verres.

L'un des trois était un homme aux cheveux blancs ;
il se tenait très droit, mais ne levait pas les yeux. Un
autre semblait être le meneur du jeu, ou l'enfant gâté
de ses deux compagnons qui le laissèrent libre de
mener le contre-interrogatoire à sa guise, car il parlait
mieux le français qu'eux-mêmes et les amusait par son
exubérante vitalité.

Encore très jeune, d'une taille de géant, et très
blond, il était solide et musclé comme un jeune dieu.

Il accueillit les clients de l'hôtel avec un rire à la fois
amusé et dédaigneux. Selon toute apparence, il ne
craignait ni Dieu ni Diable, et encore moins les
Français. Mais, soudain, son regard se fixa sur
Mme Héloïse, et dès cet instant, l'affaire sembla les
concerner seuls, elle et lui. Frédéric s'en aperçut. Mais
comment juger clairement deux adversaires pareils, et
prévoir l'issue de la lutte ?

Bien qu'après avoir gratifié l'officier d'un coup d'œil
rapide, Mme Héloïse ne le regardât plus, tandis que les
yeux à fleur de tête de l'autre restaient inexorablement
fixés sur elle, celui qui les observait était incapable de
dire lequel des deux menait l'attaque.

Ils se ressemblaient ; on les aurait dits frère et sœur.

Visiblement, ils avaient peur l'un de l'autre. La discussion se prolongeait ; l'Allemand suait à grosses gouttes ; Mme Héloïse pâlissait, mais rien n'aurait pu les séparer en cet instant. Frédéric était sûr qu'ils se rencontraient pour la première fois, et, pourtant, c'était, sans conteste, une vieille querelle qu'ils étaient en train de vider dans le salon de la villa.

Le jeune témoin se demandait s'il s'agissait d'une haine nationale, héritée de lointains ancêtres, ou bien s'il fallait creuser plus avant encore, pour en découvrir l'origine.

L'Allemand commença par déclarer qu'il estimait inutile dorénavant de se rendre à Paris. Il demanda à Mme Héloïse comment elle avait rencontré ses compagnons, et si elle tenait les autres pour plus dangereux qu'elle ?

Elle répondit brièvement, en avançant le menton.

Frédéric devinait que son sort et celui du groupe de réfugiés dépendaient de cette femme, et il se disait qu'il n'existait pas d'être humain, et moins que personne ce jeune soldat, qui pût résister pendant longtemps à la beauté de Mme Héloïse, et, dans son for intérieur, il applaudit le subtil déploiement d'insolence dont elle gratifiait les ennemis. L'Allemand finirait inévitablement par se rapprocher d'elle.

En lui tendant un papier pour qu'elle l'examinât, il lui parla presque visage contre visage. Mais, elle, d'un souple mouvement, balaya le parquet de son ample jupe et la ramena vers elle, de l'air de vouloir créer un espace infranchissable entre elle et cet homme.

Il s'arrêta net au milieu d'une phrase, et il parut

chercher à retrouver son souffle ; puis il reprit très lentement :

— Je ne toucherai pas à votre robe, madame, mais je vous ferai une proposition. Je vais rédiger le passeport vous permettant à vous et à vos amis de passer au Luxembourg, puisque c'est ce que vous désirez ; vous pourrez venir le prendre dans une heure. Mais vous viendrez sans cette robe, que vous prenez, avec raison, tant de peine pour écarter de moi ; vous viendrez me trouver vêtue comme la déesse Vénus.

Et il ajouta :

— Ma proposition ne manque, en tout cas, pas d'élégance.

Mais, en prononçant ces derniers mots, le jeune homme rougit brusquement.

Pendant quelques secondes, le cœur de Frédéric cessa de battre ; l'horreur et le dégoût, la tristesse, le submergeaient. Les paroles de l'autre étaient une caricature des charmants caprices de son imagination concernant Héloïse. Ce blasphème faisait du monde un lieu d'une écœurante bassesse, et de Frédéric lui-même le complice d'un voyou.

Quant à Héloïse, l'insulte parut l'avoir fait littéralement prendre feu ; elle se retourna, frémissante, vers l'insulteur. Jamais Frédéric ne l'avait vue aussi débordante de vie et d'arrogance ; elle semblait sur le point d'éclater de rire au nez de son adversaire. Et Frédéric pensait, avec une profonde reconnaissance, qu'elle planait bien au-dessus de ce monde sordide, qui ne l'effleurait même pas.

Une fois seulement la main de la jeune femme se posa sur sa mantille, comme si le mépris l'eût étouffée,

mais, l'instant d'après, la main retomba et les joues
d'Héloïse, comme vidées de sang, perdirent toute
couleur. Elle se retourna vers le groupe des prisonniers, et ses regards effleurèrent un à un les visages
blêmes et horrifiés.

Les deux officiers plus âgés restaient pétrifiés sur
leurs chaises. Le plus jeune vint vers eux ; il brandis-
sait la feuille de papier et s'écria : « Blessé pour nos
transgressions ! Pour les transgressions de mon peuple ! » avec l'indication du chapitre et du verset :
« C'est inouï ! Nous sommes en face d'une bande
d'espions, et elle, elle en est le chef. »

Et, incapable de se détacher d'Héloïse, il hurla à son
adresse :

— Êtes-vous sûre de m'avoir bien compris ?

— Non, je n'en suis pas sûre, répondit-elle ; votre
français n'est pas bien clair. Voulez-vous répéter votre
proposition en allemand ?

Il eut grand-peine à le faire, pourtant il obéit.

Héloïse ôta son chapeau, et ses cheveux d'or brillèrent à la lumière de la lampe. Pendant le reste de
l'entretien, elle appuya le chapeau contre sa taille
svelte, ce qui lui donnait l'air d'avoir noué les deux
mains dans son dos.

— Pourquoi me demander cela à moi ? dit-elle ;
demandez l'avis de ceux qui sont avec moi ; ce sont de
pauvres gens qui travaillent, et qui sont habitués à
l'adversité. Voilà un prêtre français, poursuivit-elle
très lentement, il a consolé beaucoup d'âmes en peine ;
voilà deux religieuses françaises, qui ont soigné les
malades et les mourants. Les autres femmes ont des
enfants en France qui seront malheureux sans elles ;

leur salut est plus important que le mien. Laissez décider pour moi chacun de mes compagnons s'ils veulent l'acheter à ce prix. Ils vous répondront en français.

Le vieux prête fit un pas en avant. Il avait beaucoup parlé à l'hôtel mais, en face de l'Allemand, il ne dit pas un mot, et se contenta de lever le bras droit et de l'agiter de gauche à droite. Une des vieilles religieuses recula vivement contre le mur, comme si déjà elle faisait face au peloton d'exécution ; elle tendit les deux bras et cria : « Non ! non ! »

L'autre religieuse éclata. en sanglots ; ses jambes se dérobèrent sous elle ; elle tomba à genoux en répétant : « Non, non, non ! »

Ce fut le voyageur de commerce qui fit un discours : il s'avança vers le jeune officier, parut mesurer sa haute taille et dit :

— Vous croyez que nous avons peur de vous, et vous avez raison, nous avons peur d'en arriver à vous ressembler.

Frédéric ne dit rien ; il regarda l'officier bien en face et ne put s'empêcher d'esquisser un sourire.

L'Allemand considéra fixement le voyageur de commerce, puis, par-dessus la tête de celui-ci, il regarda Héloïse, et il hurla :

— Filez tous ! Il faut en finir ! Allez-vous-en !

Il appela les deux soldats de service dans la pièce contiguë et dit :

— Emmenez ces gens, emmenez-les dans la cour, et attendez mes ordres !

Et, une fois de plus, il cria à l'adresse des prisonniers :

— Vous en ferez à votre tête, mais fichez-moi la paix ! Fichez-moi la paix !

En quittant la pièce, Frédéric aperçut encore le visage de cet homme quand Héloïse passa devant lui et le regarda.

Ils sortirent tous.

La nuit était claire, et les premières étoiles paraissaient au ciel. Un mur bas entourait le jardin de la villa, et par-dessus le mur leur parvenait une odeur de bétail. L'un après l'autre, les réfugiés, épuisés, ignorants du sort qui les attendait, se rangèrent près de l'enclos. Héloïse, toujours tête nue, leva les yeux vers le ciel, puis, au bout d'un moment, elle dit à Frédéric :

— Avez-vous vu l'étoile filante ? Vous avez peut-être fait un vœu ?

Au bout d'une demi-heure, quand trois soldats sortirent de la maison, l'un d'eux portait une lampe ; un autre, qui paraissait leur chef, considéra les prisonniers et dit au vieux prêtre, en lui tendant une feuille de papier :

— Voilà votre permis pour vous rendre au Luxembourg ! Il est valable pour vous tous. Les trains sont bondés ; vous serez obligés de prendre une voiture en ville, et ce que vous avez de mieux à faire c'est de partir à l'instant.

Dès qu'il eut fini de parler, le troisième soldat s'adressa à Héloïse, et, à la surprise de tout le monde, il lui tendit le bouquet de roses, qui se trouvait sur la table du salon. Faisant le salut militaire, il dit :

— Madame est priée d'accepter ces fleurs, avec les compliments du colonel à une héroïne.

Héloïse prit le bouquet des mains du soldat, mais elle ne semblait rien voir, ni rien entendre.

Ils réussirent à se procurer des voitures à l'hôtel. Pendant l'attente, on leur servit un rapide et frugal repas, composé de pain et de vin, car personne n'avait rien mangé depuis le matin. Ce repas n'était pas comparable au bon souper de la veille. On ne pouvait établir aucun rapport entre celui-ci et celui-là.

Mais, depuis la veille, leur existence s'était établie sur un nouveau plan : leurs mains restaient liées les unes aux autres ; chacun d'eux devait sa vie à chacun des autres. Héloïse restait le personnage principal de leur communauté, elle l'était toutefois d'une manière nouvelle : sa fierté et sa gloire étaient la fierté et la gloire de tous, puisqu'ils avaient été prêts à mourir pour les lui conserver.

Elle, très pâle, avait l'air d'un enfant parmi toutes ces vieilles gens et riait de leurs propos. Au moment du départ, elle refusa opiniâtrement d'abandonner ses malles et ses caisses, les considérant visiblement comme une partie d'elle-même, partie qu'il ne fallait pas abandonner à l'ennemi. Frédéric les empila dans la voiture et ils se mirent en route ensemble, derrière les autres, vers la frontière, dans un petit cabriolet.

Frédéric se souvint sa vie entière de ce trajet ; il se rappelait jusqu'aux lacets de la route ; la lune brillait et entre elle et l'horizon, une sorte de poussière dorée poudrait l'étroite bande de ciel. Quand Héloïse tira son châle sur sa tête, la rosée tomba. Le visage encadré sous les plis sombres aurait pu être celui d'une villageoise, et pourtant, à côté de Frédéric, elle restait la muse placée sur un trône.

Le jeune homme avait lu avant ce jour des histoires de héros et d'héroïnes ; l'épisode qu'il venait de vivre, la jeune femme assise près de lui, semblaient tirés d'une de ces histoires, et pourtant le charme d'Héloïse et sa personnalité si vivante n'appartenaient à aucun livre. Le bonheur de sa compagne, à la fois silencieux et triomphant, enchantait Frédéric autant que le parfum du champ de blé mûr qui traversait la voiture de louage.

Tout à coup, elle lui prit la main.

Ils passèrent la frontière à l'aube et arrivèrent à la petite gare de Wasserbillig, où ils retrouvèrent les autres membres de leur groupe. Tandis qu'ils attendaient le train, qui devait les ramener en France, et qu'une fois de plus ils évoquaient le retour à Paris, les amis français de Frédéric prirent à ses yeux l'aspect d'une seule famille, dont il ne faisait plus partie. Et quand enfin le train entra en gare, ils semblèrent presque ignorer sa présence.

Mais, au dernier moment, Héloïse le regarda d'un air de profonde tendresse ; ce regard le suivit à travers la fenêtre du compartiment ; puis soudain rien n'en subsista plus.

Debout sur le quai, Frédéric vit le train disparaître dans la brume du paysage matinal. Le rideau retombait sur un grand événement de sa vie, et le cœur lui faisait mal, de joie et de peine à la fois.

L'artiste qui récemment venait de naître en lui, l'ami de Venusti, acceptait l'aventure dans un état d'esprit humble et extatique, et y répondait par ces mots : *Domine, non sum dignus !* Mais, quand il se trouva seul, une fois de plus, le chercheur, l'homme curieux

de connaître le fond des choses, l'ancien étudiant des
universités d'Angleterre, reprirent le dessus, et il
voulut en savoir plus, en comprendre davantage. Dans
la manifestation de cet esprit héroïque, il y avait un
mystère qui demandait à être éclairci, une région
inexplorée : c'était ce sentiment de n'avoir pas com-
plété son investigation psychologique, de n'avoir pas
pénétré jusqu'au fond du problème, qui le retenait
sans doute sur le quai de la gare de Wasserbillig, en
proie à la presque bouleversante certitude d'avoir été
privé d'un bien précieux, comme si la coupe destinée à
étancher sa soif avait été retirée brutalement de ses
lèvres.

Il arrive souvent que le véritable chercheur voie ses
efforts couronnés de succès par un coup du sort. C'est
ce qui se produisit pour Frédéric dans sa recherche
d'une âme héroïque. Il lui fallut seulement quelques
années d'attente pour arriver à ses fins.

De retour en Angleterre, il reprit ses livres, termina
son traité sur la doctrine du pardon du péché par le
sacrifice de Jésus-Christ. Plus tard, il écrivit encore un
autre livre, et, avec le temps, il passa du domaine de la
philosophie religieuse, à celui de l'histoire des reli-
gions.

En train de conquérir une position avantageuse
parmi les jeunes hommes de lettres de sa génération, il
venait de se fiancer à une jeune fille, qu'il avait connue
dans son enfance, et souvent revue depuis lors, quand,
cinq ou six ans après son aventure de Sarrebourg, il
dut se rendre en France pour suivre une série de
conférences d'un célèbre historien français. A Paris, il

alla voir un ancien ami, frère du jeune homme qui le premier à Berlin lui avait annoncé la guerre. Ce jeune homme s'appelait Arthur, et il occupait toujours le même poste à l'ambassade d'Angleterre.

Arthur ne savait trop quelle distraction offrir à un théologien. Il invita Frédéric à dîner dans un restaurant fréquenté par l'élite de la société, et, au cours du repas, il demanda à son hôte s'il aimait Paris et ce qu'il y avait déjà vu. Frédéric répondit qu'il avait vu quantité de belles choses, et qu'il avait visité entre autres les musées du Louvre et du Luxembourg. Ils discutèrent pendant un moment les mérites de l'art classique et de l'art moderne. Puis, tout à coup, Arthur s'écria :

— Si vous aimez la beauté, je sais ce que nous allons faire ! Nous irons voir Héloïse.

— Héloïse ?

— N'ajoutez pas un mot de plus ! Ce que je veux vous montrer ne peut se décrire ; il faut le voir.

L'ami emmena Frédéric dans une petite salle d'un cabaret délicieusement aristocratique, fréquenté par un public choisi.

— Nous arrivons juste à temps ! dit-il.

Et il ajouta :

— Il est vrai que vous auriez dû la voir à l'époque de l'Empire ; certaines gens prétendent qu'elle est bête comme une oie, mais vous ne le croirez pas si vous regardez ses jambes : *La jambe, c'est la femme*[1] *!* Mais on dit aussi que sa vie privée est des plus respectables ; moi, je n'en sais rien.

1. En français dans le texte.

La représentation à laquelle ils assistèrent était intitulée *La Vengeance de Diane,* pièce qui se réclamait du style classique, mais était moderne dans ses détails. Une quantité de jeunes et charmantes danseuses y figuraient, sous l'aspect de nymphes des bois ; elles étaient toutes fort légèrement vêtues. Mais le clou de la représentation n'était autre que la déesse Diane entièrement nue. Quand elle s'avança, tendant son arc d'or, un murmure pareil à un long soupir s'éleva dans l'assemblée. La beauté de son corps remplit de surprise et d'extase même ceux qui l'avaient admirée autrefois. Ils pouvaient à peine en croire leurs yeux. Arthur la regarda à travers ses jumelles, et il les tendit généreusement à Frédéric. Mais il s'aperçut que Frédéric ne s'en servait pas, et que peu à peu, il tombait dans un profond silence. Était-il choqué ?

— C'est une chose incroyable que la beauté des femmes ! dit Arthur ; qu'en pensez-vous ?

— Vous avez raison, dit Frédéric ; mais je connais cette femme-là, je l'ai déjà vue.

— Pas ici, tout au moins.

— Non ; pas ici.

Au bout d'un moment, il ajouta :

— Peut-être se souvient-elle de moi ? Je vais lui faire passer ma carte.

Arthur sourit.

Le messager qui avait transmis la carte revint en lui apportant une petite lettre.

— Qu'est-ce ? Une lettre d'elle ? demanda Arthur.

— Oui, elle se souvient de moi. Elle viendra nous retrouver quand la représentation sera terminée.

— Héloïse viendra nous retrouver ? Vous êtes des

gens extraordinaires, vous autres, professeurs anglais
de philosophie religieuse ! Quand donc l'avez-vous
rencontrée ? Est-ce quand vous écriviez votre traité sur
l'Adonis égyptien ?

— Non ! En ce temps-là, je faisais une étude sur un
sujet différent.

Arthur fit retenir une table, commanda du vin et un
grand bouquet de roses.

Quand Héloïse traversa le théâtre, tous les visages
se tournèrent vers elles, comme un parterre de tourne-
sols vers le soleil. Elle portait une robe noire, à longue
traîne, des gants, des plumes d'autruche et un collier
de perles.

Toute l'assistance soupira : « Que de noir pour
couvrir tant de blancheur ! »

Peut-être les formes d'Héloïse étaient-elles un peu
plus pleines que six ans plus tôt, mais ses mouvements
restaient toujours ceux d'un grand félin, et son expression, son attitude étaient aussi vives, aussi impatientes
que celles qui, jadis, avaient charmé Frédéric.

Il se leva pour la saluer. Arthur supposait que son
ami se montreraient fâcheusement maladroit au milieu
du public élégant du théâtre, mais la dignité de
Frédéric le frappa quand le regard du professeur
anglais rencontra celui d'Héloïse : les deux visages
exprimaient exactement la même joie grave.

Ils lui faisaient l'effet d'avoir envie de s'embrasser à
l'instant où ils se rapprochèrent l'un de l'autre, mais
d'en être empêchés par autre chose que la présence du
public. Ils restaient debout comme s'ils avaient oublié
que les êtres humains ont la faculté de s'asseoir.

Héloïse inclina la tête, et dit à Frédéric, dont elle retenait la main dans les siennes :

— Je suis heureuse que vous soyez venu me voir.

D'abord, Frédéric ne trouva pas une parole pour lui répondre, et il finit par lui poser une question stupide :

— Quelqu'un des autres est-il jamais venu vous chercher ici ?

— Non, dit Héloïse, personne n'est venu.

Quand ils eurent échangé ces trois phrases, Arthur réussit à les faire asseoir à la table, en face l'un de l'autre.

— Vous savez, n'est-ce pas, que le pauvre vieux Père Lamarque est mort ? dit Héloïse.

— Non ! Je n'ai plus été en relation avec eux.

— Oui ; il est mort. En arrivant à Paris, il a demandé à être envoyé aux armées, et il y a opéré des merveilles ; c'était un héros ! Mais, plus tard, il a été blessé à Paris par les Versaillais. Quand je l'ai appris, j'ai couru à l'hôpital, mais je suis arrivée trop tard.

Pour compenser le silence de son compatriote, Arthur versa du champagne à Héloïse :

— Quels braves gens ! s'écria-t-elle, en prenant son verre, et que ces jours-là étaient dignes d'être vécus. Qu'elles étaient bonnes ces deux bonnes sœurs !

Puis elle posa son verre et ajouta :

— Et tous les autres étaient bons ; on ne peut dire qu'ils étaient précisément braves. Ils avaient tous une frousse terrible, ce soir-là, à la villa ; ils voyaient déjà les fusils allemands pointés vers eux. Grand Dieu ! Ils couraient un risque plus terrible même qu'ils ne s'en doutaient !

— Que voulez-vous dire ? demanda Frédéric.

Héloïse répéta :

— Un risque plus terrible, car ils m'auraient fait
faire ce qu'exigeait l'Allemand ; ils me l'auraient fait
faire pour sauver leurs vies, s'il l'avait exigé d'eux en
premier lieu, ou s'ils étaient restés seuls devant la
décision à prendre. Mais alors, ils n'auraient pu se
consoler. Ils se seraient repentis leur vie durant d'avoir
cédé à la peur, et se seraient tenus pour de grands
pécheurs. Ils n'étaient pas faits pour ce genre de
situation, eux qui n'avaient jamais commis une bassesse. C'est pourquoi l'effroi qu'ils éprouvèrent fut si
triste.

« Je vous affirme, mon ami, qu'il eût été préférable
pour eux d'être fusillés que de garder leur vie entière
une mauvaise conscience ; ils n'y étaient pas habitués,
et n'auraient pas su comment s'y résigner.

— Comment savez-vous tout cela ? demanda Frédéric.

— Oh ! Je connais bien ce genre de personnes, dit
Héloïse. J'ai été élevée moi-même au milieu de gens
pauvres et honnêtes. Une sœur de ma grand-mère était
religieuse, et un pauvre vieux prêtre m'a appris à lire.

Frédéric appuya son coude sur la table, et, son
menton dans sa main, il ne quittait pas Héloïse des
yeux. Il dit :

— La victoire que vous avez remportée à la fin était
donc à votre avis, notre œuvre ? Vous avez triomphé
parce que nous nous sommes si bien comportés.

— Vous vous êtes bien comportés ; ne dites pas le
contraire ! fit-elle en lui souriant.

— Et vous, vous étiez même une plus grande

héroïne que je ne m'en suis douté à ce moment-là,
répondit Frédéric, en souriant aussi.

— Mon cher ami ! s'écria Héloïse.

Il reprit :

— Avez-vous cru, ce jour-là, que vous pouviez être
fusillée ?

— Certainement ! Il aurait très bien pu me faire
fusiller, et vous tous avec moi ; ç'aurait été sa façon de
faire l'amour. Mais cependant, ajouta Héloïse d'un air
pensif, il était honnête ; c'était un honnête garçon ; il
était réellement capable d'éprouver un désir sincère.
Bien des hommes en sont incapables.

Elle vida son verre, et Arthur le remplit à nouveau.
Puis elle dit, en regardant Frédéric :

— Vous n'étiez pas pareil aux autres, vous. Si nous
avions été seuls, vous et moi, vous auriez pu me laisser
sauver ma vie tout simplement comme il me le
demandait, et vous n'en auriez pas eu d'arrière-pensée
après coup. Je l'ai vu à ce moment-là. Et, quand nous
roulions ensemble à la frontière, et que vous n'avez pas
dit un mot dans ce fiacre, j'ai senti que j'appréciais
votre silence. J'ignore où vous avez appris ces choses,
car, après tout, vous êtes Anglais.

Frédéric réfléchissait aux paroles que venait de
prononcer Héloïse :

— Il aurait fallu, dit-il, que vous proposiez librement vous-même de vous sacrifier.

Héloïse se mit à rire :

— Mais, savez-vous, s'écria-t-elle brusquement, ce
qui a été une vraie chance pour vous et moi, et pour
nos compagnons ? C'est l'absence de toute autre
femme. Une femme m'aurait obligée à faire ce que

voulait l'Allemand, et vite ! quel que fût mon désarroi.
Et alors, où aurait passé notre grandeur d'âme ?

— Mais, voyons ! Il y avait des femmes parmi nous,
dit Frédéric ; que faites-vous des religieuses ?

— Elles ne comptent pas ; une religieuse n'est pas
une femme dans le sens habituel du mot. Je pensais,
moi, à une femme mariée ou à une vieille fille. Si
Mme Bellot n'avait pas eu des crampes d'estomac de
peur, elle m'aurait persuadée, en un rien de temps, j'en
suis sûre, et jamais je n'aurais pu la faire changer
d'avis.

Héloïse tomba dans une profonde méditation. Enfin,
regardant toujours Frédéric, elle dit :

— Quel homme remarquable vous êtes devenu ! Je
crois que vous avez grandi ; nous étions tous deux
tellement plus jeunes en ce temps-là.

— Ce soir, dit-il, je n'ai pas l'impression que ce
temps ait été très long.

— Mais il a été long quand même. Pour vous,
évidemment, le temps importe peu ; vous êtes un
homme et un écrivain, n'est-ce pas ? Vous êtes sur le
côté ascendant de la vie. Vous écrirez encore bien des
livres, j'en suis sûre. Vous rappelez-vous que, lors
d'une promenade que nous avons faite à Sarrebourg,
vous m'avez parlé des œuvres d'un Juif d'Amsterdam :
il avait un joli nom ; on aurait dit un nom de femme. Je
pensais alors que ce nom m'aurait plu pour moi-même
au lieu de celui qu'on a choisi pour moi. J'imagine que
seuls des gens instruits connaissent ce Juif hollandais.
Comment l'appelez-vous ?

— Spinoza, dit Frédéric.

— Spinoza ! En effet. Il taillait des diamants. Ce

que vous m'avez raconté à son sujet était très intéressant. Non, non ! Pour vous, le temps ne compte pas ! Il fait bon revoir de vieux amis, poursuivit-elle, mais c'est alors que l'on s'aperçoit de la fuite des jours. Nous sentons cela, nous autres, femmes. Le temps nous prive de beaucoup de biens précieux, et, pour finir, il nous prive de tout.

Elle leva la tête et regarda Frédéric. Jamais les visages, peints par les grands maîtres, n'avaient offert au jeune historien vision plus radieuse.

— Oui ! J'aurais voulu que vous me voyiez en ce temps-là, mon ami ! dit Héloïse.

L'enfant rêveur

Pendant la première moitié du siècle dernier, une famille de pêcheurs habitait une chaumière dans l'île de Seeland, au Danemark ; cette famille portait le nom de Plejelt, d'après son village natal. Elle paraissait assez peu capable de se tirer d'affaire de quelque façon que ce soit. Jadis, elle avait possédé quelques lopins de terre par-ci par-là, mais elle avait perdu tous ses biens, et ne réussissait dans aucune nouvelle entreprise. Les Plejelt avaient tout juste la chance de ne pas faire de la prison au Danemark. Mais l'histoire de leur famille consistait en une série de ces fautes et péchés qui séparent certaines gens de la société normale, sans que, pour autant, ils enfreignent réellement ses lois : vagabondage, ivresse, jeux, procréation d'enfants illégitimes, suicide. Le vieux pasteur de Tiköli disait à leur sujet :

— Ces Plejelt ne sont pas mauvais ; j'ai vu dans ma paroisse des familles bien pires. Ce sont de beaux types, bien portants, sympathiques ; ils ont même quelques talents à leur manière ; ce qui leur manque, c'est l'art de vivre. Et, s'ils ne se corrigent de cette incapacité, je ne sais ce qu'il adviendra d'eux, sauf qu'ils se feront manger par les rats.

Mais, chose singulière, les Plejelt avaient-ils entendu cette fâcheuse prophétie et en avaient-ils été salutairement effrayés ? — toujours est-il qu'au cours des années suivantes, ils parurent vraiment se ressaisir.

L'un d'entre eux entra par mariage dans une respectable famille de paysans ; un autre bénéficia d'un heureux coup du sort à la pêche aux harengs ; un troisième fut converti par le pasteur de la paroisse, et obtint l'emploi de sonneur de cloches. Seul un des enfants du clan, une jeune fille, ne put échapper à la fatalité ; au contraire, elle parut amasser sur sa tête tout le poids des fautes et de la mauvaise fortune de sa tribu. Pendant sa vie courte et tragique, la contrée se débarrassa d'elle, et elle échoua dans la ville de Copenhague avant sa vingtième année. Elle y mourut de misère, laissant un petit garçon.

Le père de l'enfant, qui d'ailleurs n'intervient pas dans cette histoire, avait donné cent dollars à la mère. La mourante les remit, en lui confiant son bébé, à une vieille blanchisseuse borgne, Mme Mahler, chez laquelle elle logeait. Elle pria Mme Mahler de subvenir à l'entretien du bébé tant que l'argent durerait, elle-même ne s'accorda plus qu'un court délai dans cette vie, obéissant au véritable esprit des Plejelt.

A la vue de l'argent, Mme Mahler eut les joues roses ; elle n'avait encore jamais eu cent rixdaler sous les yeux.

Elle poussa un long soupir en apercevant le petit

garçon, puis elle se chargea de lui, ajoutant ce fardeau
à ceux que la vie lui avait déjà imposés.

Jens, c'était le nom du petit, ne prit conscience des
choses que dans les bas-fonds du vieux Copenhague,
dans une arrière-cour pareille à un puits, véritable
labyrinthe de chiffons et de détritus à l'odeur nauséa-
bonde.

Il prit aussi lentement conscience de lui-même et de
ce que sa situation avait d'exceptionnel dans le monde.

Il y avait d'autres enfants dans la cour, une quantité
d'enfants, pâles et crasseux comme lui ; mais tous
semblaient appartenir à quelqu'un : ils avaient un
père et une mère. Il y avait autour de chacun d'eux un
groupe d'autres enfants braillards, qu'ils appelaient
leurs sœurs et leurs frères, et qui remplissaient la cour
de leurs criailleries.

Visiblement, ces enfants-là faisaient partie d'une
communauté. Jens se mit à réfléchir sur l'attitude
particulière du monde envers lui, et sur les raisons de
cette attitude. Elle s'accordait, en partie, avec une
sorte d'avertissement de son propre cœur. Il devinait
qu'il n'appartenait pas à son entourage, mais à un
autre milieu.

Pourtant, la nuit, il faisait des rêves chaotiques,
mais chatoyants, et pendant le jour ces rêves le
hantaient ; parfois le faisaient rire en secret. Ils étaient
pour lui comme le tintement d'une cloche. Alors
Mme Mahler hochait la tête le croyant un peu faible
d'esprit.

Un jour, une amie d'enfance de Mme Mahler vint la
voir. C'était une vieille couturière au visage plat et au
teint brun ; elle portait une perruque noire, on l'appe-

lait mam'zelle Ane. Pendant sa jeunesse, elle avait fait de la couture dans beaucoup de grandes maisons. Un ruban rose ornait sa robe noire, verdie par l'âge. Elle avait gardé de petites coquetteries, des manières de jeune fille, un peu bébêtes. Mais sous sa poitrine plate battait un grand cœur, qui lui permettait de mépriser son dénuement actuel, en se souvenant de la splendeur dont elle parait le passé.

Mme Mahler, femme de peu d'imagination, ne prêtait pas volontiers l'oreille aux soliloques grandiloquents, mais peu précis, de son amie, et bientôt mam'zelle Ane se tourna vers Jens, pour trouver un auditeur sympathique. La sérieuse attention du gamin accélérait follement le cours des récits fantaisistes de la vieille fille. Elle parlait de la somptueuse profusion du satin, du velours, des tissus brochés ; elle décrivait de vastes salons, des escaliers de marbre. La lumière d'une multitude de chandelles rehaussait encore la beauté de la dame de céans, parée pour le bal, et son époux, la poitrine décorée d'une étoile, venait à sa rencontre pour la faire monter dans sa voiture à deux chevaux, qui les attendait dans la rue.

Elle décrivait aussi, avec le même enthousiasme, les grands mariages à la cathédrale et les enterrements, auxquels assistaient des dames vêtues de noir, comparables à des colonnes d'une tragique magnificence.

Les enfants appelaient leurs parents : papa et maman, et non : père et mère, suivant l'usage au Danemark. Ils avaient des poupées, des chevaux à bascule, des perroquets bavards dans des cages dorées, et des chiens qui avaient appris à faire le beau.

Les mères embrassaient leurs enfants, leur don-

naient de petits noms d'amitié et des bonbons. Même
en hiver, les chambres chauffées, aux fenêtres voilées
de rideaux de satin, étaient embaumées par le parfum
de fleurs, qui s'appelaient des héliotropes, ou des
lauriers-roses; et les lustres, pendus au plafond,
étaient eux-mêmes des bouquets de fleurs et de feuilles
en cristal.

L'image de ce monde majestueux, et d'une beauté
éclatante, se fondait dans l'esprit de Jens avec l'isole-
ment inexplicable dans lequel il vivait. Tout n'était
plus que rêve, que fantaisie irréelle. Il n'était aussi seul
chez Mme Mahler que parce qu'une des demeures
dépeintes par mam'zelle Ane était son propre foyer.

Mme Mahler passait de longues heures à faire ses
lessives, ou bien à porter leur linge à ses clientes de la
ville. L'enfant s'amusait alors à se représenter cette
maison imaginaire, ainsi que ses habitants, qui avaient
pour lui une si vive tendresse. De son côté, mam'zelle
Ane remarquait l'effet de son récit et comprenait
qu'elle avait trouvé le public idéal, et cette découverte
lui suggérait des inventions nouvelles. Les relations
entre la vieille couturière et le petit garçon devinrent
peu à peu une histoire d'amour. Leur bonheur, leur
existence même, dépendaient de la réciprocité de leurs
sentiments.

Or, mam'zelle Ane était une révolutionnaire-née,
une réformatrice de la société par suite d'une intuition
personnelle de son âme virginale et fière, bien qu'elle
eût toujours vécu avec des gens soumis à leur sort et
qui réfléchissaient peu. La grandeur, la beauté, l'élégance constituaient pour elle le sens de la vie; pour
rien au monde, elle n'eût accepté de les voir disparaître

de ce monde; mais elle brûlait d'indignation à la pensée du cruel scandale, qui privait tant d'êtres humains de ces biens précieux dont ils ignoraient même la valeur. De pauvres femmes vivaient et mouraient sur cette terre ne connaissant que la pauvreté sordide et les privations. La vieille fille s'éveillait chaque matin dans l'attente du jour de la justice; quand les rôles seraient renversés, et que les déshérités, les oppressés entreraient dans un ciel, où tout ne serait plus qu'élégance et grâce.

Pourtant, mam'zelle Ane s'efforçait de ne pas communiquer à l'enfant sa propre amertume et sa révolte. Leur intimité grandissante l'incitait à voir dans le petit Jens l'héritier légitime de la magnificence qu'elle avait implorée en vain pour elle. Il ne fallait pas qu'il combatte pour l'obtenir : tout était à lui de plein droit, et devait lui échoir naturellement.

Peut-être cette femme, qui avait l'expérience de la vie, devinait-elle que le petit garçon n'avait aucune tendance à l'envie ou à la rancœur. Au cours de leurs longs et heureux entretiens, il acceptait sérieusement, et sans crainte, bien qu'il n'y eût aucune part, le monde que lui présentait mam'zelle Ane; ce monde des enfants privilégiés.

Il y eut une courte période de sa vie au cours de laquelle Jens voulut confier son bonheur aux enfants de l'arrière-cour; il leur dit que bien loin d'être le garçon niais, dont Mme Mahler tolérait tout juste la présence chez elle, il était au contraire un favori de la fortune. Il avait un papa, une maman, une belle maison à lui, une voiture et des chevaux. Il était très gâté, et on lui accordait tout ce qu'il désirait.

Chose curieuse, les enfants ne se moquèrent pas de lui, ni tout de suite ni plus tard. Ils parurent même ajouter foi à ses récits ; mais il leur fut impossible de suivre les caprices de son imagination, qui ne les intéressaient guère, et bientôt ils les ignorèrent. Jens renonça donc à faire partager aux autres le secret de sa félicité.

Pourtant, certaines questions posées par les enfants le faisaient réfléchir, et il interrogea mam'zelle Ane, car leur confiance réciproque était complète sur les circonstances qui l'avaient séparé des siens, et amené chez Mme Mahler. Mam'zelle Ane trouva difficile de répondre d'une manière satisfaisante. Après de longues réflexions, elle donna cependant une explication à Jens à la manière d'une sibylle : la vie et les livres, dit-elle, fournissent maints exemples d'enfants, et surtout d'enfants de haute naissance, nés dans les circonstances les plus heureuses, et chéris de leurs parents, mystérieusement disparus et perdus.

A ces mots, elle s'arrêta net, car, même pour son caractère indomptable et qui avait fait ses preuves, le sujet paraissait trop tragique pour qu'on puisse s'y attarder.

Jens accepta l'explication dans l'esprit de celle qui l'avait donnée, et de ce moment-là, il se vit lui-même sous l'aspect mélancolique, mais fréquent, d'un enfant disparu et perdu.

Quand il eut six ans, mam'zelle Ane mourut, lui laissant les quelques biens qu'elle possédait sur cette terre : un dé d'argent usé, une belle paire de ciseaux, une petite chaise de bois noir, orné de roses peintes. Jens attachait à ces choses une grande valeur, et les contemplait gravement chaque jour. Ce fut à ce moment-là que Mme Mahler se vit au bout des cent dollars que lui avait laissés la mère de Jens. Vexée depuis longtemps par le dévouement de sa vieille amie pour l'enfant, elle décida de prendre sa revanche et de faire travailler dorénavant Jens à la buanderie. Le gamin ne disposa plus de rien ; le dé, les ciseaux et la chaise passèrent dans la chambre de Mme Mahler, seuls restes tangibles, et seules preuves de cette splendeur que le gamin avait connue et partagée avec mam'zelle Ane.

A l'époque où ces événements eurent lieu, un jeune ménage, Jacob et Émilie Vandamm, vivait dans une superbe maison de la Bredgade. Jacob et Émilie étaient cousins, elle, fille unique d'un des armateurs les plus importants de Copenhague, et lui, fils de la sœur de ce puissant personnage. Le vieil armateur, qui était veuf, habitait avec sa sœur, veuve elle aussi, les deux étages inférieurs de la maison, plus élevés de plafond que les autres. La famille était étroitement unie, et le jeune couple avait été fiancé dès l'enfance.

Jacob était un grand jeune homme, intelligent et d'un caractère facile. Il avait beaucoup d'amis, mais aucun d'eux ne pouvait contester le fait de sa précoce calvitie. Il n'était âgé alors que de trente ans.

Émilie n'était pas d'une beauté régulière, mais elle était infiniment gracieuse et élégante de tournure, et elle pouvait se vanter d'avoir la taille la plus svelte de tout Copenhague.

D'une grande souplesse de mouvements, elle était douée d'une voix mélodieuse et douce ; elle parlait

toujours assez bas, d'un ton légèrement ironique. Une
réserve distinguée caractérisait toute sa personne. Au
point de vue moral, elle se révélait la digne fille d'une
longue lignée d'hommes d'affaires honnêtes et capables. Elle était droite, raisonnable et digne de
confiance avec une nuance de pharisaïsme. Elle consacrait une grande partie de son temps à des œuvres
charitables, et savait exactement reconnaître les pauvres méritants et les autres.

Elle recevait largement, et avec amabilité, mais ne
fréquentait strictement que son propre milieu. Son
vieil oncle qui avait voyagé dans le monde entier, et
admirait fort le beau sexe, la taquinait au cours des
réunions de famille du dimanche soir. Il y a, disait-il,
un contraste délicieusement piquant entre ton corps
souple et ton esprit rigide.

Mais il y eut un temps où, à l'insu du monde, le
corps et l'esprit d'Émilie avaient été pleinement d'accord.

Émilie avait dix-huit ans, et Jacob était sur un
navire en Chine quand elle s'éprit d'un jeune officier
de marine, Charles Dreyer. Trois ans plus tôt, Charles
Dreyer, alors âgé de vingt et un ans à peine, s'était
distingué pendant la guerre de 1849 et avait été décoré.
Émilie n'était pas fiancée officiellement à son cousin, et
elle ne pensait pas non plus qu'elle briserait le cœur de
Jacob en épousant un autre jeune homme. Pourtant,
elle était en proie à d'étranges appréhensions et la
violence de ses sentiments l'effrayait.

Lorsque pendant ses heures de solitude elle réfléchissait à ce qu'elle éprouvait, elle jugeait indigne
d'elle de dépendre autant d'un autre être ; mais elle

oubliait ses craintes en présence de Charles et elle s'étonnait sans cesse que la vie puisse être aussi suave.

La meilleure amie d'Émilie, Charlotte Tutein, lui dit, un soir que les deux jeunes filles se déshabillaient après un bal : « Charles Dreyer fait la cour à toutes les jolies filles de Copenhague, mais il n'a l'intention d'en épouser aucune ; je crois qu'il est un second Don Juan. »

Sans répondre, Émilie sourit à son miroir ; son cœur fondait de tendresse à l'idée que Charles fût aussi mal jugé par le monde entier. Elle seule l'estimait pour ce qu'il était en réalité, c'est-à-dire bon, fidèle et sincère.

Le bateau de Charles allait appareiller pour les Indes occidentales. Pendant la nuit qui précéda son départ, il se rendit à la villa du père d'Émilie pour prendre congé de ses habitants. Émilie était seule. Le jeune couple alla se promener au jardin ; c'était une nuit de lune. Émilie cueillit une rose blanche, humide de rosée, et l'offrit à Charles à l'instant de la séparation sur la route devant le portail.

Obéissant à un grand élan de passion, Charles saisit les deux mains de la jeune fille et les appuya contre sa poitrine, et il supplia Émilie, puisque aussi bien personne ne les avait vus, de lui permettre de rentrer avec elle dans sa chambre et d'y rester jusqu'au matin de son départ pour de si lointains pays.

Sans est-il impossible aux générations actuelles de se représenter l'horreur, l'épouvante et la répulsion que le seul mot de « séduction » évoquait chez les jeunes filles de ce temps révolu. Émilie n'aurait pu être plus mortellement effrayée et révoltée en s'apercevant que Charles voulait lui couper la gorge.

Il dut répéter sa prière à plusieurs reprises pour se faire comprendre, et quand Émilie saisit le sens de ses paroles, elle sentit le sol s'effondrer sous elle. Le seul homme en qui elle avait confiance, et qu'elle aimait, cherchait à lui faire commettre le péché suprême, et à attirer sur elle le désastre et la honte ! Il lui demandait de trahir la mémoire de sa mère, et de trahir, en même temps, toutes les jeunes filles de ce monde. L'amour que lui inspirait Charles faisait d'elle sa complice criminelle ; elle se vit perdue.

Charles la sentit trembler, et l'entoura de ses bras.

Terrorisée, elle poussa un cri étouffé, échappa à son étreinte, et, faisant appel à toute sa force, elle ferma la lourde porte de fer sur le jeune homme, comme si elle eût voulu enfermer dans sa cage un lion furieux.

Mais de quel côté de la porte se trouvait la bête féroce ? Les forces d'Émilie cédèrent, elle se cramponnait sans énergie à la grille de fer forgé contre les barreaux, tandis que, de l'autre côté, l'amoureux repoussé se pressait contre elle et essayait de saisir à travers les interstices les mains de la jeune fille, ou ses vêtements, en l'implorant de le laisser entrer dans la maison.

Elle résista et s'enfuit jusqu'à sa chambre, mais ce ne fut que pour y retrouver le désespoir, qui emplissait son propre cœur, et l'amertume d'un monde désormais vide pour elle.

Six mois plus tard, Jacob revint de Chine, et ses fiançailles avec Émilie furent célébrées par de grandes fêtes de famille. Le mois qui suivit apprit à Émilie la mort de Charles emporté par les fièvres à Saint-Thomas.

Elle n'avait pas vingt ans quand eut lieu le mariage avec Jacob et qu'elle se trouva reine et maîtresse d'une belle demeure. Plus d'une jeune fille de Copenhague se mariait alors *par dépit*[1], pour sauver sa dignité personnelle, reniant son propre amour et se faisant un point d'honneur de vanter l'excellence de son mari. Ces jeunes épouses furent bientôt incapables de distinguer entre la vérité et le mensonge.

Leur mari pouvait s'applaudir d'avoir eu l'avantage sur l'époux choisi par amour, et qui risquait pourtant d'être éclipsé un jour par un rival plus séduisant.

La jeunesse d'Émilie fut du parti de Jacob, et la maintint dans le droit chemin avec une force invincible. Plus l'ombre de Charles la hantait, plus elle avait de peine à l'oublier, plus elle restait fidèle à l'honnête ambition d'une épouse, plus elle fut une maîtresse de maison ingénieuse, et pleine d'attentions. Elle fut, en quelque sorte, sauvée du sort de beaucoup de ses pareilles par l'appui de la lignée Vandamm, morts ou vivants, ces hommes respectueux de la tradition et des saines réalités. Aux jours d'épreuves, ils regardaient en face la banqueroute et la ruine ; ils étaient les serviteurs honnêtes des faits.

Émilie fit, elle aussi, l'inventaire de ses profits et pertes. Elle avait aimé Charles, et il s'était révélé indigne de son amour ; jamais plus elle n'aimerait personne comme elle avait aimé le jeune marin. Mais elle s'était trouvée au bord d'un abîme, et, n'eût été la grâce de Dieu, elle serait à présent une femme déchue, proscrite de la maison de son père.

1. En français dans le texte.

L'homme qu'elle avait épousé était bon ; c'était un homme d'affaires capable, même s'il était gros et lourd, un peu puéril et différent d'elle. La vie lui avait accordé une maison selon son goût, et une position sûre et harmonieuse dans sa famille et dans la société de Copenhague. Elle en était reconnaissante et elle ne voulait pas risquer de perdre ces avantages.

A ce moment-là, Émilie faisait, avec toute la force de sa jeunesse, et presque fanatiquement, profession de foi de sincérité et de sérieux.

Les anciens Vandamm lui faisaient sans doute des signes d'approbation du haut du ciel ; ou bien, peut-être, ils jugeaient qu'elle était trop jeune pour prendre une résolution aussi excessive. En tout cas, ils avaient pris eux-mêmes leurs risques quand besoin en était, et ils savaient bien qu'en affaires il est dangereux de vouloir esquiver le danger.

Quant à Jacob, il était amoureux de sa femme, et la trouvait plus précieuse que les rubis. Sa première expérience de l'amour avait été très grossière, comme pour la plupart des jeunes gens de la bourgeoisie de Copenhague, que ne tourmentaient pas des principes de morale très stricte. Mais il avait gardé une grande fraîcheur de cœur et un besoin de correction et d'ordre. Entre toutes les femmes, chez lesquelles il retrouvait son idéal de pureté féminine, il admirait la jeune cousine, blonde et immaculée, qu'il allait épouser ; si proche de lui par sa parenté avec sa propre mère, et par l'éducation qu'elle avait reçue. Il avait emporté son portrait à Hambourg et Amsterdam et il le traitait comme une poupée ou une icône. Émilie qualifiait ce trait de caractère d'enfantillage.

En Chine, l'original du portrait prit un aspect éthéré et romanesque. Jacob se plaisait à répéter de petites phrases prononcées par Émilie, rien que pour se rappeler sa voix, basse et tendre. Aujourd'hui, il était heureux de son retour au Danemark, heureux d'être marié, de vivre à son propre foyer et de trouver sa jeune femme aussi parfaite que son portrait.

Parfois, il eût aimé chez elle un soupçon de faiblesse, ou bien qu'elle fît appel à sa force à lui, qui, dans l'état actuel des choses, ne servait à faire de lui qu'un être lourd et gauche, à côté de sa délicate épouse.

Il satisfaisait les moindres désirs d'Émilie, et, fier de sa supériorité, lui abandonnait toutes les décisions concernant la maison et leur mode de vie, chez eux et dans le monde.

Il arrivait cependant que le mari et la femme ne fussent pas d'accord. Par exemple, dans le domaine de la charité ; ils ne la voyaient pas d'un même œil. Émilie chapitrait alors son mari, étonnée de sa crédulité :

— Que tu es absurde, Jacob ! dit-elle ; tu crois tout ce que te racontent ces gens ! non pas qu'il te soit impossible d'en douter, mais parce que *tu veux* y croire.

— N'as-tu pas, toi aussi, envie de croire à ce qu'on te dit ? demanda Jacob.

Elle répondit :

— Je ne vois pas comment on peut désirer croire, ou ne pas croire ; je veux découvrir la vérité. Du moment qu'une chose est vraie, le reste m'importe peu.

Peu de temps après son mariage, Jacob reçut une lettre d'une quémandeuse, rejetée jadis. Cette femme lui révélait que, pendant son absence en Chine, sa fiancée avait eu une liaison avec Charles Dreyer.

Sachant que c'était un mensonge, Jacob déchira la lettre et n'y pensa plus.

Jacob et Émilie n'avaient pas d'enfant. Émilie en était fort affligée; elle avait l'impression de manquer à ses devoirs. Au bout de cinq ans de mariage, Jacob, contrarié d'entendre sa mère déplorer sans cesse l'absence d'un héritier, et préoccupé lui aussi de l'avenir de la maison, proposa à sa femme d'adopter un enfant, qui assurerait la succession familiale. Émilie repoussa aussitôt cette idée avec énergie et indignation. Elle ne voyait dans l'adoption qu'une comédie, et elle refusa d'imposer à la maison de commerce de son père un héritier illégitime.

Jacob maintint son point de vue, et continua ses instances, mais sans grand effet. Pourtant, lorsqu'il revint sur ce sujet six mois plus tard, Émilie à sa propre surprise s'aperçut qu'elle ne répugnait plus à l'envisager. Sans doute lui avait-elle inconsciemment fait une place dans ses pensées. Maintenant la perspective d'adopter un enfant avait pris racine et lui paraissait familière; elle écouta son mari avec sympathie et compréhension.

— Si c'est cette idée d'adoption à laquelle il s'attache, se disait-elle, je ne dois pas m'y opposer. Mais, en son for intérieur, elle raisonnait froidement et avec lucidité, et elle restait effarée devant sa sécheresse de cœur. La véritable raison de sa complaisance n'était-elle pas la pensée que l'adoption d'un enfant la délierait de l'obligation de donner un héritier à la maison de commerce, un petit-fils à son père, un fils à son mari.

Ce furent en vérité leurs petites divergences de vues touchant le mérite, ou l'absence de mérite des pauvres, qui furent à l'origine des événements racontés dans cette histoire, et dont les époux de la Bredgade furent les acteurs.

En été, ils vivaient dans la villa du père d'Émilie, au bord de l'eau, et Jacob se rendait en ville, et en revenait dans un petit cabriolet. Un beau jour, il se décida, profitant de l'absence de sa femme, à aller voir un peu estimable vieux mendiant, jadis capitaine d'un de ses navires. Il passa par la vieille ville, où les voitures circulaient avec peine et où leur présence était si inusitée que les gens sortaient de leurs caves pour les voir. Dans l'étroite ruelle de l'Adelgade, un ivrogne agita les bras devant le cheval, et heurta un petit garçon qui poussait une lourde brouette chargée de linge. La brouette et le linge échouèrent dans la rigole.

Un attroupement se forma aussitôt, mais personne n'exprima ni indignation, ni sympathie. Jacob ordonna à son groom d'asseoir l'enfant dans sa voiture ; il avait le visage couvert de sang et de boue, mais sa chute n'avait pas été violente, et il n'était pas blessé. Il paraissait d'ailleurs tenir son aventure pour un événement ne le concernant pas personnellement.

— Pourquoi ne t'es-tu pas écarté de mon chemin, petit imbécile ? lui demanda Jacob.

— J'avais envie de regarder le cheval, répondit l'enfant.

Et il ajouta : D'ici, je le vois très bien.

Jacob apprit par un des spectateurs la situation du gamin. Il paya cet homme pour rapporter la brouette à sa propriétaire, et ramena le gamin chez lui en voiture.

L'aspect sordide de la maison de Mme Mahler, l'œil
unique de cette femme, sa visible dureté de cœur, le
frappèrent désagréablement. Pourtant, ce n'était pas
la première fois qu'il pénétrait dans une demeure de
pauvres gens. Mais, ici, il distinguait un singulier
contraste entre cette arrière-cour et l'enfant qui y
vivait. On eût dit que, sans le savoir, Mme Mahler
hébergeait une charmante petite bête sauvage ou un
lutin.

En rentrant chez lui, il se rappela qu'il avait
remarqué une ressemblance entre l'enfant et Émilie.
L'attitude du petit révélait une sorte de réserve
désintéressée, derrière laquelle on devinait une force,
une endurance exceptionnelles.

Ce soir-là, Jacob ne parla pas de cet incident, mais il
revint chez Mme Mahler pour s'enquérir des circonstances auxquelles elle devait la présence du petit
garçon à son foyer.

Quelques jours plus tard, il raconta son aventure à
sa femme et, un peu timidement, comme s'il plaisan-
tait, proposa à Émilie de prendre chez eux ce joli
enfant perdu et de le considérer comme le leur.

Et, comme en plaisantant, elle entra dans le jeu,
jugeant préférable de recevoir ce gamin plutôt qu'un
enfant de parents connus. Depuis ce jour-là, ce fut
Émilie qui revenait sur ce sujet, quand elle ne trouvait
pas d'autre thème de conversation avec Jacob. Ils
consultèrent le notaire de la famille et envoyèrent leur
vieux médecin examiner le petit garçon. Jacob fut
surpris, et reconnaissant, de l'empressement de sa
femme à accéder à ses désirs. Elle l'écoutait avec un

affectueux intérêt développer ses plans et parfois même lui exposait ses idées personnelles sur l'éducation.

Depuis un certain temps, Jacob avait trouvé l'atmosphère conjugale presque trop parfaite, et il s'était permis une petite aventure en ville. A présent, il en était fatigué et y avait mis fin. Il faisait des cadeaux à Émilie et lui laissa le soin de poser ses conditions pour l'adoption de l'enfant.

Elle lui dit qu'il pourrait amener le gamin dans la Bredgade le premier octobre, dès leur retour de la campagne ; mais elle se réservait de décider définitivement, à la fin d'avril, si elle garderait Jens, ou non, quand il aurait vécu six mois chez eux. Si à ce moment-là elle jugeait que l'enfant ne répondait pas à leurs espoirs, elle le confierait à une brave et honnête famille d'employés de la maison de commerce. Jusqu'en avril, Jacob et Émilie seraient pour Jens comme un oncle et une tante.

La famille ne fut pas tenue au courant de ces projets, et le secret partagé accentua la camaraderie qui s'était établie entre les époux.

Émilie se disait malgré tout que la situation eût été bien différente si elle avait attendu un enfant à la manière habituelle des autres femmes, et elle trouvait élégant, et conforme à la bienséance, cette possibilité de régler un événement naturel selon ses propres idées.

Les choses s'arrangèrent d'elles-mêmes pour Mme Mahler, à mesure que l'heure de se séparer de Jens approchait. Elle n'avait pas pour habitude de s'opposer aux désirs de ses supérieurs dans l'échelle sociale, et elle supputait les chances que lui vaudraient ses futurs rapports avec une maison dont les lessives

étaient certainement importantes. Seul l'empressement de Jacob à régler les dépenses soi-disant faites
pour l'enfant laissa à Mme Mahler l'éternel regret de
n'avoir pas exigé davantage.

Au dernier moment, Emilie changea encore ses
plans : elle voulut chercher l'enfant toute seule, disant
qu'il importait beaucoup que leurs relations soient
nettement établies dès le début. Elle ne se fiait pas,
dans l'occurrence, à l'instinct de propriété de Jacob.

Par conséquent, quand tout fut prêt pour l'arrivée
de Jens dans la Bredgade, Émilie se rendit elle-même
en voiture dans l'Adelgade, pour entrer en possession
du gamin. Elle n'éprouvait aucun scrupule de
conscience à l'égard de la raison sociale ou de son
mari, mais à l'avance elle était un peu fatiguée de toute
cette affaire.

Un certain nombre d'enfants mal peignés attendaient visiblement l'arrivée de la voiture dans la rue
près de la maison de Mme Mahler.

Ils ouvrirent de grands yeux en voyant Émilie, mais
les détournèrent quand elle les regarda. Elle perdit
cœur en traversant ce petit groupe d'enfants déguenil-
lés, et releva très haut son ample jupe dans l'arrière-
cour. Son enfant allait-il ressembler à ceux-là ?

Émilie avait fréquemment visité des demeures de
pauvres ; elles offraient un triste spectacle, mais pouvait-il en être autrement : « Vous avez toujours des
pauvres avec vous. »

Aujourd'hui, pour la première fois, et puisqu'un
enfant, sorti de ces lieux, allait entrer dans la belle
demeure d'Émilie, elle se sentit liée à la misère et à la
détresse du monde, aussi fut-elle saisie par instants

d'un dégoût et d'une horreur imprévus, et aussitôt après par la pitié la plus profonde. Elle entra chez Mme Mahler sous l'influence de ces états d'esprit opposés.

Mme Mahler avait lavé le petit Jens, et mouillé ses cheveux. Elle lui avait aussi, deux jours plus tôt, expliqué en toute hâte la situation et la promotion nouvelle à laquelle il était appelé. Mais Mme Mahler était une personne sans imagination et nourrissant en outre l'opinion que l'enfant était un niais, elle ne s'était pas donné grand mal pour lui faire comprendre ce qui lui arrivait. Il l'avait d'ailleurs écoutée assez distraitement et s'était contenté de lui demander comment son père et sa mère l'avaient retrouvé ?

— Oh ! par l'odeur ! dit Mme Mahler.

Jens avait transmis la nouvelle aux autres enfants de la maison. Il leur raconta que son papa et sa maman viendraient le lendemain le ramener en grande pompe à la maison. Ce fut pour lui un grave sujet de réflexion de constater que cet événement suscitait une telle agitation dans ce même petit monde de l'arrière-cour, qui avait écouté ses rêves avec tant d'indifférence. Pour lui, la réalité et les rêves étaient une seule et même chose.

Il était monté sur la chaise de mam'zelle Ane pour regarder par la fenêtre, et assister à l'arrivée de sa mère ; et il était encore debout quand Émilie entra dans la pièce bien que Mme Mahler fît le geste de le chasser de son observatoire.

La première chose qu'Émilie remarqua chez l'enfant fut qu'il ne détourna pas les yeux à son approche ; il la regarda carrément en face, et une sorte de lumière extatique brilla sur son petit visage. Pendant un moment, la femme et l'enfant se dévisagèrent en silence. Le gamin semblait attendre qu'elle lui parlât ; mais, comme elle restait silencieuse, irrésolue, il dit :

« Maman ! Je suis heureux que tu m'aies trouvé ; je t'ai attendue si longtemps, si longtemps ! »

Émilie jeta un coup d'œil du côté de Mme Mahler : cette scène avait-elle été préparée en vue de l'émouvoir ?

Mais l'incompréhension obtuse qu'exprimaient les traits de la vieille femme excluait toute possibilité de ce genre, et Émilie se tourna de nouveau vers l'enfant.

Mme Mahler était une grosse femme, à la large carrure, et Émilie, en crinoline et mantille flottante, prenait aussi une grande place dans la pièce. Jens était bien le personnage le plus menu de la scène qui se jouait en cet instant ; pourtant c'était lui qui dominait la situation comme s'il avait pris la direction des événements. Il restait debout, très droit ; son attitude et son regard reflétaient la même joie radieuse.

— Je vais rentrer chez nous avec toi, dit-il.

Émilie comprenait vaguement et avec stupéfaction que ce n'était pas la chance extraordinaire de Jens qui l'émouvait en ce moment, mais qu'il pensait uniquement au bonheur merveilleux dont il la comblait, elle. Une étrange pensée, qu'elle ne pouvait s'expliquer, s'imposa alors à la jeune femme : cet enfant est aussi isolé dans la vie que moi, se dit-elle. Gravement, doucement, elle fit un pas vers lui et lui dit quelques paroles amicales à mi-voix.

Le petit garçon étendit la main et toucha doucement les boucles soyeuses qui retombaient sur le cou d'Émi-

lie, et dit fièrement : « Je t'ai reconnue tout de suite ;
tu es ma maman qui me gâtes ! Je te reconnaîtrais
entre toutes les dames à cause de tes beaux cheveux
longs. »

Il caressa doucement de ses petits doigts l'épaule et
le bras d'Émilie, et tripota sa main gantée :

— Tu as mis trois bagues aujourd'hui ? s'écria-t-il,
n'est-ce pas ?

— Oui, murmura Émilie.

Les lèvres de Jens esquissèrent un sourire bref et
triomphant. Il devint très pâle :

— Embrasse-moi maintenant, maman ! »

Émilie ignorait qu'il pâlissait ainsi parce que personne ne l'avait jamais embrassé. Étonnée d'être aussi
émue, elle obéit, se pencha vers le gamin et l'embrassa.

Les adieux de Jens et de Mme Mahler furent plutôt
cérémonieux pour deux êtres qui se connaissaient
depuis longtemps, mais elle voyait déjà en lui un
personnage nouveau : l'enfant d'un homme riche et
elle prit sa main avec une raideur presque respectueuse. Mais Émilie dit à l'enfant de remercier
Mme Mahler, avant de la quitter, d'avoir pris soin de
lui jusqu'à présent, et il le fit avec une grâce toute
spontanée. Les joues de la vieille femme se couvrirent
alors d'une vive rougeur comme le jour de leur
première rencontre à la vue de l'argent ; on l'avait si
rarement remerciée.

Arrivé dans la rue, Jens s'immobilisa en poussant un
cri de joie :

— Oh ! mes chevaux sont beaux et bien nourris !

Émilie, déconcertée, se demandait, tandis que la

voiture s'ébranlait, quel était l'étrange enfant qu'elle
enlevait à la maison de Mme Mahler.

Dans sa propre demeure, elle monta l'escalier avec
Jens, lui fit voir l'une après l'autre toutes les pièces, et
son effarement ne cessait d'augmenter. Jamais encore
elle n'avait été aussi troublée, aussi peu sûre d'elle-
même. Partout l'enfant manifestait le même enchante-
ment, la même joie de se retrouver dans un milieu bien
connu. Par moments il parlait aussi de choses qu'Émilie se rappelait vaguement avoir vues dans son
enfance, ou d'autres encore dont elle n'avait pas la
moindre idée.

Le petit chien que la jeune femme avait emporté en
quittant le foyer paternel poussa quelques jappements,
et elle le prit dans ses bras, de crainte qu'il ne mordît
Jens. Mais Jens cria :

— Oh non ! Maman, il ne me mordra pas, il me
connaît bien !

Quelques heures plus tôt, au moment où elle avait
embrassé Jens, dans la chambre de Mme Mahler,
Émilie aurait grondé Jens en l'entendant affirmer ainsi
ce qu'elle savait être faux. A présent, elle ne dit rien.

Un peu plus tard, inspectant la pièce des yeux, Jens
dit : « Est-ce que le perroquet est mort ? » et elle
répondit : « Non — désorientée une fois de plus —, il
est dans la chambre voisine. »

Elle avait peur d'une part de rester seule avec Jens,
de l'autre de voir un tiers s'interposer entre eux, et elle
dit à la bonne d'enfants de quitter la pièce.

L'heure du retour de Jacob approchait : Émilie
épiait le bruit de ses pas dans l'escalier avec une sorte
d'angoisse.

— Qui est-ce que tu attends ? demanda Jens.

Ne sachant de quel nom désigner Jacob, elle répondit avec embarras : « Mon mari ! »

Celui-ci, en entrant, trouva la mère et l'enfant en train de feuilleter un livre d'images. Le petit garçon le regarda fixement :

— C'est donc toi, mon papa ? dit-il. Je l'ai toujours pensé mais je n'en étais pas tout à fait sûr, tu comprends ; ce n'est pas par l'odeur que tu m'as retrouvé. Le jour où tu es venu, je crois que c'est le cheval qui se souvenait de moi.

Jacob regarda sa femme, qui faisait mine d'être absorbée par le livre d'images. Il ne s'attendait pas à trouver un esprit logique chez un enfant, et il fut bientôt en train de jouer et de faire des culbutes avec Jens. En plein jeu, Jens posa sa main sur la poitrine de Jacob et dit :

— Tu n'as pas mis ta décoration ?

Émilie ne tarda pas à sortir de la chambre ; elle pensait : « J'ai fait un effort pour céder au désir de mon mari, et voici que c'est moi seule qui semble devoir supporter le fardeau que j'ai accepté. »

Jens prit possession de la maison dans la Bredgade, et en fit son esclave ni par la violence, ni par le pouvoir, mais grâce à cet état d'esprit le plus fascinant, le plus irrésistible qui soit au monde : celui du rêveur dont le rêve devient la réalité. La vieille demeure fut un peu amoureuse de l'enfant. C'est ce qui arrive toujours aux rêveurs quand ils ont affaire à des gens sensibles à la magie des rêves.

Le plus célèbre de ces rêveurs, le fils de Rachel,

comme chacun sait, passa par de grandes épreuves, et fut même jeté en prison à cause de ses rêves.

A part sa petite taille, Jens n'avait aucune ressemblance avec les portraits classiques de Cupidon, et pourtant, il était évident que, sans le savoir, l'armateur et sa femme avaient pris chez eux un petit Éros, venu tout ailé dans la vieille demeure; il était ligué aux suaves et impitoyables puissances de la nature, et ses relations avec chaque membre particulier de la maisonnée avaient le caractère d'une affaire d'amour.

Ce fut ce magnétisme irrésistible qui avait poussé Jacob à choisir le gamin pour héritier de la maison Vandamm dès leur première rencontre, et qui causait la frayeur d'Émilie, lorsqu'elle appréhendait de se trouver seule avec lui.

Le vieux magnat et le personnel de la maison n'échappèrent pas à leur sort, comme ç'avait été le cas pour Putiphar, le capitaine des gardes de Pharaon : avant même de s'en rendre compte, ils avaient tout remis entre les mains de Jens.

L'un des effets de ce charme singulier qui émanait de Jens fut que son entourage se vit lui-même tel que le voyait le petit garçon, et fut contraint de vivre selon un idéal déterminé; et, sur ce plan plus élevé de leur existence, ils dépendaient entièrement de Jens.

Pendant le temps qu'il y vécut, la maison changea d'aspect; elle différa de toutes les autres maisons de la ville et devint un autre mont Olympe, la résidence des dieux. L'enfant traitait avec la même autorité seigneuriale et rieuse, la majesté du vieil armateur, maître sur tous les flots de l'univers; la tendresse dévouée et protectrice de Jacob, et la grâce d'Émilie un peu fuyante.

La vieille femme de charge, qui auparavant se plaignait souvent de son sort, se transforma en gardienne puissante et pleine de bienveillance de la prospérité humaine, véritable Cérès en coiffe et tablier. Et pendant le même laps de temps le cocher, personnage monumental, se dressa très haut au-dessus de la foule du commun, et, associant à sa propre personne la vigueur de deux chevaux bais, trotta majestueusement le long de la Bredgade sur huit sabots ferrés et retentissants.

Ce ne fut que lorsque Jens, immobile et silencieux dans son lit, la tête enfoncée dans les oreillers, explora de nouveaux domaines du rêve, que la maison reprit l'aspect rationnel et solide des demeures de Copenhague.

Jens ignorait le pouvoir qu'il exerçait. Sa nouvelle famille ne le grondait pas et ne trouvait rien à redire à ce qu'il faisait ; il ne s'aperçut jamais qu'il était l'objet de l'attention de tous. Il n'avait de préférence pour personne en particulier. Tous correspondaient à l'idée que l'enfant se faisait des choses, et occupaient légitimement leur place dans le tableau. Leurs relations entre eux faisaient l'objet de sa pénétrante et subtile observation.

L'un des phénomènes de sa vie journalière ne cessa de le captiver et de l'amuser. Comment Jacob, si grand, si large, si bien en chair, pouvait-il être aussi soumis à sa mince et frêle épouse ? Dans le monde qu'il avait connu jusqu'alors, la corpulence conférait la supériorité. Plus tard, lorsque Émilie se remémora

cette époque passée, elle pensa que l'enfant paraissait
souvent vouloir provoquer l'occasion pour les deux
époux d'affirmer cette forme de leur vie conjugale, et
qu'il y applaudissait des deux mains, comme s'il eût
été triomphant et ravi d'avoir contribué, par son
adresse personnelle, à cet heureux état de choses.

Mais, dans d'autres moments, le sens des proportions lui faisait défaut. Émilie avait installé dans son
boudoir un aquarium avec des poissons rouges, et Jens
passait des heures à contempler ces poissons, sans plus
faire de bruit qu'eux-mêmes.

Émilie devina, quand il en parlait, que, pour lui, ils
étaient d'une taille énorme, voire dangereuse, pour le
petit chien, par exemple, si celui-ci tombait par hasard
dans le récipient. Il pria Émilie de ne pas fermer les
rideaux pendant la nuit : ils pourraient ainsi regarder
la lune quand tout le monde serait endormi.

La tendresse de Jacob pour l'enfant avait parfois
l'aspect d'un amour malheureux, ou paraissait être dû
à l'ironie du sort. Ce n'était pas la première fois que
Jacob avait fait cette expérience mélancolique, car,
depuis son enfance, il aspirait à protéger les faibles, à
soutenir les êtres fragiles et sans défense de son
entourage, et à leur faire rendre justice. Il les paraît
d'une sorte de mystérieuse auréole, comme s'ils
avaient représenté pour lui les trésors les plus précieux
du monde. Mais il y avait dans sa nature une sorte
d'inconscience telle qu'elle se trouve souvent chez les
enfants de vieilles familles riches, dont tous les désirs
sont comblés trop facilement, de sorte qu'ils finissent
par réclamer l'impossible.

Tout en aimant les faibles, les opprimés, Jacob

aimait aussi les initiatives hardies. La bravoure le ravissait où qu'il la rencontrât, et il éprouvait un certain dégoût, une répugnance instinctive pour les gens qui se lamentent et veulent être plaints.

Il rêvait, certes, de protéger et de guider sa femme, mais en même temps, le petit sourire froid et indulgent par lequel elle accueillait les tentatives de son mari, était pour lui un des traits les plus ensorcelants du caractère d'Émilie.

Il se trouvait ainsi dans la triste et paradoxale situation du jeune séducteur qui adore passionnément la virginité.

Jacob apprenait maintenant qu'il n'était pas question non plus de vouloir protéger Jens. L'enfant ne refusait pas sa protection, ou n'en souriait pas, comme faisait Émilie ; il en paraissait même reconnaissant, mais il l'acceptait comme faisant partie d'un jeu ou d'un sport ; de sorte que, lorsqu'ils se promenaient ensemble et que Jacob, estimant que le gamin devait être fatigué le chargeait sur ses épaules, Jens se figurait que cet homme à la puissante carrure avait envie de jouer, d'être un cheval, ou un éléphant, tout comme lui-même s'amusait à faire le cornac ou le cavalier.

Émilie se disait tristement que de toute la maisonnée elle était la seule à ne pas aimer Jens. Elle se sentait peu sûre près de lui alors même qu'il l'acceptait sans condition, comme la mère idéale, belle et parfaite. Se rappelant que quelques semaines plus tôt, elle avait projeté d'élever le gamin selon ses propres idées, et même rédigé quelques notes sur l'éducation, elle se jugeait ridicule. Pour compenser son absence d'amour, elle se faisait accompagner par Jens dans ses promenades à pied ou en voiture ; elle le conduisait au parc, au zoo, brossait ses boucles épaisses, et l'habillait comme une poupée.

Ils étaient toujours ensemble. Parfois Émilie s'amusait du ravissement à la fois étrange et plein de grâce et de dignité de Jens devant tout ce qu'elle lui faisait voir ; mais, l'instant d'après, comme dans la chambre de Mme Mahler, elle se rendait compte que, quelque généreuse qu'elle se montrât envers lui, ce serait toujours lui le donateur.

Les belles-sœurs d'Émilie, et ses amies nouvellement mariées, élégantes bourgeoises de Copenhague qui avaient des enfants à elles, s'étonnaient de voir Mme Vandamm se consacrer complètement à l'enfant trouvé. Mais il arrivait que, lorsqu'elles n'étaient pas sur leurs gardes, un arc mignon perçait d'une flèche leur gorge sous la robe de soie. Après cela, elles ne parlaient plus d'autre chose que de ce joli petit garçon, dont elles énuméraient les qualités à Émilie, avec la tendre raillerie qu'elles auraient adoptée en parlant de Cupidon.

Elles prièrent Émilie d'amener Jens pour jouer avec leurs enfants. Émilie refusa, se disant qu'il fallait, avant de rien décider, être sûre de la façon dont se comporterait Jens. Après le Nouvel An, se disait-elle, je ferai chez moi une invitation d'enfants.

Jens était arrivé en octobre chez les Vandamm, quand les arbres étaient jaunes et rouges dans les parcs. Puis les premières gelées incitèrent les habitants de Copenhague à s'enfermer dans leurs maisons, et on commença à penser à Noël. Jens semblait ne rien ignorer de ce qui caractérisait ce jour de fête ; l'arbre de Noël, l'oie rôtie entourée de pommes au four, la joie solennelle du départ pour l'église le matin du 25 décembre. Mais il lui arrivait de confondre cette fête avec d'autres fêtes de la saison, et de la décrire sous l'aspect de scènes de carnaval et de dire que, bientôt, toute la maisonnée se déguiserait comme font les enfants le Mardi gras.

Vues du cadre heureux et gai de sa vie actuelle, il semblait que les composantes de son monde se distinguaient moins clairement que lorsqu'il les voyait de loin.

Les jours passèrent ; la neige tomba dans les rues de Copenhague, et un changement se produisit dans le caractère de l'enfant. Il n'était pas triste, mais étrangement maître de lui et réservé, comme si le centre de gravité de son être se déplaçait et qu'il eût replié ses ailes. Il restait à la fenêtre pendant des heures, plongé dans ses pensées, au point qu'il n'entendait pas toujours quand on l'appelait, tout absorbé par un mystérieux savoir, que son entourage ne pouvait partager car, pendant ces premiers mois de l'hiver, on dut se rendre à l'évidence que le gamin n'était, en aucune façon, destiné à s'accommoder d'une situation permanente, et de ce que le monde qualifie de fortune ou de chance.

L'essence même de son être était le rêve, la nostalgie. Les chambres bien chauffées, leurs rideaux de soie, les bonbons, les jouets, les vêtements neufs, la bonté, la sollicitude de son papa et de sa maman, étaient pour lui de la plus grande importance parce qu'ils lui prouvaient la vérité de ses visions. Incarnation même de ses rêves, ils avaient pour lui une extrême valeur. Mais, en eux-mêmes, ces biens ne signifiaient pas grand-chose, et ils n'étaient pas de force à le retenir. Jens n'était ni un jouisseur, ni un lutteur ; c'était un poète. Émilie essaya de lui faire dire ce qui le préoccupait, mais ses efforts n'aboutirent à rien. Puis, un beau jour, il lui fit des confidences spontanées :

— Sais-tu, maman, dit-il, que dans ma maison, les escaliers étaient si sombres, si pleins de trous qu'il fallait monter à tâtons et ce qu'il y avait de mieux à faire, c'était de grimper à quatre pattes ? Le vent avait brisé une vitre, et au-dessous un tas de neige aussi haut que moi couvrait le palier.

— Mais ce n'était pas ta maison, Jens ! dit Émilie ; ta maison est ici.

L'enfant fit, du regard, le tour de la pièce.

— Oui, répondit-il, ici, c'est ma belle maison ; mais j'ai une autre maison, très sombre et très sale. Tu la connais puisque tu y as été. Quand on avait accroché la lessive au grenier pour la faire sécher, il fallait bien se tortiller pour que les énormes draps froids et mouillés ne vous attrapent pas au passage comme s'ils avaient été des êtres vivants.

— Tu ne retourneras jamais dans cette maison, déclara Émilie.

L'enfant lui jeta un long regard, puis, au bout d'un moment, il dit gravement : « Non. »

Mais il y retournait.

Émilie ne parvenait pas, en dépit de l'horreur et du dégoût que lui inspiraient ces lieux, de l'empêcher d'en parler, comme les enfants de l'arrière-cour, par leur indifférence, l'avaient empêché de parler de la maison du bonheur. Quand elle le voyait silencieux et pensif près de la fenêtre, ou au milieu de ses jouets, elle savait que son esprit était là-bas. De temps à autre, quand ils avaient joué ensemble et que leur intimité paraissait solidement assurée, il revenait sur le sujet.

— Dans la même rue que ma maison, dit-il, un soir qu'ils étaient assis ensemble sur le canapé devant le poêle, il y avait un vieil hôtel meublé, où les gens qui avaient peu d'argent pouvaient dormir dans des lits ; mais les autres étaient obligés de rester debout, et dormaient une corde sous les bras. Une nuit, cet hôtel a pris feu et a entièrement brûlé. Les gens qui étaient au lit ont eu bien de la peine à mettre leurs pantalons ; mais, oh maman ! ceux qui étaient debout pour dormir, ont été les chanceux ; ils étaient vite dehors. Un homme a fait une chanson de cette histoire.

Les racines de certains jeunes arbres ont été tordues lors de leur plantation, et ne s'enfoncent plus jamais dans la terre ; l'arbre peut produire quantité de feuilles et de fleurs, mais feuilles et fleurs sont destinées à mourir très vite. Il en fut ainsi de Jens. Il avait dressé vers le ciel et de tous côtés, de menues branches. Nourri d'air et de rêves, il avait prospéré à merveille grâce à sa manière de vivre à la fois plusieurs vies, aux nuances changeantes comme celles d'un caméléon, mais il avait négligé de prendre racine. A présent, de par la loi de la nature, la brillante floraison se fanait, se flétrissait.

Peut-être une activité féconde de l'imagination de Jens aurait-elle pu alimenter une fois encore la plante fragile et lui permettre de subsister plus longtemps.

Une ou deux fois, pour l'amuser, Jacob lui avait

parlé de la Chine, et l'enfant avait été captivé au plus
haut point par ce curieux pays exotique. Il passait de
longs moments à regarder les images représentant les
Chinois avec leurs longues nattes, les dragons, les
pêcheurs et les pélicans ; et les noms de Hong-kong et
du Yang-tseu-kiang l'amusaient beaucoup.

Mais les adultes ne comprirent pas que ce nouveau
voyage imaginaire de Jens impliquait soit la vie, soit la
mort, et le frêle rameau récemment jailli se brisa faute
de soutien.

Au début de l'année, peu après l'invitation d'enfants, Jens perdit ses bonnes couleurs, et pencha la
tête. Le vieux docteur vint le voir et lui prescrivit des
médicaments, sans résultat. L'enfant déclinait tranquillement ; la plante s'étiolait. Lorsqu'on mit Jens au
lit, et qu'il renonça pour ainsi dire légitimement au
monde réel, son imagination se donna libre cours et
l'emporta, telles les voiles d'un bateau dont le lest a été
jeté par-dessus bord.

Jens était constamment entouré, on écoutait gravement, sans l'interrompre et sans le contredire, ce qu'il
disait. Cette attitude des autres l'enchanta ; le lit de
malade du rêveur devenait un trône.

Émilie restait constamment à côté du lit de Jens,
désemparée, désolée par le sentiment de son impuis-
sance. Parfois la nuit elle se tordait les mains de
désespoir. Pendant toute sa vie elle avait essayé de
faire la distinction entre le bien et le mal, entre le
bonheur et le malheur. Mais, ici, se disait-elle avec
découragement, je suis entre les mains d'un être bien
plus petit et plus faible que moi, auquel cette distinction est parfaitement égale, qui accueille la lumière et

les ténèbres, la joie et la peine, avec la même vaillante approbation, la même bonne humeur, en camarades pour ainsi dire.

Cette attitude se répétant, Émilie supprima tout besoin de réconfort, de consolation, qui aurait pu l'effleurer près du lit de son enfant malade. A la fin elle renonça à tous ses principes et même jusqu'à sa propre existence, semblait-il.

Dans la confrérie des poètes, Jens se révélait comme un humaniste, un auteur de qualités uniques. Dans tous les phénomènes de l'existence, c'était le caractère saugrenu, burlesque qui l'attirait, l'inspirait. Les fantaisies de Jens prenaient aux yeux de la pâle et grave jeune femme, dans cette chambre mortuaire, un aspect sacrilège ; mais, après tout, c'était la propre chambre mortuaire de l'enfant :

— Oh ! il y avait tant de rats, Maman ! disait-il, tant de rats ! Il y en avait plein la maison. Quand on voulait prendre un morceau de lard sur l'étagère, pouf ! un rat vous sautait dessus. Les rats se promenaient sur ma figure la nuit. Approchez votre visage du mien et je vous montrerai ce qu'on éprouve dans ce cas, et l'effet que ça fait...

— Il n'y a pas de rats ici, mon chéri !

— Non, bien sûr ! Et quand je ne serai plus malade, je retournerai dans ma vieille maison, pour vous en apporter un. Les rats aiment les hommes plus que les hommes ne les aiment, car ils nous croient bons, et même délicieux à manger.

« Il y avait un vieux comédien qui vivait dans la mansarde ; il avait joué la comédie dans sa jeunesse, et voyagé à l'étranger. Maintenant il payait les petites

filles pour qu'elles l'embrassent, mais elles refusaient
de l'embrasser disant qu'elles n'aimaient pas son nez.
Il faut dire que c'était un nez bien curieux, tout écrasé.
Mais quand les filles ne voulaient pas l'embrasser, le
vieux comédien pleurait et se tordait les mains. Puis il
est tombé malade et il est mort sans que personne n'en
ait rien su. Quand on a fini par entrer dans sa
chambre, pense donc, maman, que les rats lui avaient
mangé le nez! pas autre chose, rien que le nez! Les
hommes n'ont pas envie de manger les rats, même s'ils
ont très faim. Pourtant, à la cave, il y avait un gros
garçon, qui s'appelait Mads, et qui attrapait les rats et
qui les faisait cuire. La vieille Mme Mahler le méprisait
de faire une pareille chose, et les enfants lui avaient
donné le sobriquet de « l'homme aux rats ».

D'autres fois, Jens parlait de nouveau de la maison
de la Bredgade. Il disait : « Mon grand-papa a des
cors aux pieds; personne à Copenhague n'en a d'aussi
pénibles. Quand ils lui font trop mal, il soupire et dit :

« — Il va y avoir des tempêtes en Chine! C'est une
sacrée histoire! Mes navires vont sombrer. » Et je
pense que les marins disent aussi : « Quelle sacrée
histoire! Notre bateau va couler! » Il est grand temps,
je crois, que mon vieux grand-papa se fasse couper les
cors. »

Jens ne parla de mam'zelle Ane que les derniers
jours de sa vie. Elle avait été sa muse, le seul être sur la
terre qui lui ait fait connaître les différents aspects du
monde. Quand il évoqua mam'zelle Ane, il changea de
ton, et devint solennel et respectueux comme s'il eût
parlé d'une puissance élémentaire, que chacun
connaissait nécessairement.

Si Émilie eût prêté une sérieuse attention à ses fantaisies elle aurait compris bien des choses ; mais elle dit :

— Mais je ne l'ai pas connue, Jens !

— Oh ! Maman ! Elle te connaissait bien ; elle a fait ta robe de noces, qui était toute en satin blanc. Ce fut un long travail, il y avait tant de garnitures ! Et mon papa, poursuivit l'enfant en riant, est rentré dans la chambre et savez-vous ce qu'il a dit ?... Il a dit : « Ma rose blanche ! »

Un jour, Jens se rappela tout à coup que mam'zelle Ane lui avait légué des ciseaux et il les redemanda avec impatience. Jamais encore Émilie ne l'avait vu si exigeant, si irritable.

Elle sortit de chez elle pour la première fois depuis trois semaines et s'en alla trouver Mme Mahler pour s'informer de ce que les ciseaux étaient devenus. Tout en marchant, elle se représentait mam'zelle Ane sous l'aspect énigmatique et redoutable d'une Parque d'Atropos, tenant elle-même les ciseaux à la main et prête à couper le fil de la vie.

Mme Mahler avait vendu depuis longtemps les ciseaux à un tailleur de sa connaissance ; elle nia effrontément leur existence et jusqu'à celle de mam'-zelle Ane.

Le dernier matin de Jens, Émilie lui apporta le petit carlin sur son lit. La tête noire, et le corps recroquevillé du petit chien parurent rappeler à l'enfant quelques traits de son amie : « La voilà ! » dit-il.

La belle-mère d'Émilie et même le vieil armateur venaient journellement voir Jens pendant sa maladie, et toute la famille Vandamm pleura autour du lit du

petit garçon quand Jens, comme un minuscule petit
ruisseau qui va se perdre dans l'océan, s'abandonna
aux rêves définitifs et sans fond.

Il mourut à la fin de mars, quelques jours avant la
date, fixée par Émilie, pour son admission définitive
dans la maison Vandamm.

Le père de la jeune femme décida brusquement qu'il
serait enterré dans le caveau de famille, décision
irrégulière puisqu'il n'y avait pas eu adoption légale.
Ainsi, on coucha le descendant des Plejelt derrière une
lourde grille de fer forgé, dans la plus belle tombe
qu'un Plejelt eût jamais connue.

Dès les jours suivants, la maison de la Bredgade et
ses habitants parurent diminués et ratatinés. Tout le
monde était un peu étourdi et troublé comme des gens
qui ont fait une chute, et n'osent plus marcher avec
assurance.

Après l'enterrement, la vie parut singulièrement
insipide, triste et vide. Les Vandamm n'avaient pas
l'habitude d'être malheureux, et n'étaient pas préparés
à se sentir frustrés d'un bien inestimable, tel que la
présence du petit Jens. Jacob avait l'impression
d'avoir perdu l'ami, qui avait toujours eu en sa force
une joyeuse confiance ; aujourd'hui personne n'en
avait plus besoin, et il se voyait réduit à ne plus être
qu'un monstrueux et colossal pantin.

Pourtant, malgré tristesse et regrets, les survivants
éprouvèrent au bout de quelque temps un vague
soulagement comme il arrive toujours à la disparition
d'un idéaliste.

Seule de toute la maison Vandamm, Émilie
conserva ses dimensions, si l'on peut s'exprimer ainsi,

c'est-à-dire son équilibre et son sens des proportions. Il conviendrait d'ajouter que, tandis que la maison, qui planait dans les nuages, retomba sur la terre, cette attitude d'Émilie se maintint, et même s'accentua. Elle avait estimé que ce serait affectation de sa part de prendre le deuil pour un enfant qui n'était pas le sien, et tout en renonçant aux bals, et aux réunions de la saison mondaine de Copenhague, elle accomplissait tranquillement comme toujours ses devoirs de maî-tresse de maison. Son père, et sa belle-mère, désempa-rés d'avoir perdu le pôle de leur vie journalière, se tournèrent vers elle pour retrouver leur équilibre, et comme elle était la plus jeune de la maison, et qu'elle leur paraissait ressembler à l'enfant qui les avait quittés, ils reportèrent sur elle la tendresse et la sollicitude qu'ils avaient eues pour Jens.

Les longues nuits blanches d'Émilie près du lit de Jens l'avaient pâlie, et ses parents cherchèrent ensem-ble et avec son mari comment la réconforter et la distraire.

Pourtant le silence de la jeune femme ne tarda guère à frapper Jacob et à l'inquiéter. Au début il aurait pu croire qu'elle jugeait inutile de parler, sauf pour donner ses ordres au personnel ; et puis elle parut avoir perdu ou oublié l'usage de la parole. Les timides essais du mari pour tirer Émilie de son apathie parurent la surprendre, au point qu'il renonça à les poursuivre.

Deux mois après la mort de Jens, Jacob emmena sa femme faire une promenade en voiture. Ils prirent la route qui, depuis Copenhague, longe le Sund jusqu'à Elseneur. Il faisait beau et chaud par cette charmante journée de mai. En arrivant à Charlottenlund, Jacob proposa à Émilie de parcourir la forêt à pied, et il renvoya la voiture, chargeant le cocher de les retrouver plus loin. Les deux époux prirent le sentier forestier, et pendant un moment suivirent des yeux leur équipage qui s'éloignait sur la grand-route.

Dans la forêt, ils se trouvèrent dans un océan de verdure. Les jeunes feuilles des hêtres avaient perdu leur mystérieuse transparence des premiers jours de mai, mais le feuillage restait si frais que la forêt paraissait encore plus verte à l'ombre qu'au soleil.

Plus tard, après la Saint-Jean, les arbres seraient presque noirs à l'ombre, et d'un vert brillant à la lumière. Aujourd'hui, partout où les rayons du soleil perçaient les nouvelles frondaisons, on ne voyait plus la couleur du sol qui était comme saupoudré par une poussière d'or; mais, à l'ombre, la forêt luisait, étincelait tel un étalage de cristaux et de bijoux. Plus d'anémones ni de violettes dans les sous-bois. Au cœur de la forêt, l'herbe était déjà haute; l'aspérule odorante fleurissait; la couche des petites fleurs étalées semblait flotter autour des racines noueuses des vieux hêtres gris. On aurait cru voir la surface laiteuse d'un lac à un pied du sol.

Il avait plu dans la nuit. Sur le chemin étroit, les profondes ornières tracées par les charrettes des bûcherons restaient pleines d'eau. De-ci de-là, le fruit vaporeux d'un pissenlit fané captait un rayon lumineux : la fleur des champs était venue visiter les bois.

Jacob et Émilie marchaient lentement. Arrivés au débouché d'un petit sentier, ils entendirent tout proche le chant du coucou et s'arrêtèrent pour mieux prêter l'oreille, puis ils reprirent leur promenade. Mais un

peu après Émilie lâcha le bras de son mari et ramassa
la coquille brisée d'un petit œuf d'oiseau bleu pâle ;
elle essaya d'en réunir les deux moitiés et les garda
dans la paume de sa main.

Jacob commença à lui parler du voyage en Allemagne qu'il projetait de faire avec elle, et des villes qu'ils
visiteraient. Elle l'écoutait docilement, mais en silence.

Ils étaient parvenus au bout de la forêt. De la lisière,
on jouissait d'une vue étendue sur le paysage découvert. Après l'obscurité verte des bois, le monde extérieur paraissait incroyablement clair et comme blanchi
par la pâle luminosité de midi. Bientôt, cependant, les
yeux des promeneurs ne tardèrent pas à distinguer les
couleurs des champs, des prés et des bouquets d'arbres
dispersés. A l'horizon, de légers cumulus blancs mon-
taient dans le ciel d'un bleu délicat. Le seigle, encore
vert, était sur le point de se former en épis ; la brise, en
l'effleurant, le faisait onduler doucement. Les petites
maisons paysannes, couvertes de chaume, apparaissaient tels des îlots passés à la chaux, entre ses longues
vagues. Les buissons de lilas au feuillage léger, dressaient alentour leurs grappes de fleurs.

Jacob et Émilie perçurent le roulement d'une voiture sur la route lointaine. Au-dessus de leur tête
d'innombrables alouettes ne s'arrêtaient pas de chanter. Un arbre, abattu par la tempête, gisait à la lisière
du bois. Émilie dit :

— Asseyons-nous ici un instant.

Elle dénoua les rubans de son chapeau, et le posa
sur ses genoux ; au bout d'une minute, elle reprit :

— Il faut que je te fasse une confession.

Puis elle resta à nouveau silencieuse, comme elle

l'avait été pendant toute la promenade en forêt. Entre chaque phrase, elle se taisait longuement, non pas précisément qu'elle parût réfléchir, mais parce qu'elle semblait faire un récit laborieux et incomplet. Enfin elle dit :

— Le petit Jens était mon enfant.

— Qu'est-ce que tu dis là ? s'écria Jacob.

Elle répéta :

— Jens était mon enfant. Te souviens-tu de m'avoir dit, quand tu l'as vu pour la première fois, que tu trouvais qu'il me ressemblait ? Et il me ressemblait en effet ; c'était mon fils.

Ces paroles auraient pu effrayer Jacob ; il aurait pu croire qu'Émilie déraisonnait ; mais, depuis quelque temps, les choses lui apparaissaient sous un jour inattendu, et il était prêt à entendre des assertions paradoxales ; de sorte qu'il resta tranquillement assis sur le tronc d'arbre, en contemplant les petits rejets de hêtre à ses pieds.

— Ma chérie, fit-il, ma chérie ! Tu ne sais pas ce que tu dis !

Elle se tut pendant quelques instants, comme si l'interruption du cours de ses pensées l'avait déconcertée, mais elle finit par dire patiemment :

— Je sais que les autres auront peine à me croire. Si Jens était resté avec nous, il aurait peut-être réussi à t'expliquer les choses mieux que je ne le fais ; mais essaie de me comprendre. J'ai pensé que tu avais le droit de savoir ; et si je ne puis me confier à toi, je ne pourrai me confier à personne.

Elle prononçait ces mots avec une sorte d'anxiété. Était-elle menacée d'une totale incapacité de parler ?

Jacob se rappela qu'au cours des dernières semaines, le mutisme de sa femme lui avait pesé, et qu'il s'était efforcé de la faire parler de n'importe quoi, pourvu qu'elle parlât.

— Parle, ma chérie, je ne t'interromprai pas.

Elle commença doucement, comme si elle lui était reconnaissante de sa promesse :

— C'était mon unique enfant et celui de Charles Dreyer. Tu as revu un jour Charles Dreyer chez mon père. C'est pendant que tu étais en Chine qu'il est devenu mon amant.

Ces mots rappelèrent à Jacob la lettre anonyme qu'il avait reçue jadis ; avec quel mépris n'avait-il pas repoussé cette calomnie, et quel soin il avait pris pour la cacher à Émilie ! Et maintenant, voici que cette étrange affirmation lui était répétée par les lèvres mêmes de sa femme. Celle-ci poursuivit :

— Quand il m'a demandé d'être sa maîtresse, j'ai été pendant un moment en grand danger, car jamais je n'avais abordé pareil sujet avec un homme ; je n'en avais parlé qu'avec tante Malvina et avec ma vieille gouvernante ; et les femmes, pour quelque raison que j'ignore, prétendent que cette exigence, vile et égoïste chez un homme, est une insulte pour une jeune fille. Pourquoi permettez-vous qu'on nous donne de vous une opinion pareille ? Toi qui es un homme, tu dois savoir que Charles m'a demandé par amour d'être sa maîtresse, et par un élan généreux de son cœur. Il débordait de vie, et voulait me donner le surplus dont il n'avait pas besoin, lui. C'était la vie dans toute sa plénitude ; c'était l'éternité qu'il m'offrait. Et moi, qui avais été si mal informée, j'aurais facilement pu le repousser, et j'ai bien failli le faire. A présent encore, quand j'y pense, j'ai peur de cette éventualité comme de la mort. Mais c'est parfaitement inutile, car je suis certaine que, si je revivais ce moment-là, j'agirais exactement comme j'ai agi alors. Et j'ai échappé au danger. Je n'ai pas renvoyé Charles, je lui ai permis de m'accompagner, de traverser le jardin avec moi, car nous étions à la porte du jardin, et de passer la nuit dans ma chambre. Il devait s'en aller si loin le lendemain matin !

Émilie s'arrêta une fois de plus, après quoi elle continua son récit :

« Cependant, je n'étais pas digne de son amour parce qu'en ce temps-là j'étais à la fois si faible et un peu trop dure, c'est pourquoi nous avons passé par bien des épreuves, mon enfant et moi. Si j'avais été une pauvre fille, n'ayant en tout et pour tout que cent dollars en poche, cela aurait mieux valu, car alors nous serions restés ensemble.

« Oh ! oui, nous avons passé par beaucoup de tribulations. »

Émilie s'interrompit, et puis elle dit encore :

— Quand j'ai retrouvé Jens, et l'ai ramené chez nous, je ne l'aimais pas. Vous l'aimiez tous ; j'étais seule à ne pas l'aimer. C'était Charles que j'aimais. Mais je vivais plus avec Jens qu'aucun de vous ; il m'a fait bien des confidences, que personne parmi vous n'a entendues. Je le comprenais bien, et je voyais que nous ne pourrions trouver aucun enfant semblable à lui ; qui d'autre aurait possédé une telle sagesse ?

Émilie ignorait qu'elle citait l'Écriture sainte ; pas plus que le vieil armateur ne s'était douté qu'il faisait la même chose en ordonnant que Jens fût enterré dans le champ de ses pères, et dans la tombe qui s'y trouvait.

C'était là encore un de ces tours malicieux que leur jouait le petit magicien.

— Il m'a enseigné beaucoup de choses ; il était sincère comme Charles. Son absolue sincérité me faisait honte ; parfois je pensais que j'agissais mal en lui apprenant à t'appeler papa. Quand il était malade, je me suis dit : « Enfin ! Je pourrai porter le deuil de Charles ! »

Émilie prit son chapeau, le contempla pendant quelques secondes, et le reposa sur ses genoux : « Mais ensuite, dit-elle, j'ai pensé que ce serait une erreur. Sans doute, si j'en avais parlé à Jens, l'idée de ce deuil l'aurait amusé et il en aurait ri. Il m'aurait dit d'acheter de beaux vêtements noirs et de longs voiles. »

Jacob songeait que c'était heureux qu'il lui eût promis de ne pas l'interrompre, car si elle avait attendu une réponse, il n'aurait pas trouvé un seul mot à dire.

Arrivée à ce point de son histoire, elle resta si longtemps silencieuse que Jacob faillit croire qu'elle n'ajouterait plus rien ; et il sentit sa gorge se serrer tellement que, s'il l'avait voulu, il eût été incapable d'articuler un mot.

Soudain Émilie dit : « Je croyais que tout cela me ferait affreusement souffrir ; mais il n'en a pas été ainsi. Il y a dans ce monde des grâces dont aucun de nous n'a la moindre idée. Le monde n'est pas un lieu sévère et cruel comme on nous le dit ; il n'est même pas juste.

Tout nous est pardonné, oui, tout. Nous ne pouvons même pas faire du mal à ce qui est noble et beau dans le monde, tant la puissance du bien est grande. Il était impossible de faire du mal à Jens, tout à fait impossible ! Et maintenant qu'il est mort, je comprends tout. »

Elle s'appuya doucement contre le tronc, et regarda pour la première fois autour d'elle depuis le début de son récit. Ses regards erraient, presque caressants, sur le paysage forestier.

— Il est difficile, dit-elle, d'expliquer ce qu'on éprouve lorsqu'on comprend les choses. Je n'ai jamais été bien habile pour y trouver les termes justes. Je ne suis pas comme Jens. Mais, depuis le mois de mars, depuis les premiers jours du printemps, il me semble que j'ai bien compris ce qui me paraissait mystérieux, par exemple pourquoi tout fleurit, pourquoi reviennent les oiseaux. J'ai compris la cause de l'immense générosité de ce monde envers moi, ta générosité et aussi celle de papa.

« En parcourant cette forêt aujourd'hui, je pensais que j'avais recouvré ma vue, mon odorat de petite fille. Toutes les choses autour de moi me parlent de ce qui les concerne et de ce qu'elles signifient.

Émilie promena autour d'elle un ferme regard : « Elles signifient Charles ! » et elle ajouta, longtemps après : « Et moi, je suis Émilie, rien ne peut changer cette vérité. »

Elle fit le geste de remettre ses gants, posés sur son chapeau, mais y renonça, et resta assise pour dire à Jacob :

— Maintenant, je t'ai tout avoué ; à toi de décider ce que nous devons faire ; et elle continua d'un air pensif : Personne ne saura jamais rien ; Papa ne saura jamais rien ; toi seul, tu sauras. J'ai pensé que, si tu le voulais bien, lorsque nous parlerons de Jens...

Elle s'arrêta encore, et Jacob se dit : « Elle n'a jamais parlé de lui avant ce jour, elle n'a jamais prononcé son nom. »

— ... nous pourrions aussi parler du reste. Il n'y a que sur un point que j'en sais plus long que toi et que j'ai plus de sagesse que toi. Je sais qu'il vaudrait mieux, infiniment mieux, et que tout serait plus facile pour chacun de nous, si tu consentais à me croire.

Jacob avait l'habitude d'envisager rapidement une situation qu'on lui exposait, et de prendre ses dispositions en conséquence. Il attendit un moment après qu'Émilie eut cessé de parler, puis il dit :

— Oui, ma chérie ! Ce que tu dis est vrai !

Alcmène

La propriété de mon père était située dans une
région solitaire du Jutland, et j'étais son unique enfant.
A la mort de ma mère, il n'eut pas envie de m'envoyer
à l'école, et j'avais sept ans quand il prit pour moi un
précepteur à la maison.

Ce précepteur s'appelait Jens Jespersen ; c'était un
théologien, et le plus honnête homme que j'aie jamais
connu. Fils d'un pauvre pasteur du village, il avait dû
travailler dur pour entrer à l'université de Copenhague, et ses professeurs attendaient de lui de grandes
choses. Mais ses études avaient altéré sa santé, et, cinq
ans déjà avant de venir chez nous, il avait quitté la
ville et accepté d'être précepteur dans des châteaux à
la campagne. Sous sa direction, je m'intéressai aux
livres bien plus que je ne l'aurais cru possible, et je
prenais autant de plaisir à mes études avec Jens
Jespersen qu'aux heures passées en compagnie de nos
palefreniers et de nos chasseurs.

De la sorte je parvins à acquérir quelques connaissances des mathématiques et de la littérature, sans,
pour autant, négliger les chevaux, l'agriculture et la
chasse.

Deux ans plus tard, mon père partit pour une ville
d'eaux d'Allemagne et m'emmena avec lui ; puis il me
laissa dans une école du Holstein mais, au bout d'un
an encore, il me ramena au Danemark.

Durant mon absence, notre vieux pasteur ivrogne,
attaché au domaine, était mort, et mon père offrit sa
charge à mon ancien précepteur. A présent, il était
installé au presbytère et avait épousé la jeune fille à
laquelle il était fiancé depuis cinq ans.

Dès mon retour, je repris mes leçons, et chaque jour
je me rendis à cheval, chez le pasteur ; parfois même je
passais une nuit ou deux chez lui. Le presbytère était
une vieille baraque, et ses habitants étaient pauvres,
car les dettes, contractées par mon précepteur pendant
ses études, absorbaient une partie de son maigre
revenu. Malgré tout, c'était une maison pleine de
gaieté, à cause du si heureux mariage du pasteur.

Sa femme s'appelait Gertrude ; elle avait douze ans
de moins que son mari et douze ans de plus que moi,
de sorte que parfois elle paraissait être la contempo-
raine du maître, parfois celle de l'élève. Cette grande et
robuste jeune femme ne passait pas pour une beauté
dans la paroisse, car elle avait un large visage, couvert
de taches de rousseur ; on eût dit un œuf de dinde, et
elle avait des cheveux bruns. Mais ses yeux étaient
clairs et brillants. Lorsque pendant la leçon je lisais
Homère et le passage où il est question de Chryséis, la
fille au vif regard, je pensais à elle.

Je me souviens encore du jour où je compris pour la
première fois toute l'affection qu'elle m'inspirait.

Un soir d'été, un groupe de jeunes gens et de jeunes
filles du voisinage était réuni au presbytère, et jouait à

cache-cache dans toute la maison. Je m'étais caché
dans une petite pièce, sorte de débarras au grenier, et,
tout à coup et sans savoir que j'y étais, la femme du
pasteur entra et se pressa derrière la porte, tout
essoufflée d'avoir escaladé l'escalier quatre à quatre.
Puis elle sourit et posa un doigt sur ses lèvres.

Sa jarretière s'étant détachée par suite de la rapidité
de sa course, d'un geste vif, elle releva sa robe et
rajusta sa jarretière. L'instant d'après, elle dut vouloir
chercher une meilleure cachette et elle sortit de la pièce
aussi vite qu'elle y était entrée, puis disparut. Je
trouvais charmante sa manière de se comporter avec
un si joyeux entrain alors qu'elle se croyait seule.

Un certain été, un hôte distingué vint au presbytère ;
c'était un ancien camarade d'études du pasteur. Plus
âgé que son ami, il avait été nommé professeur à
l'Opéra royal de Copenhague, ou bien au Théâtre de
ballets, je ne me souviens plus auquel des deux. Il nous
fit aussi une visite au château, joua du piano sur notre
vieil instrument, et enchanta littéralement mon père
comme il enchantait tout le monde.

Un jour, j'étais seul avec lui au presbytère. Debout
près de la porte ouverte du jardin, il contemplait la
femme du pasteur qui ramassait des pommes sous les
arbres :

— Quel avantage inappréciable pour cette jeune
femme, dit-il comme se parlant à lui-même, de passer
pour n'être pas jolie aux yeux des braves paroissiens de
Hover. Il est vrai que le modelé de sa tête est un peu
grossier, mais si elle vivait dans le grand monde, où les
femmes font plus librement étalage de leurs charmes,
elle serait l'idéal du sexe fort, et l'autre la jalouserait ;

car, de ma vie, je n'ai rencontré Vénus aussi vivante. Henriette Hendels n'était pas plus délicieuse dans ses *Morgenscénen,* mais pour notre brave pasteur serait-elle alors l'épouse modèle que nous admirons en elle? ajouta-t-il.

« Aux femmes douées d'un corps divin et d'un visage quelconque la vertu doit souvent paraître bien paradoxale.

Ce discours s'adressait à un jeune garçon et était peut-être bien frivole, mais je ne me rappelle pas qu'il ait fait sur moi une grande impression. Je crois qu'il eut pour seul effet de me faire comprendre pourquoi je me trouvais si bien dans la société de Gertrude.

Au cours de l'année suivante, une ombre sinistre menaça l'heureux foyer du pasteur. Par moments, l'aimable maîtresse de maison était d'une pâleur mortelle; ses yeux rouges d'avoir pleuré se détournaient de son mari comme si elle l'avait détesté, ou que sa vue l'eût plongée dans l'épouvante. Quelle que fût la raison de son état, j'en étais désolé et effrayé, et je trouvais que le pasteur ne témoignait à sa femme qu'une sympathie insuffisante; mais la situation m'intriguait, tout en me paraissant déplorable.

Un jour, le pasteur étudiait avec moi, dans son bureau, un chapitre de la Genèse. Après avoir lu le verset qui rapporte les paroles de Rachel à Jacob : « Donne-moi des enfants, ou je mourrai », il repoussa la Bible et dit :

— Rachel était une bonne épouse, mais elle n'était guère patiente avec son mari, ou avec le Seigneur. Tu t'es aperçu sans doute, Vilhelm, combien la stérilité est cruelle pour une femme. Mon cœur saigne quand je

pense à la mienne, mais je crains de manquer à la fois
de compassion chrétienne et de compréhension du
caractère féminin. Car Gertrude est meilleure chrétienne que moi, et pourtant elle est en colère contre le
Seigneur, et refuse de courber la tête devant sa volonté.

« Je doute d'être moi-même capable d'un désespoir
aussi fort et aussi persistant devant un échec, dont je
ne serais en aucune façon responsable ; bien que,
ajouta-t-il gravement, les mains jointes, Dieu seul
connaît ces choses. C'est un homme sage, celui qui
peut dire, en parlant de lui-même : « Jamais je ne
serais capable de commettre moi-même pareille
faute. »

Je n'ai pas oublié ces derniers mots, et ils se sont
imposés à mon souvenir en une heure tragique.

Un peu plus tard, le pasteur eut un léger sourire et
dit :

« Ce brave Jacob était-il dans une situation lui
permettant de prouver à sa femme que la faute ne lui
était pas imputable à lui ? »

C'est ainsi que j'appris pourquoi Gertrude était
aussi triste ; mais je ne pouvais m'empêcher d'en être
un peu surpris. Comment aurais-je compris, en ce
temps-là, que l'on puisse désirer des enfants assez
ardemment pour mourir du regret de n'en pas avoir ?

Le courrier n'arrivait alors que deux fois par mois ;
une lettre était un événement rare. Un jour d'octobre,
le pasteur en reçut une de Copenhague. Il tourna et
retourna l'enveloppe et me dit que l'adresse était de la
main de son ami, le professeur. Que pouvait-il avoir à
lui dire ?

Après avoir lu la lettre à deux reprises, il s'écria :

« Je vais te donner congé pour cet après-midi, car ce que je viens de lire me préoccupe fort et je serais un bien mauvais professeur. »

Quelques jours plus tard, nous nous trouvions ensemble à l'étable, auprès d'une vache malade, car le pasteur prétendait que je m'entendais à soigner les bêtes, tandis que lui n'y comprenait pas grand-chose. Nous en avions fini avec la vache, mais le pasteur était plongé dans ses pensées. Tout à coup, dans cette étable obscure, il me confia ce qui le préoccupait.

— Je pense, Vilhelm, dit-il, que ta mère a dû être une femme sensée, car tu as une tête bien posée sur tes deux épaules et tu n'as pas pu l'hériter de ton père. Je vais te raconter ce que je n'ai jamais confié à personne. L'Écriture n'a-t-elle pas affirmé « que la sagesse sort de la bouche des enfants » ? Et il me raconta que le professeur lui écrivait que, par une étrange circonstance, il avait la charge d'une fillette de six ans, qui se trouvait dans une situation singulièrement tragique. Elle méritait de s'appeler Perdita, comme l'héroïne de Shakespeare. La famille de l'enfant devait rester à jamais inconnue. Le professeur poursuivait en disant qu'il était naturel que la vue d'un petit être sans foyer, sans amis, l'eût fait penser à l'heureux ménage du pasteur, attristé pourtant par l'absence d'un enfant. Mais, pour rien au monde, il ne chercherait à persuader son ami de se charger de la petite fille, ce serait présomptueux de sa part. Il affirmait seulement qu'au cas où un chrétien ou une chrétienne aurait pitié de cette enfant, il n'y avait nul lieu de craindre une interférence de la famille ou de parents quelconques.

« Il est de mon devoir d'ajouter encore quelque

chose », concluait le professeur : « S'il ne se trouve personne pour prendre la petite, son sort, par la nature des choses, ne pourra être qu'incertain, voire périlleux ; et je ne vois pas d'être humain qui réponde aussi complètement, et d'une manière aussi pathétique à ce que dit l'Écriture sur le « brandon tiré du feu ».

A la fin de la lettre, l'ami du pasteur disait que sa protégée s'appelait Alcmène.

J'avais écouté avec attention la lecture de la lettre, après quoi je déclarai que cette histoire avait l'air tirée d'un livre. « Mais oui ! s'écria le pasteur, et c'est le cas sans doute, car mon vieil ami est un homme de peu de scrupules. Une des chanteuses ou des danseuses de Copenhague lui a peut-être demandé de l'aider à se débarrasser d'un enfant encombrant ; et puis, le voilà qui se lance dans des divagations, des inventions variées, allant même jusqu'à verser des larmes pour jouer un bon tour à son trop naïf ami, le pasteur du village. Ce nom d'Alcmène est-il bien celui de l'enfant ? »

A l'époque où j'étais jeune étudiant et rêvais de devenir poète, j'écrivis un poème épique, intitulé *Alcmène*. Mon ami n'ignorait pas cette tentative, car je lui avais fait la lecture de mon œuvre. Je citai *L'Iliade* et récitai ce passage « Alcmène de Thèbes... » et le pasteur acheva : « qui met au monde Héraclès : un enfant au cœur ferme ». J'imagine qu'il veut me rappeler l'Olympe.

Il se tut pendant quelques secondes, puis reprit :

— Vilhelm ! Je vais te raconter quelque chose que je ne répéterais pas, je crois, à une grande personne ; c'est absurde, et tu en riras, mais, pour moi, cet événement a été des plus sérieux jadis.

« J'ai prétendu devant tout le monde que ma santé m'avait obligé à quitter Copenhague ; mais je ne disais pas tout à fait la vérité. Je suis parti parce que j'avais été induit en tentation et que j'avais commis un péché, non pas que je fusse vicieux ou faible de caractère, mais j'avais cédé à la tentation plus grave, à laquelle les anges sont exposés. Je travaillais trop à Copenhague, je ne mangeais pas et n'avais que de rares distractions. Plongé dans mes livres, je ne parlais à personne pendant des mois. Peu à peu, j'en vins à me persuader que j'avais été choisi par le Seigneur pour accomplir de grandes choses, et même je crus que le monde entier avait été créé par Dieu dans une intention particulière concernant mon âme et ma destinée.

« A la mort du vieux roi dément, je pensai : « En quoi le Seigneur veut-il que cette mort affecte ma vie ? » Et quand plus tard, l'empereur Napoléon s'est fait battre en Russie, à Moscou, je me disais en mon for intérieur : « Maintenant l'homme est mort, qui aurait détourné les regards du monde des grandes actions que le Seigneur veut me faire accomplir. » Heureusement que j'ai vu clair dans mon état d'esprit avant qu'il ne fût trop tard. Je me suis aperçu, à mon grand effroi, que j'étais sur le bord de l'abîme de la démence et qu'il me fallait sauver mon âme, fût-ce au prix de mon pain quotidien. J'ai vécu, une fois de plus, à la campagne avec des êtres simples et bons, et j'ai retrouvé mon équilibre moral. Plus tard, ma chère épouse m'a maintenu dans le droit chemin. Cepen-

dant, même ici, Vilhelm, même ici, la vieille tentation
revient me hanter. Au lit de mort de mes paroissiens,
après avoir écouté leur confession — et parfois ces
paysans font entendre des choses terribles —, lorsque
je devrais être à bon droit uniquement inquiet pour le
salut de l'âme du malheureux pécheur, je me
demande : « Pourquoi le Seigneur met-il pareilles
détresses sur mon chemin ? Veut-il éprouver ma foi en
me mettant en face de la puissance des ténèbres ? »

« Le vieil ami qui m'écrit aujourd'hui avait deviné
depuis longtemps presque tout ce qui se passait en
moi. Il s'intéressait à mes études jadis et croyait à mon
avenir ; ma fuite loin de Copenhague le désappointa.
Sa lettre ne serait-elle pas une petite revanche, ou une
plaisanterie à mon adresse ? Elle me ramène dans la
grande ville, et dans tout ce milieu théâtral, si étrange
et si séduisant. Le nom seul d'Alcmène résonne à mes
oreilles comme un écho du monde grec, avec des lieux
et ses nymphes, et comme un rappel de mes anciens
rêves ambitieux. Ces jours derniers, j'aurais pu me
croire dans ma mansarde d'autrefois car je me suis
demandé : « Quelles sont les intentions du Seigneur à
mon égard ? Pense-t-il que ma vie est trop facile, et que
j'ai besoin d'être exposé à une nouvelle tentation ? »

« J'ai été réellement confronté de nouveau avec ce
jeune écervelé d'étudiant un peu fou, qui, il y a dix ans,
arpentait les rues de Copenhague. Je ne cesse cependant d'être convaincu de la nécessité de m'occuper de
tout autre chose, du bonheur de ma femme, par
exemple ; et, en premier lieu, peut-être, du sort de la
pauvre petite ?

Je ne me souviens pas d'avoir répondu par quelque commentaire aux confidences du pasteur.

Pendant qu'il parlait, je pensais que mes propres sentiments n'étaient pas éloignés de ceux qu'il me décrivait, mais si chez lui ils manquaient de bons sens, chez moi ils étaient légitimes parce que j'étais le fils du propriétaire du domaine, et qu'à Norholm, au moins, tout se passait en fonction de ma personne et dans mon intérêt.

Cette nuit-là, je rêvai d'Alcmène ; je rêvai que je la rencontrais dans les champs, et que la lettre A, initiale de son nom, brillait comme de l'argent.

Quinze jours plus tard, la femme du pasteur se jeta à mon cou et me raconta qu'elle et son mari venaient de décider d'adopter une petite fille de Copenhague. Elle n'aurait pas été plus émue si elle m'avait annoncé quelle était enceinte. Elle ne fit pas mention du secret de la naissance de l'enfant. Plus tard, elle me laissa entendre que celle-ci était une fille de sa cousine, veuve d'un officier, et je crois qu'en effet cette veuve a véritablement existé.

Il se passa quelque temps avant qu'on puisse organiser le voyage en bateau de la fillette. Le pasteur faisait allusion, sur un ton de badinage, à ces mois d'attente, comme s'il se fût agi de la grossesse de sa femme. Celle-ci paraissait très heureuse ; elle était calme et gentille envers nous tous, mais souvent en proie à une étrange émotion. Quand nous étions seuls tous les deux, elle me parlait de la petite fille et me la dépeignait sous l'aspect d'une petite sœur. Un jour, elle murmura : « Et que dirais-tu, Vilhelm ! de trouver une petite femme au presbytère de Asvem ? »

« Cette idée me sembla ridicule, et d'ailleurs elle ne serait pas venue à l'esprit de Gertrude si l'enfant eût été vraiment sienne. Après l'arrivée d'Alcmène, elle n'en fit plus mention, car je crois qu'elle ne pouvait plus se figurer que son enfant se séparerait d'elle, fût-ce pour épouser le fils du roi.

Enfin, à la fin de décembre, Alcmène arriva à Vejle par le bateau de Copenhague, et le pasteur partit pour la recevoir. Je m'étais rendu ce jour-là au presbytère pour y prendre quelques livres. Pendant que j'y étais, le vent se leva, puis souffla en tempête, m'empêchant de rentrer au château, et je dus passer la nuit où j'étais. Je sortais par instants avec Gertrude afin d'observer l'état du temps ; la neige tombait à gros flocons ; des rafales pareilles à de la fumée balayaient le sol. Sur les marches du perron, la couche blanche était si épaisse qu'il était difficile d'ouvrir la porte. Gertrude et moi nous trouvions seuls à la maison pour la première fois.

Elle me parla de son enfance. Son père, gros marchand de bétail dans l'Ouest, avait travaillé dur et fait d'excellentes affaires ; mais il perdit toute sa fortune en 1813 quand l'État fit faillite. La nouvelle que tout ce qu'il possédait ne valait pas plus que cinquante-six dollars lui brisa le cœur. Il renonça à toute activité et tomba dans la mélancolie.

Pour subvenir aux besoins du ménage, sa femme éleva des moutons et Gertrude, alors âgée de onze ans, qui était l'aînée de neuf enfants, l'aida dans son entreprise ; la vie était très dure.

— Mais, ajouta Gertrude, que peut-on trouver de mieux qu'un travail honnête et sérieux, pour lequel

Dieu nous a créés ? Il ne nous appartient pas de poser des questions à ce sujet.

Gertrude gardait de ses moutons un tendre souvenir ; elle s'efforçait à me décrire toutes leurs qualités, et j'appris bien des choses sur l'élevage et la tonte, pendant notre attente, ce soir de tourmente.

Peu après minuit, nous avons entendu les grelots du traîneau et nous avons couru ouvrir la porte à nos voyageurs, qui sortirent de leur équipage en trébuchant et tout blancs de neige ; ils avaient été arrêtés par des congères à sept reprises depuis Vejle. Le pasteur porta la petite dans la maison, et l'assit par terre près du poêle. Elle était enveloppée d'un grand manteau, et lorsqu'il eut détaché le capuchon, ses cheveux blonds, coupés court, se dressèrent comme une flamme au-dessus de sa tête et je me rappelai les paroles du professeur sur « le tison qu'il faut saisir dans le feu ».

Je me dis aussi que mon cher prédicateur et sa femme n'auraient jamais par eux-mêmes produit un enfant d'une beauté aussi frappante, aussi étrange. Son petit visage, aux sourcils noblement arqués, était d'une blancheur marmoréenne.

Gertrude s'agenouilla près d'elle et prit les menottes dans ses mains pour les réchauffer ; puis elle lui tapota les joues. Alcmène rougit, trembla un peu et sourit :

— Tu as eu bien froid en route, n'est-ce pas, mon agneau, dit Gertrude.

L'enfant ne fit pas un mouvement vers Gertrude et ne recula pas non plus. Pâle et très droite, elle parcourait du regard la pièce et les êtres qui s'y

trouvaient. Elle avait de grands yeux, lumineux et
graves.

— Et quel sera ton nom dorénavant, ma jolie petite
fille ? reprit Gertrude.

— Alcmène ! répondit la petite.

Après que Gertrude lui eut fait boire une tasse de
lait, elle l'emporta dans ses bras dans la chambre à
coucher. Nous les entendions bavarder de l'autre côté
de la cloison et une ou deux fois nous parvint la voix
claire d'Alcmène. Un peu plus tard, Gertrude apparut
dans l'embrasure de la porte ; elle était incapable de
parler, tant des larmes l'étouffaient :

— Oh Jens ! finit-elle par murmurer, elle n'a pas de
chemise !

Puis elle referma la porte sur elle.

Le pasteur se faisait chauffer du café avec du rhum
sur le poêle.

— Ce vieux renard, me dit-il en riant, lit dans le
cœur des femmes comme dans un livre ; il est bien
capable d'avoir ôté la chemise à la petite pour
émouvoir ma pauvre Gertrude.

J'atteignis mes quatorze ans à Noël, et mon père me
fit cadeau d'un fusil. Toutes mes journées se passèrent
dorénavant à suivre les traces du gibier sur la neige, et,
sauf à l'heure de mes leçons, je ne vis guère les
habitants du presbytère. Pourtant, chaque fois que
Gertrude pouvait m'attraper au passage, elle me
parlait d'Alcmène.

Au début, le pasteur et sa femme l'appelèrent ainsi,
mais Gertrude n'appréciait guère ce nom étranger et

elle l'abrégea ; le voisinage connut la petite sous le nom
de Mène.

Je me souviens que, pendant l'été, il y eut une
réunion de pasteurs au presbytère ; un vieux ministre
de Randers s'étonna d'entendre appeler la fillette :
Mène, et il s'exclama :

MANE, THECEL, PHARÈS ! (Daniel, V, 25.)

Mais ni le pasteur ni sa femme n'approuvèrent la
plaisanterie.

Dès le début, Gertrude considéra l'enfant comme
une merveille ; elle était sous le charme de ses moindres paroles, de ses moindres gestes. La première fois
qu'elle me raconta ses observations concernant
Alcmène, elle me dit que cette enfant semblait ignorer
complètement la peur. Ni le taureau, ni le jars ne
l'effrayaient ; elle les préférait à tous les animaux de la
ferme. Un jour, elle monta par l'échelle jusque sur le
toit de la grange, que l'on réparait après la tempête de
neige. Ce trait de caractère d'Alcmène troublait Gertrude.

Se rappelant en outre l'absence de chemise de la
petite, Gertrude donnait libre cours à son imagination,
et se figurait qu'Alcmène avait été trop abandonnée,
trop perdue, pour comprendre que la vie comportait
des risques. Peut-être, au fond, Gertrude était-elle près
de la vérité.

Elle jugea que son premier devoir de mère consistait
à apprendre à l'enfant à connaître la peur, comme
dans les contes de fée.

Elle me confia un autre jour que Mène semblait ne
pas distinguer la vérité du mensonge. Elle ne racontait
pas des « blagues » dans son propre intérêt, mais les

choses avaient pour elle un autre aspect que pour les autres gens, et souvent cet aspect était surprenant. Si Gertrude avait été seule avec sa fille adoptive, elle ne se serait guère tourmentée au sujet des histoires que celle-ci inventait, car, comme tous les paysans, elle aimait les contes ; mais elle savait que son mari n'était pas du même avis qu'elle, et elle essaya patiemment, et avec persévérance, de corriger les défauts de Mène.

Celle-ci était aussi d'une extrême prodigalité ; elle ne prenait guère soin de ses affaires, et il lui arrivait fréquemment de perdre, ou de donner à d'autres les petits vêtements que Gertrude avait faits pour elle avec amour. La mère en était froissée et attristée ; elle prenait l'indifférence de Mène très à cœur, et parfois elle ne pouvait s'empêcher de penser que l'enfant avait perdu l'esprit.

Pourtant, l'attitude de Mène ne laissait pas de lui faire une assez vive impression ; n'avait-elle pas entendu dire que certains grands de ce monde se comportaient ainsi ?

Au printemps, je revins plus souvent au presbytère, et je m'y trouvais en pleine idylle : une idylle pareille à celles que décrivent les livres. Je crois que cette année-là et la suivante furent pour mon amie Gertrude les années bénies de sa vie. La fillette appelait le pasteur et sa femme : papa et maman. Elle parut avoir oublié très vite le temps passé avant son arrivée chez ses parents adoptifs, et même croire qu'elle-même avait toujours fait partie intégrante du presbytère.

Gertrude ne perdait pas l'enfant des yeux, et Mène, elle aussi, bien qu'elle détestât les caresses et les gâteries, tournait tendrement autour de sa mère

comme un chevreau autour de la chèvre. Elle manifestait pour la beauté de Gertrude une aussi vive
admiration que si le professeur l'y avait lui-même
incitée. Elle en parlait souvent, enfilait des perles pour
lui faire un collier et, en été, ornait les beaux cheveux
de guirlandes de fleurs.

Jusqu'alors, Gertrude n'avait pas suscité grande
admiration, et je pense que le pasteur n'avait jamais
été un amoureux très imaginatif. Cette cour à la fois
gracieuse et empreinte de gravité que lui faisait Mène,
était toute nouvelle pour Gertrude, et, si elle en riait
avec nous, je vis qu'au fond elle l'enchantait.

Le pasteur apprit à Mène à lire et à écrire, et, toute
ignorante qu'elle était, elle montra toute de suite une
vive intelligence.

Père, mère et enfant étaient donc, en tous points,
fort heureux ensemble.

Au début, je jugeais risible qu'on fît tant d'embarras
pour une petite fille de Copenhague ; mais peu à peu
Alcmène et moi avons trouvé naturel de passer ensemble la plus grande partie de nos jours. Notre intimité
commença quand la petite fille demanda la permission
de m'accompagner à la chasse ou à la pêche. Ses
mouvements rapides, son coup d'œil sûr, me donnaient l'impression d'avoir avec moi un petit chien
subtil. Mais j'appris pendant nos randonnées que cette
enfant sans peur était épouvantée devant la mort. La
première fois que je ramassai un oiseau mort, mais
encore chaud dans mes mains, elle en fut malade
d'horreur et de dégoût. Mais elle attrapait les serpents
vivants sans aucune crainte. Elle avait une prédilec-
tion pour tous les oiseaux sauvages, et apprit à

reconnaître leurs nids et leurs œufs ; et c'était charmant de l'entendre imiter le chant de la palombe ou du
coucou dans les bois.

C'est ainsi que naquit notre amitié, amitié peu
commune, je crois, entre un garçon et une petite fille.
Nous étions vraiment comme frère et sœur, comme la
femme du pasteur le désirait, bien que notre intimité
ne fût pas tout à fait de nature à la satisfaire. Quand
Gertrude avait dit que la fillette pourrait être un jour
ma femme, j'avais trouvé cette idée risible, et même, à
treize ans, je connaissais assez le monde pour être sûr
qu'une fille de pasteur n'était pas une compagne pour
moi. Plus tard, Alcmène devint si jolie qu'il aurait été
naturel que je rêve de séduire la délicieuse enfant du
presbytère ; mais cette pensée ne m'intéressait pas plus
que le mariage. Notre amitié resta toujours chaste et je
ne me souviens pas d'avoir jamais osé toucher même
sa main.

Parfois, nous nous disputions affreusement, comme
on fait entre amis ou entre frères et sœurs, bien
qu'aucun de nous ne se querellât avec les siens à la
maison. Un jour même, Alcmène me jeta une pierre...

Mais notre amitié se fondait essentiellement sur une
compréhension profonde que notre entourage ignorait.
Plus tard, cherchant à m'expliquer cette intimité, je
crus en trouver la raison dans le fait que nous étions les
seuls parmi les autres à être de noble naissance, sans
doute de naissance plus noble qu'eux tous. D'ailleurs,
nous étions camarades surtout dans les bois et les
champs ; de retour chez nous, la camaraderie disparaissait, ou, du moins, restait à l'état latent. Chose
curieuse, elle se révélait aussi dans mes rêves. Je rêvais

d'Alcmène, alors même que dans la journée je ne lui avais pas accordé une seule pensée. Dans mes rêves, je la voyais souvent perdue, et l'on pourrait croire que peu à peu j'étais hanté par la crainte de la perdre en plein jour et dans la vie réelle. Mais il n'en était rien. Au contraire, mes rêves me convainquirent, pour mon malheur, que, si la nuit Alcmène semblait avoir disparu à jamais, elle reviendrait assurément au lever du soleil.

Mène était d'une légèreté de mouvements extraordinaire, tant dans son enfance que plus tard. Lorsqu'elle levait le bras pour lisser ses cheveux, on béait d'admiration devant ce geste, à la fois charmant et impeccable. Et quand elle bondissait dans les bois, elle me faisait penser à une biche ou à un poisson qui saute dans un ruisseau.

Depuis lors, j'ai vu des danseuses célèbres dans de grands théâtres, mais aucune d'elles n'est comparable, à mes yeux, à cette fillette du presbytère, aux mouvements empreints d'une telle suavité, d'une telle harmonie ; car ces danseuses avaient appris à danser, tandis que Mène paraissait révéler son être intime au monde entier par la grâce de son corps.

Je m'étais aperçu de cette grâce dès le début, mais je ne crois pas que les autres l'aient jamais remarquée. Peut-être aussi que Gertrude n'y voyait qu'un aspect de la perfection de l'enfant. Mon père, cependant, y faisait parfois allusion. Au presbytère, la danse était strictement prohibée. En outre, pour Gertrude, la danse se rattachait au théâtre, et à la petite enfance d'Alcmène, Gertrude, jalouse de tout ce qui aurait pu éloigner d'elle la petite fille, ne voulait même pas y

penser. On ne permettait donc jamais à Alcmène de
danser. En revanche, le pasteur lui enseignait beaucoup d'autres choses. Pendant un certain temps, il
s'était même mis dans la tête de lui apprendre le grec,
et il me dit plus tard qu'elle avait fait preuve d'une
compréhension extraordinairement rapide, récitant
même par cœur des passages des comédies et des
tragédies grecques.

Au cours des années suivantes, Alcmène essaya par
deux fois de s'enfuir du presbytère.

La première fois, un jour de mars. Le sol restait
encore mouillé par la neige fondante. La fillette se
dirigea droit vers le sud. Elle avait déjà fait plus de
douze milles avant que le vacher du pasteur, qu'on
avait envoyé à sa recherche, ne l'eût rattrapée et
reconduite à la maison.

Le désarroi de Gertrude faisait pitié ; elle se figurait
qu'Alcmène s'était noyée ; en la retrouvant, elle la
serra dans ses bras ; elle la buvait des yeux, et ne
s'arrêtait pas de lui demander pourquoi elle lui avait
infligé ce grand chagrin.

Le lendemain, comme elle se croyait seule avec la
petite, je l'entendis qui lui demandait encore : « Pourquoi t'es-tu sauvée ? Pourquoi nous as-tu quittés ? »

Mais pas plus ce jour-là que la veille, elle n'obtint de
réponse.

Deux ans plus tard, Alcmène avait onze ans, elle
s'enfuit pour la seconde fois, et ce fut pour les parents
une frayeur plus grande que la première. Car une
bande de romanichels avait passé par le village. Leur
caravane en était partie la veille et s'en était allée à
travers les landes marécageuses de la propriété de mon

père. Mène les avait évidemment suivis. La réputation de ces gens était fort mauvaise dans le pays ; on supposait qu'ils avaient tué un vagabond l'année précédente. Ce fut moi que l'on chargea de ramener la fugitive. En ce temps-là, mes leçons avec le pasteur avaient pris fin. J'avais fait quelques voyages, mais je continuais à descendre souvent au presbytère.

C'était par une belle journée du milieu de l'été ; l'air vibrait de chaleur et sur la lande on était l'objet de perpétuels mirages. A deux reprises, je crus voir la petite dans la vaste plaine, mais ce que je prenais pour elle n'était qu'un toit de chaume. Malgré tout, je finis par apercevoir la silhouette gracile, elle marchait vite, et au bout d'un moment, elle se mit à courir, ce qui me fit rire. Comment aurait-elle pu m'échapper puisque j'étais à cheval.

Cependant, la vue de cette enfant en fuite ne laissait pas que d'être émouvante. Pendant quelques instants, je ne l'arrêtai pas, mais chevauchai à côté d'elle. Elle avançait encore rapidement, tête nue, très pâle, le visage en sueur, mais elle ne parvenait pas à marcher à l'allure du cheval.

Un coq de bruyère sortit du taillis à quelques pas de nous et s'envola à grand bruit. Alcmène trébucha, puis resta immobile, comme frappée à mort. Mon cœur se serra ; je crus qu'elle allait pleurer. Je me trompais ; elle dit :

— Prête-moi ton cheval, Vilhelm, et je parviendrai encore à les rattraper.

— Non, Alcmène, tu vas revenir à la maison ; mais je te permettrai de rentrer à cheval, et moi j'irai à pied.

Elle ne répondit pas et je la soulevai pour la mettre

en selle. Tout était calme autour de nous. J'eus envie
de chanter et Alcmène ne tarda pas à joindre sa voix
claire à la mienne. Nos chants se succédèrent et le
dernier fut une vieille mélodie où il est question d'une
mère qui se lamente sur la mort de son enfant. Je dis :

— Tu bouleverses tes parents en te sauvant de la
sorte.

Mais elle me répliqua : « Pourquoi ne me laissent-
ils pas m'en aller ? »

J'entonnai une autre strophe, puis je repris :

— Les êtres humains diffèrent les uns des autres :
vois mon père ! Rien de ce que je fais ne lui convient, et
je suis toujours dans son chemin. Mais tes parents
t'aiment et te trouvent merveilleuse pourvu que tu
consentes à rester près d'eux.

Alcmène resta longtemps silencieuse. Quand elle
reprit la parole, ce fut pour dire :

— Que faire des enfants qui ne désirent pas être
aimés, Vilhelm ?

Notre retour fut tardif, et déjà la lune estivale
montait dans le ciel encore clair. En arrivant dans les
terres de mon père, il nous fallut traverser un champ
d'orge. Les épis étaient clairsemés sur le sol sablonneux, mais les marguerites jaunes foisonnaient dans le
champ et la lune s'y reflétait comme dans un lac.

Avant mon départ, Gertrude avait fait promettre à
son mari d'infliger une correction à la fugitive, mais ni
lui ni elle n'y pensèrent plus en revoyant Alcmène.
Pourtant, la mère restait blême de frayeur et ne
parvenait pas à se calmer. Elle disait : « Tu nous
préfères ces mauvaises gens, et tu choisirais de vivre

avec eux plutôt que de rester avec ton père et moi !
Sais-tu qu'ils t'auraient tuée et mangée ? »

Alcmène la regarda, ses yeux brillants grands
ouverts :

— M'auraient-ils vraiment mangée ? demanda-
t-elle.

Gertrude comprit qu'elle se moquait d'elle, et
s'écria :

— Vilaine enfant !

A l'époque de la confirmation de Mène, deux
problèmes se posèrent au presbytère. D'abord, le
pasteur s'aperçut qu'il n'avait jamais vu le certificat de
baptême de sa fille adoptive, et par conséquent ne
pouvait être certain qu'elle fût baptisée. Il écrivit au
professeur, mais dut attendre assez longtemps la
réponse, car le vieillard avait quitté Copenhague et
occupait un emploi élevé auprès d'une cour d'Allemagne. Quand enfin la lettre arriva, elle ne contenait que
quelques lignes. Le professeur déclarait sur l'honneur
que l'enfant avait été baptisée.

Le pasteur ne sut s'il fallait faire faire sa confirmation à Alcmène sans plus d'embarras, ou lui accorder
un baptême sous condition pour ne pas commettre une
erreur.

Gertrude me confia que ce dilemme valut bien des
nuits blanches à son mari ; et lui-même me dit :

— Certains théologiens tiennent le baptême pour
un symbole ; mais que Dieu nous soit en aide ! Les
symboles sont tous d'une grande puissance. En ce qui
me concerne, j'ai dû prendre trop à la légère des
symboles importants.

Ce fut en ce temps-là qu'il renonça à enseigner le grec à la petite fille. Mais il finit par accepter le conseil de sa femme et fit faire sa confirmation à Alcmène avec les autres enfants de la paroisse.

Au cours de sa préparation à la confirmation, Alcmène fit la connaissance d'autres petites filles et écouta leurs bavardages. Le pasteur et sa femme eurent de bonnes raisons de croire qu'elle entendit quelques racontars au sujet de sa naissance. Elle ne leur en dit rien. Ce fut une des servantes du presbytère qui leur répéta les conversations des catéchumènes. Le pasteur réfléchit longuement aux mesures à prendre et un jour, en ma présence, parce qu'il craignait, je crois, d'aborder la question lorsqu'il se trouvait seul avec sa femme, il annonça à Gertrude son intention de dire ouvertement la vérité à Alcmène.

Aussitôt, Gertrude s'emporta. Je ne l'avais plus vue parler durement à son mari depuis l'époque qui précéda l'arrivée de l'enfant à leur foyer. Avait-elle oublié qu'elle n'était pas réellement la mère d'Alcmène, et voulait-elle accuser le pasteur de lui ravir son enfant légitime ? On aurait pu le croire.

— Je ne peux pas te séparer d'Alcmène, dit le pasteur, mais je vais poser ma main sur la tête de cette enfant au nom du Seigneur. Que faire si, en cet instant, elle sait au fond de son cœur que je la trompe ?

Gertrude se leva : « Tu désires donc me l'enlever tout à fait ? s'écria-t-elle. Ne vois-tu pas que déjà elle me déteste et me craint ? Si maintenant elle apprend que je ne suis pas sa mère, je n'ai plus aucun moyen de la retenir ; elle me méprisera tout à fait, et me tournera le dos. »

Le pasteur resta confondu devant ces accusations. Mais, tandis que Gertrude parlait, je crois que nous lui donnions raison tous les deux.

Ces deux dernières années, Alcmène avait changé ; elle s'était durcie en face de sa mère, et parfois elle manifestait à son égard une méfiance singulière, une sorte d'hostilité révoltée. Le pasteur dit enfin : « Ma chère épouse, il eût mieux valu que nous n'ayons jamais accepté cette tâche et que nous ayons vieilli paisiblement au presbytère comme un couple sans enfants. »

Gertrude le considéra d'un air effaré.

Il poursuivit : « Cependant, puisque nous avons mis la main à la charrue, il faut continuer notre œuvre en agissant au mieux de nos connaissances. »

Gertrude se mit à pleurer : « Fais ce que tu jugeras bon ! » dit-elle en quittant la pièce.

Elle m'attendit à ma sortie du presbytère et, prenant ma main, elle me regarda bien en face et dit :

— Vilhelm, tu es l'ami de mon enfant ; veux-tu faire quelque chose pour moi ? Observe-la bien quand son père lui aura parlé. Vois si elle est très affectée par ce qu'il lui révélera, et viens me répéter ses paroles, car, hélas ! elle ne me dira rien à moi !

Je fus très attristé par cette attitude de Gertrude ; comment pouvait-elle chercher un secours auprès de moi alors que, jusqu'à présent, elle pensait être la seule à comprendre sa fille ? Je lui promis cependant de faire ce qu'elle me demandait.

Quinze jours environ après cet entretien, elle me dit :

— Dieu est miséricordieux, Vilhelm ! et Jens est un

sage! Crois-tu que, depuis qu'il a parlé à la petite, elle
a changé; elle me témoigne autant de tendresse qu'au
temps où elle était tout enfant; et moi-même, je
retrouve ma jeunesse. Je me suis regardée par hasard
dans la glace aujourd'hui. Ne ris pas! C'est le visage
d'une jeune femme que m'a renvoyé le miroir. Je ne
sais pourquoi, mais je sens que cette douce et tendre
intimité entre Alcmène et moi persistera tant que nous
vivrons.

Gertrude oublia tout à fait de me questionner au
sujet de la mission dont elle m'avait chargé; mais elle
ajouta après un court silence: « N'est-ce pas étrange
qu'elle ne m'ait pas posé une seule question concernant son père et sa mère? Elle ignorait pourtant que
nous étions incapables d'y répondre. »

Alcmène ne me parla jamais des éclaircissements
que lui avait donnés le pasteur; mais je sais que celui-
ci avait dû faire allusion au professeur, au cours de leur
entretien, car, un jour, elle me demanda si je le
connaissais. Je répondis que je l'avais vu.

— Je voudrais le voir aussi un jour, dit-elle.

Gertrude se plaignait de la négligence de Mène, qui
ne prenait pas plus de soin de la robe du dimanche,
que sa mère avait confectionnée elle-même pour elle,
que de ses vêtements un peu usés et défraîchis de tous
les jours. Mais il arriva que la fillette entendit men-
tionner, par notre vieille femme de charge, les belles
toilettes de ma mère, rangées à présent dans un grand
coffre du grenier. Mon père ne voulait plus les voir et
refusait de les faire porter à quelqu'un d'autre que sa
femme. Alcmène me tourmenta jusqu'à ce beau jour,

mon père étant absent, je fis sauter la serrure du coffre et en sortis les robes. Elle les déplia successivement et les contempla avec attention. A la fin, elle me pria de lui en donner une.

C'était une robe de lourde soie verte, à dessins jaunes. Aujourd'hui, elle est restée dans mes souvenirs pareille à un tilleul en fleurs.

Je me moquai de Mène et je lui dis :

— Aurais-tu, par hasard, envie de porter cette robe pour aller à l'église ?

— Non, répondit-elle ; je la mettrai seulement de temps en temps.

Un peu plus tard, Gertrude avait fait du pain frais et Alcmène demanda avec insistance la permission de sortir avec moi — car j'étais à la maison à cause des vacances d'été — pour aller porter quelques petits pains à la vieille Mme Ravn, la veuve de notre ancien pasteur, qui habitait à l'autre extrémité du village.

En arrivant sur la grand-route, Alcmène me dit qu'elle n'avait pas du tout l'intention de se rendre chez Mme Ravn ; elle voulait mettre la robe de soie et puis, nous irions ensemble nous promener dans les bois et les champs. Elle avait déposé la robe dans une maisonnette voisine, chez une femme qui autrefois avait servi au presbytère, mais avait été renvoyée parce qu'elle buvait. Alcmène entra donc dans la cabane et en ressortit bientôt, vêtue de la robe verte et jaune. Elle n'avait pas relevé ses cheveux, et ne s'était pas lavé les mains, mais je ne pense pas avoir jamais vu personne rayonner d'une beauté plus libre et délicieuse, une beauté vraiment royale. Elle ne parla guère pendant que nous errions à travers le bois. La robe était un peu trop longue pour elle, et elle la laissait traîner sur le sol.

Je lui décrivis le nouveau cheval que je venais d'acheter et lui racontai que je m'étais disputé avec mon père. Si nous avions rencontré d'autres promeneurs, ils auraient été surpris de voir une fille aussi magnifiquement vêtue sur un sentier forestier, et en auraient ri. Pourtant sa présence en ces lieux était, en quelque sorte, une chose naturelle.

Le feuillage frais brillait aux rayons du couchant, à la fois vert et doré, et ressemblait à la robe d'Alcmène. Le doux bruissement de la soie à chaque pas que faisait ma compagne, rappelait le gargouillement d'un oiseau tardif dans les arbres. Un renard fila tout près de nous, mais nul être humain ne nous croisa.

Nous arrivâmes dans les champs à l'instant où le soleil allait disparaître au-dessous de l'horizon. Il y avait, à la sortie du bois, une colline très élevée ; du sommet, on jouissait d'une vue très étendue sur l'immense pays plat ; la lande dorée éclatait de splendeur aux derniers feux du couchant.

Alcmène se taisait. Elle promenait ses regards tout autour d'elle ; son visage clair irradiait de la lumière comme l'atmosphère autour de nous. Tout à coup, elle poussa un profond soupir, non de tristesse, mais de joie, et je me disais que les filles sont, en vérité, d'absurdes créatures, ravies de se trouver en robe de soie au sommet d'une colline.

Un peu plus tard, nous étions assis par terre, mangeant les petits pains que Gertrude destinait à la vieille veuve ; ils étaient encore tièdes.

Depuis lors, chaque fois que je mange du pain frais, je me rappelle cette soirée sur la colline.

Alcmène changea de robe dans la cabane avant de rentrer au presbytère. A notre arrivée, Gertrude était assise, en train de repriser une pile de bas blancs d'Alcmène, à la lueur d'une chandelle de suif ; elle en avait raccommodé un grand nombre, mais je réfléchissais que, si elle voulait terminer son travail, elle ne se coucherait que bien avant dans la nuit.

Elle nous sourit et nous demanda des nouvelles de Mme Ravn. Alcmène, debout derrière elle, la regardait, et regardait les bas ; je la vis pâlir :

— Permets-moi de t'aider à repriser ces bas, dit-elle.

— Non, ma chérie, répondit Gertrude, en mouchant la chandelle, tu as beaucoup marché et tu as besoin de te mettre au lit.

Cette même année, à l'automne, j'eus une aventure, qui devait avoir une assez grande influence sur ma vie.

Sidsel, une fille du village, eut un enfant qui mourut. Sa mère demeurait dans la maisonnette, où Alcmène avait entreposé la robe de soie ; la fille m'attribua la paternité de l'enfant. Je ne croyais pas qu'elle eût raison, car elle n'était pas un modèle de vertu. Pourtant, dans le pays, on ferait des gorges chaudes de cette histoire. Mon père me dit :

— L'enfant est mort, et Sidsel va épouser le garde-chasse ; mais tu ne vas pas faire l'imbécile dans ton propre village en attendant que la demoiselle du presbytère soit en âge de t'épouser. Va-t'en passer six mois chez ton oncle, à Rugaard, dans le Djursland. Sa fille est ton aînée de deux ans ; un jour, elle sera très riche. De toute façon, à Rugaard, tu pourras acquérir quelques notions sur l'exploitation d'une ferme ; il en est grand temps.

La dernière partie du sermon était injuste, car, jusqu'à présent, mon père s'était toujours moqué de moi, et me qualifiait de paysan chaque fois que je manifestais quelque intérêt pour la culture du domaine, qui était alors en fâcheux état.

Il ne me déplaisait pas de m'en aller, mais je me demandais ce qu'on penserait de moi au presbytère. Le pasteur en serait très désappointé, car, sa vie durant, il s'était levé dans ses sermons contre la licence des mœurs de sa paroisse et comme j'avais été son élève pendant si longtemps, il en était venu à me considérer un peu comme son œuvre.

Gertrude me pardonnerait peut-être, car, fille de la campagne, elle était habituée aux mœurs paysannes, mais elle s'efforcerait de cacher la vérité à Mène, et, par conséquent, essaierait de l'éloigner de moi.

Un après-midi que mon père était allé à Vejle, je me trouvais dans la bibliothèque pour y prendre quelques livres, quand la porte s'ouvrit et Alcmène apparut sur le seuil. Notre bibliothèque est orientée vers le nord ; le soleil éclairait Alcmène par-derrière, et ses cheveux brillaient comme une flamme. Elle me demanda :

— Est-ce vrai ce qu'on raconte sur toi et Sidsel ?

Je fus surpris de la voir, car jusqu'à présent elle n'était jamais venue seule. Mais elle m'interrogeait avec tant de passion que je ne pus que lui dire : « Oui. »

Elle cria :

— Comment oses-tu agir ainsi, Vilhelm ?

Chose curieuse, depuis quelque temps, je gardais en quelque sorte rancune à Alcmène, comme si ce qui m'arrivait était en partie de sa faute. Et maintenant, voici qu'elle parlait exactement comme faisaient les adultes. Le cœur serré, je la priai de me laisser seul. Mais elle ne m'écouta pas ; elle entra dans la pièce, toute rouge d'émotion, et elle cria encore une fois :

— Comment as-tu osé agir ainsi ?

Je me souvins alors que les paroles d'Alcmène avaient en général une signification précise, et je compris qu'elle me posait une question pour éclaircir un problème, ainsi qu'il lui arrivait souvent. Je ne pus m'empêcher de rire, et je répondis :

— Peut-être n'y faut-il pas autant de courage que le supposerait une jeune fille.

Elle me considéra gravement, et avec fierté, puis elle reprit :

— Ne vois-tu pas que tu vas aller en enfer ?

Je dis :

— Tout le monde m'y pousse ; mon père m'a chassé de la maison ; tes parents ne veulent plus m'adresser la parole. Mais soyons amis tous les deux, Alcmène, pendant le temps qui nous reste.

— Ton père t'a mis à la porte ? demanda Alcmène. Tu n'as donc plus de foyer ? Alors, je partirai avec toi. Nous pouvons aller ensemble sur les grandes routes, et — ajouta-t-elle en respirant profondément — je ferai quelque chose pour que nous ne soyons pas obligés de mendier ; je danserai et je chanterai. Quant à l'enfer, si tu dois y aller, je veux bien y aller aussi.

— Non, dis-je; moi, j'irai chez mon oncle, à Rugaard.

Elle pâlit en entendant ces mots.

— Tu vas vivre chez ton oncle? dit-elle. Je croyais qu'on t'avait chassé dans le vaste monde. Je pensais que jamais personne n'avait commis une action aussi mauvaise que la tienne.

En écoutant Mène, j'étais de plus en plus heureux de la tournure que prenait la situation.

— Voyons, Alcmène! Toi qui connais l'histoire des dieux grecs, tu veux prétendre que ces choses ne se sont jamais passées auparavant?

— Non, dit-elle, on ne me permet plus de lire ces livres-là. On ne m'apprend rien, on ne m'explique rien. Que vais-je faire maintenant?

En cet instant, je perçus nettement que nous appartenions l'un à l'autre, Alcmène et moi, et je fus sur le point de lui dire : « Veux-tu m'attendre jusqu'à mon retour? Alors, personne ne nous séparera plus. »

Mais, à la pensée de l'extrême jeunesse d'Alcmène, je jugeai que le moment n'était pas bien choisi pour une déclaration pareille.

Debout devant moi, elle se tordait les mains et elle me demanda : « M'écriras-tu au moins? » Puis, s'interrompant, elle s'écria : « Ce n'est que dans les livres que les gens reçoivent des lettres. Pourtant, si tu devais faire une fois encore une chose terrible, voudras-tu m'écrire? »

Et moi j'affirmai :

— Je reviendrai dans six semaines, Alcmène, ne m'oublie pas!

— Je ne peux t'oublier, Vilhelm, tu es mon seul ami ; mais toi, n'oublie pas Alcmène !

Sur ces mots, elle disparut aussi soudainement qu'elle était venue.

Quelques jours plus tard, je me rendis à Rugaard. Je ne dirai rien de ma vie à Rugaard puisque l'histoire que je raconte ici est celle d'Alcmène. Les domaines du Djursland sont très rapprochés les uns des autres. Je rencontrai donc bien des jeunes gens de mon âge, et je ne pensais pas souvent à ce qui se passait chez nous ; mais, à Rugaard, comme ailleurs, je rêvais d'Alcmène.

J'étais chez mon oncle depuis trois mois quand je reçus une lettre de mon père ; il se plaignait de la goutte et me rappelait à la maison.

Je ne prêtai guère d'attention à cette première lettre, mais une deuxième, du même genre, me décida à prendre le chemin du retour.

La première question que me posa mon père avait pour but de savoir où en étaient mes amours éventuelles avec ma cousine, et mon père parut satisfait quand je lui dis qu'il n'y avait pas d'amour du tout. Il se frotta les mains et dit :

— Certains événements se passent dans les limites de notre domaine personnel ; de grands changements ont eu lieu au presbytère.

Je m'informai de la nature de ces changements et il répondit :

— Tu ferais mieux de descendre au presbytère et de voir par toi-même ce qui s'y passe ; ces gens ont toujours été pour toi de grands amis.

Le pasteur était seul à la maison ; sa femme et sa fille faisaient une visite à un malade. Il avait changé,

comme le disait mon père. Absorbé dans ses pensées, il
avait l'air grave, et je pensais qu'il devait avoir cette
même expression pendant ses années de jeunesse qu'il
m'avait décrites. Il avait complètement oublié cette
triste histoire de Sidsel, et me reçut affectueusement.
Après avoir causé de choses et d'autres pendant un
moment, il me dit :

— Il faut que tu saches, Vilhelm, ce qui est arrivé
ici, dans ton domaine, et il me fit le récit des
événements.

Peu après mon départ, son ami le vieux professeur
lui avait écrit quelques mots brefs pour lui apprendre
que sa fille adoptive avait un héritage tel qu'on aurait
pu croire qu'elle avait pénétré dans la grotte magique
d'Aladin, le héros de notre immortel Œhlenschläger.
Selon son habitude, le professeur ne disait pas par
suite de quelles circonstances. Il continuait : « En
toute loyauté — il était toujours prodigue du mot de
loyauté — je ne chercherai nullement à vous influen-
cer, mais je vous laisse décider si, pour le bien de cette
petite, vous acceptez ou refusez cette fortune. »

Le pasteur me confia qu'il avait bien réfléchi à tous
les aspects du problème avant de prendre une décision,
et il ajouta : « Ce qui est fâcheux, c'est que, en tout ce
qui concerne notre fille, ma femme et moi ne parais-
sons jamais être tout à fait d'accord. Gertrude ne
voulait pas prendre l'argent. Il est possible qu'elle
aurait été d'un autre avis si la fortune avait été
modeste, et tout heureuse de penser que l'avenir de la
petite était assuré, alors que moi, au contraire, j'aurais
préféré la voir rester ce que l'avaient faite les conditions de notre propre vie, c'est-à-dire la fille d'un

pasteur de village. Mais, à présent, l'importance de l'héritage effraie ma pauvre femme. »

Le pasteur m'indiqua la somme avec la plus grande précision. Il s'agissait de plus de trois cent mille rixdaler.

— Gertrude ne peut pas croire, dit-il, qu'une pile d'or pareille n'est pas d'origine démoniaque.

« Pour moi, elle a pris un caractère différent. »

Il resta plongé dans ses pensées assez longtemps, puis il dit encore :

— Je n'ai jamais désiré ardemment la richesse, même pendant mes rêves de jeunesse ; j'ai aspiré à d'autres biens ; j'ai prié pour les obtenir, mais l'or ne me tentait pas. Dans ce cas, pourtant, la fortune prend une autre valeur, elle devient un symbole. J'ai vu cet or : je suis allé à Copenhague, et, là-bas, à la banque, on m'a fait voir l'or, je l'ai touché. Il dort dans un coffre, attendant la main qui en fera une réalité vivante. Quel bien ne peut-on pas faire dans ce monde avec une pareille fortune ! Remarque, Vilhelm, que je n'ignore pas la puissance de Mammon. En touchant cet or, j'ai reconnu le danger qu'il représente. Mais, il s'agit ici d'une épreuve de force entre Dieu et Mammon, devrais-je refuser d'entrer en lice pour le Seigneur ?

Je demandai au pasteur si Alcmène avait été avertie de sa chance ?

— Oui, dit-il, nous la lui avons apprise. Elle est encore très enfant, et cette fortune n'a fait sur elle que peu d'impression. A en juger d'après son attitude, on dirait qu'elle savait depuis toujours qu'elle était riche.

La tâche du pasteur lui paraissait d'autant plus sacrée qu'il l'accomplissait au nom d'une enfant.

— En vérité, dit-il encore, j'ai toujours su qu'une grande mission me serait imposée par l'entremise d'Alcmène ; et quand je serai mort, je continuerai à vivre par ses bonnes œuvres, car cette petite possède une grande force, Vilhelm !

Ces paroles du pasteur me firent beaucoup réfléchir. Elles me firent rire en secret, et je pensais que je connaissais peut-être mieux Alcmène que ne la connaissait son père.

Lorsque je rentrai à la maison, mon père me questionna avec empressement sur ma visite, et je lui répétai la plus grande partie de ce que m'avait confié le pasteur.

— Et, reprit-il, as-tu demandé la fille en mariage ?

— Non !

— Tu es un imbécile ! Une fortune pareille compense largement l'obscurité de la naissance d'Alcmène ; elle projette en quelque sorte une nouvelle lumière sur elle. Tu peux parfaitement en échange lui donner ton nom.

Comme je ne lui répondais pas, il se mit à vanter les qualités de la fillette comme un éleveur de chevaux vante celles d'un cheval, et je fus étonné de constater qu'il avait parfaitement observé Alcmène, alors que je croyais qu'il ne lui avait jamais accordé une seule pensée. A la fin, et bien que je n'eusse pas l'habitude d'une conversation intime avec mon père, je déclarai que je jugeais tout à fait inélégant de demander la main d'Alcmène à la première nouvelle de son héritage, alors que je n'avais jamais donné la moindre raison de croire que je pensais l'épouser un jour.

Mon père répéta que j'étais un imbécile et il se mit fort en colère pendant notre discussion. Il finit par dire que si j'étais assez sot pour refuser la chance qui s'offrait à moi, il demanderait, lui, à la fille du pasteur d'être sa femme !

J'ai honte de dire qu'il le fit réellement, et d'une manière stupide. Il se rendit tout droit au presbytère, dans la voiture à quatre chevaux, dont on se servait rarement, et demanda la main d'Alcmène.

J'ignore ce qui se passa pendant l'interview, et je doute que mon père ait vraiment réussi à faire comprendre au pasteur et à sa femme la vraie raison de la visite. Mais, même après son échec, il continua à parler de l'amélioration et de l'embellissement du domaine qu'il aurait pu entreprendre avec l'argent d'Alcmène. Ce faisant, il me lassa et m'ennuya au point que je quittai de nouveau le pays sans avoir revu ni Gertrude, ni sa fille.

Après cela, je n'eus plus d'autres nouvelles de chez moi avant celle de la mort du pasteur. Sa santé n'avait pas été brillante depuis plusieurs années, et le voyage à Copenhague au cœur de l'hiver l'avait épuisé. Il y prit froid, et le rhume dégénéra en pneumonie.

Je fus très frappé, pendant l'enterrement, du profond chagrin manifesté par toute la paroisse. Gertrude, malgré sa tristesse et son désarroi, me parla de la patience de son mari pendant sa maladie, et me raconta qu'à son lit de mort, il avait eu une révélation soudaine et merveilleuse, et s'était écrié qu'il comprenait à présent les voies du Seigneur !

Elle me montra aussi un journal qu'elle venait de
recevoir de Copenhague ; il contenait un article nécro-
logique sur son mari. L'auteur faisait un tel éloge de
son caractère ; il parlait avec tant de conviction du rôle
qu'il aurait pu jouer sur la scène de ce monde s'il avait
eu de l'ambition ; il faisait une description si vivante
des talents dont il faisait preuve étant jeune homme,
que j'en fus surpris moi-même. Et pourtant, j'avais
une très haute opinion du pasteur !

L'article n'était pas signé, mais Gertrude et moi ne
pouvions que l'attribuer à son vieil ami le professeur.

On accorda à Gertrude une année de grâce au
presbytère. Au bout de quelques mois, elle se rendit
chez une de ses sœurs qui était malade. A la même
époque, mon père alla soigner sa goutte à Pyrmont.
Alcmène resta seule au presbytère, comme j'étais seul
au château.

Un jour, elle me fit dire de venir la voir.

Elle avait quinze ans alors et était grande pour son
âge, mais très svelte et assez semblable à la petite fille,
qui était arrivée jadis au presbytère. Elle me dit :

— Te rappelles-tu, Vilhelm, que tu m'a promis un
jour de me rendre un grand service, si je te le
demandais ?

Je m'en souvenais très bien, et lui demandai ce
qu'elle désirait de moi. Elle me répondit : « Je voudrais aller à Copenhague, et il faut que tu m'y
emmènes pendant que ma mère n'est pas à la maison ;
mais je ne désire y rester qu'une journée. »

La chose n'était pas facile à exécuter. Le voyage,
aller et retour, nous prendrait une semaine, et personne ne devait se douter de notre absence. Mais

Alcmène était décidée à entreprendre cette expédition, et je ne pouvais être infidèle à ma promesse d'autrefois, en refusant de l'aider. Je pensais aussi que ce voyage serait une aventure délicieuse. Je fis donc ce que désirait Alcmène.

Elle alla d'abord chez des amis à Vejle, et je l'y rejoignis un matin de bonne heure à l'arrêt de la diligence. Par bonheur, ni à Vejle, ni plus tard, il ne se trouva aucune de nos connaissances parmi les voyageurs.

On était en mai, et la région que nous traversions était dans toute la parure de sa nouvelle verdure ; les bois donnaient une ombre délicate ; il faisait frais en cette heure matinale ; toutes les herbes et le feuillage étaient couverts de rosée, mais déjà nous apercevions les alouettes très haut dans les airs. Lorsque la diligence s'arrêta à Sorö, nous entendîmes le rossignol.

En me rappelant à présent ce voyage, je me dis que j'étais résolu, ce jour-là, à épouser Alcmène, si elle acceptait d'être ma femme ; j'étais fort soucieux de son bon renom.

Partout où nous passions, je disais que cette jolie fille était ma sœur, et rien dans nos manières ne pouvait faire mettre ma parole en doute. Mais une joie et une agitation nullement fraternelles emplissaient mon cœur. Je sentais que jamais je n'avais été heureux avant ce jour-là. Je me représentais les voyages que nous ferions ensemble à l'avenir.

Alcmène jouissait des perpétuels changements du paysage avec une vivacité tout enfantine. La mer, en particulier, l'enchanta lors de la traversée du Grand-Belt, en plein soleil et par une brise légère. Elle était partagée entre la surprise et le ravissement.

Seuls le secret de notre destination et parfois une expression du visage d'Alcmène, me troublaient vaguement.

J'avais été plus d'une fois à Copenhague, et avant d'y arriver, j'avais décidé dans quel hôtel nous logerions. C'était un lieu tranquille.

Le bateau arriva en ville dans l'après-midi. Alcmène regarda les passants dans les rues et les robes des femmes, mais elle ne parla guère. Après avoir soupé à l'hôtel, je priai Alcmène de me dire la raison de notre voyage à Copenhague. Elle tira de sa poche le journal que Gertrude m'avait montré après la mort du pasteur et dit : « Voilà pourquoi je suis venue. »

Dans un article, à la dernière page, il était question d'un assassin notoire ; il s'appelait Ole Sjaelsmark, et devait être décapité sur la place publique, au nord de Copenhague. L'article disait que l'accès de cette place était libre, et indiquait l'heure et le jour de l'exécution. Or, il s'agissait du lendemain matin.

En lisant ces lignes, je fus pris d'une grande frayeur ; je distinguais nettement que les forces au milieu desquelles j'avais vécu avec tant d'insouciance étaient plus puissantes, plus formidables que je ne m'en doutais, et que mon propre univers risquait de s'effondrer.

Je dis à Alcmène :

— Ce doit être terrible d'assister à un tel spectacle. Bien des gens estiment que c'est une coutume barbare de permettre à la foule de se divertir à la vue de la souffrance et de la mort d'un être humain, quelle que soit l'horreur de ses crimes.

— Non, dit Alcmène, ce n'est pas une occasion de se divertir, mais un avertissement pour ceux qui sont tentés de commettre eux-mêmes une action pareille, et que rien d'autre n'en saurait empêcher. La vue de la mort de cet homme les détournera de devenir pareils à lui. Mon père m'a fait un jour la lecture d'un poème, où il est question d'une jeune femme qui a tué son enfant et a été condamnée à mort. Elle parle elle-même de son exécution, et je me souviens de ce qu'elle dit : « A présent, sur toutes les têtes tremble la hache qui tremble au-dessus de la mienne. » Car Dieu seul connaît tout, ajouta Alcmène. Qui donc peut dire de soi-même : « Je n'aurais jamais pu me rendre coupable d'un acte pareil ? »

Au petit matin, Alcmène et moi nous rendîmes en voiture au terrain communal du nord ; il y avait déjà un grand attroupement autour de l'échafaud. La plupart des spectateurs étaient des hommes du peuple, à l'aspect fruste et grossier, mais on remarquait aussi quelques femmes parmi la foule, et plusieurs d'entre elles avaient même amené leurs enfants. Tandis que nous nous frayions un passage dans le gros du public, tous les yeux se fixaient avec étonnement sur la jeune fille gracieuse, mais mortellement pâle pendue à mon bras. Mais ensuite, la foule ne regarda plus que l'épouvantable machine dressée au milieu d'elle. Déjà le bourreau et son assistant étaient prêts à faire leur œuvre.

Quand la charrette amenant le condamné et l'aumônier de la prison apparut au-dessus des têtes de l'assistance, Alcmène fut prise d'un tremblement si violent que je dus l'entourer de mon bras, et, bien que moi aussi je fusse terrifié, une joie, une suavité inexprimables me submergèrent.

Le visage de l'assassin était tourné vers nous ; l'espace d'une seconde, je crus que ses yeux cherchaient Alcmène.

L'aumônier monta avec lui sur l'échafaud et, prenant sa main, il lui parla avant de le faire agenouiller devant le billot. Lui-même se retira un peu pour céder sa place au bourreau. L'instant d'après, la hache tomba.

Je pensais qu'Alcmène allait s'évanouir, mais elle resta debout, tandis que la foule se pressait autour de l'échafaud. Certaines gens trempèrent un chiffon dans le sang, car les paysans croient que ce sang guérit du haut mal ; mais nous quittâmes le terrain.

Je n'avais pas dormi de la nuit, et devant l'affreux spectacle mes cheveux s'étaient dressés sur ma tête. J'eus la force de soutenir Alcmène, mais ne trouvai pas un mot à lui dire. En revenant du lieu de l'exécution, quand la lumière du jour s'accrut, je me rappelai les projets de la veille. Je me proposais alors de montrer la ville à Alcmène, et je me raillai de ma sottise. Je n'étais vraiment qu'un imbécile. Pourtant, j'avais promis a Alcmène que nous quitterions Copenhage le soir même ; mais je lui dis qu'avant notre départ il fallait visiter le Palais Royal.

Abandonnant notre cabriolet chez le loueur, nous y allâmes à pied. Comment ne pas admirer la grâce et la distinction de ma compagne tandis qu'elle suivait les

rues à mes côtés, vêtue seulement de sa petite robe et
de sa coiffe de villageoise. Et, pendant que nous
restions arrêtés devant le Palais Royal, qu'elle considérait gravement, je me disais qu'elle était née pour vivre
dans un château comme celui-là.

Un vieillard, tenant un gros bouquet à la main, vint
nous tirer de notre contemplation. En passant, il
regarda Alcmène, puis s'éloigna un peu, et revint sur
ses pas pour regarder encore la jeune fille. Je le
reconnus, bien qu'il fût très vieux, et tout courbé, et
qu'il eût fait teindre ses cheveux en noir : c'était le
professeur !

Il nous suivit à quelque distance, jusqu'à l'hôtel.
Arrivé là, je le vis qui s'arrêtait pour nous regarder à
travers les vitres, et je pensais : il va remettre son
bouquet à qui de droit, et puis il reviendra ici ; mais, à
ce moment-là, nous serons partis.

Or, à l'hôtel, je rencontrai quelqu'un que je connaissais et qui m'apprit qu'un bateau partait pour Vejle le
même soir. Jugeant que le voyage serait plus commode
par mer, et d'ailleurs peu disposé à refaire en
sens inverse le trajet que nous avions fait à l'aller, je
quittai l'hôtel avec Alcmène pour prendre le chemin du
port.

La soirée de printemps était belle. Un léger vent du
sud souffla pendant que nous remontions le Sund.
Nous étions assis sur le pont et observions la côte.
Quelques lumières jaillirent à la fois sur la rive danoise
et sur celle de Suède, et nous ne bougeâmes pas de nos
places pendant la plus grande partie de cette claire
nuit. Alcmène avait ôté sa coiffe et noué un fichu sur sa
tête.

Après avoir dépassé Helsingör et le château de Kronborg, nous vîmes la lune se lever. Je dis à Alcmène :

— J'avais pensé que toi et moi nous ne devrions pas nous séparer notre vie durant.

— L'as-tu vraiment pensé ? dit-elle ; il est bien tard à présent pour parler ainsi.

— Jamais rien ne m'a fait douter qu'il devait en être ainsi.

— Oh ! fit-elle, je sais maintenant qu'il y a bien des façons de voir les choses. Toi, tu parles aujourd'hui de ma vie ; mais, auparavant, quand il en était temps encore, tu n'as pas essayé de la sauver.

Je l'interrompis :

— Je voudrais te poser une question : ne savais-tu pas que je t'ai toujours aimée ?

— Tu m'as aimée ? s'écria-t-elle. Tout le monde aimait Alcmène. Tu n'es pas venu à mon secours. Ne savais-tu donc pas qu'ils n'ont cessé d'être tous contre moi, tous ?

Pendant un moment, je fus tout à la surprise de ses paroles ; puis je dis :

— Mais tout cela n'était pour moi qu'une plaisanterie ; en réalité, je plaignais même les autres. Il ne m'est jamais venu à l'esprit que tu n'étais pas bien plus forte qu'eux.

— Non, je n'étais pas la plus forte ; c'étaient les autres qui étaient les plus forts. Comment en aurait-il été autrement, alors qu'ils étaient si bons, qu'ils avaient toujours raison ? Alcmène était seule. Et quand ils sont morts, et la firent assister à leur fin, elle fut incapable de leur résister encore ; elle n'eut d'autre parti à prendre que de mourir aussi.

Après ces mots, Alcmène resta silencieuse ; elle paraissait toute petite sur le pont du navire, elle avait l'air contrit et humilié. Un peu plus tard, elle me demanda :

— Ne veux-tu pas, même à présent, dire : « Pauvre Alcmène ! »

J'essayai de le faire, mais sans y parvenir, et je finis par lui demander :

— Rappelle-toi au moins que je suis ton ami.

— Oui, répondit-elle, je me rappellerai toujours que tu m'as emmenée à Copenhague, Vilhelm, tu as été bon d'y consentir.

Je la ramenai au presbytère deux jours plus tard, et personne ne douta qu'elle ne fût restée pendant tout ce temps chez ses amis de Vejle.

Peu après, mon père m'écrivit de le rejoindre à Pyrmont, car il était malade et n'osait pas entreprendre seul le voyage de retour. Qu'avais-je encore à faire à Norholm ? J'obéis donc aux ordres de mon père.

A Pyrmont, chacun de nous reçut une lettre de Gertrude, qui nous informait qu'elle décidait de quitter le presbytère avant la fin de son année de grâce, car sa fille avait acheté du terrain et une petite ferme à l'ouest du pays, avec l'intention d'y élever des moutons. Gertrude n'était pas une grande épistolière ; elle envoya à mon père quelques mots pleins d'une humble gratitude ; mais, dans la lettre qui m'était adressée à moi, je lus entre les lignes un appel à mon jugement. Pourquoi les choses avaient-elles pris cette tournure ? Je lus aussi une sourde angoisse, comme si au fond de

son cœur, Gertrude eût été désemparée de quitter son
foyer, et de s'en aller dans le vaste monde, seule avec
sa fille.

Je ne voyais pas ce que je pourrais bien faire pour la
rassurer, la consoler. Je la remerciai donc simplement
pour l'amitié qu'elle m'avait témoignée pendant tant
d'années, et je lui dis adieu.

Je n'ai plus grand-chose à ajouter dans ce récit au
sujet d'Alcmène.

Seize ans après notre voyage à Copenhague, mes
affaires m'obligèrent à me rendre à l'ouest du pays,
dans le canton, où se trouvait la ferme d'Alcmène.
Mon itinéraire passait tout près et je résolus de m'y
arrêter ; j'enfilai l'étroite chaussée raboteuse qui
menait à sa maison.

J'avais roulé à travers une vaste contrée solitaire,
série de collines et de landes marécageuses. Nous
étions à la fin d'août ; les nuages traînaient très bas ; il
avait plu, mais vers le soir le vent se leva, et le coucher
du soleil fut très beau. Sur la route, je croisai un char à
bœufs chargé de sacs, qui contenaient peut-être la
laine des moutons d'Alcmène.

En arrivant à la ferme, je vis une vaste grange et
quelques hautes meules de foin tout autour. La ferme
elle-même était un long bâtiment couvert de chaume.
Tout était bien tenu, mais donnait une impression de
grande pauvreté. Un vieux bonhomme et quelques
enfants ouvrirent de grands yeux en m'apercevant : en
ces lieux, un visiteur était chose rare.

Je fis avancer la voiture jusqu'à la porte, et une
paysanne apparut sur le seuil ; elle était pieds nus, et

avait noué un petit fichu autour de sa tête : c'était
Gertrude en personne. Elle avait vieilli : sa taille svelte
et la rondeur de ses seins avaient disparu. A présent,
elle avait l'aspect massif d'une pile de bois à brûler.
Son maigre visage osseux était tanné comme si toutes
les menues taches de rousseur qui le couvraient
s'étaient fondues en une seule grande tache ; elle avait
perdu quelques dents. Mais elle avait gardé sa démarche agile et ses yeux clairs.

C'était une vieille éleveuse de moutons restée droite
et active. Tout visiteur devait être le bienvenu dans
cette maison solitaire, mais Gertrude fut aussi enchan-
tée de me voir que si j'avais été son propre fils. Elle me
raconta qu'elle était seule à la ferme ; Alcmène s'était
rendue en voiture à Ringköbing pour y vendre de la
laine et déposer de l'argent à la Caisse d'épargne.
J'aurais pu la rencontrer sur la route.

La mère me fit entrer dans la plus belle pièce qui,
selon toute apparence, ne servait jamais. Puis elle s'en
alla faire du café, qu'elle prit solennellement dans une
petite boîte secrète, cachée derrière le coffre. Resté
seul, je regardai autour de moi ; tout ici était propre,
mais respirait la pauvreté. Je pensai au passé et à la
fillette que j'avais connue en ce temps-là, et je fus pris
d'une sorte de terreur.

Pendant que nous buvions notre café, Gertrude et
moi évoquions les jours d'autrefois. Elle se souvenait
fort bien des gens et des lieux, mais les événements se
brouillaient un peu dans sa mémoire ; elle ne suivait
plus l'ordre de leur succession, comme si elle n'en avait
plus parlé, et n'y avait plus pensé depuis longtemps.
Elle me demanda si j'étais marié, et je lui répondis que

j'avais été fiancé à ma cousine de Rugaard, mais
qu'après la mort de mon père nous avions rompu nos
fiançailles d'un commun accord.

Après le café, Gertrude me fit voir la ferme et les
moutons. Elle me demanda conseil au sujet d'un
agneau malade, se rappelant que j'avais soigné la
vache du presbytère. Elle me dit aussi que sa fille
et elle réussissaient bien dans leur entreprise après
avoir commis quelques erreurs et avoir été plusieurs
fois dupées au cours des premières années. Elles
avaient augmenté leur cheptel, et chaque mois
Alcmène allait à Ringköbing pour mettre de l'argent à
la Caisse d'épargne. Mais elles continuaient à travailler dur, du lever du soleil à la nuit, et ne se
permettaient aucun gaspillage, n'ayant pour les aider
que le vieux bonhomme, qui était leur seul garçon de
ferme.

Gertrude s'animait en parlant des moutons ; elle
prenait des joues roses et elle employait un langage
direct et fruste que je ne lui connaissais pas autrefois.

Je me rendais compte que les moutons et le paysage
avaient sans doute ramené cette femme vers son
enfance et sa prime jeunesse, et que je m'entretenais en
vérité avec la jeune campagnarde, dont mon précepteur s'était épris.

Sa fille avait adopté à son égard le rôle d'une mère,
au point que, lorsque Alcmène avait le dos tourné,
Gertrude lui jouait de petits tours, comme de cacher la
boîte de café.

On m'avait beaucoup parlé de l'avarice d'Alcmène.
Au cours de ces six années, la femme riche de la

ferme solitaire avait pris d'une certaine façon figure de mythe dans la région. Les voisins avaient un peu peur d'elle, et ils la croyaient folle. Tout, autour de moi, confirmait ces « on-dit ».

Je compris combien nous avions tous vieilli ; le monde entier me semblait infiniment triste, et je me demandais avec une admiration mélancolique et un peu d'ironie si Gertrude, dans son innocence, étant donné aussi son activité naturelle, ne trouverait pas de quoi s'occuper aussi bien aux enfers que dans cette ferme.

Je l'interrogeai sur ce qu'elles avaient l'intention de faire avec tout l'argent qu'Alcmène amassait de mois en mois. « C'eût été une aubaine pour mon pauvre père d'avoir cette somme à la Caisse d'épargne, n'est-ce pas ? » me dit-elle. Quand, un peu plus tard, je revins sur le sujet, Gertrude prit sur elle de me faire un petit sermon : « Le monde est certainement un lieu fort dangereux, Vilhelm ! Et qu'y trouverons-nous de meilleur sinon ce dur et honnête travail, pour lequel le Seigneur nous a créés. Mais ce n'est pas à nous de poser des questions. »

Pourtant, la mienne touchait à un problème, sur lequel Gertrude, dans la solitude et le silence, avait fait de tristes réflexions. Elle parut absorbée dans ses pensées pendant quelques minutes, puis elle me confia que Mène était trop économe, en ce qui la concernait elle-même. Elle était gentille avec sa mère ; il ne fallait pas que je m'imagine le contraire ; mais elle était très dure pour elle-même, ne s'accordant ni repos, ni plaisir.

Gertrude me regarda : le fin réseau de rides sur son

visage se contracta et dans ses yeux brillèrent deux larmes.

Elle prit ma main et la serra : « Vilhelm ! dit-elle, sais-tu qu'elle n'a pas de chemise ! »

Le poisson

Une petite étoile brillait dans le ciel pâle de la nuit d'été. On l'apercevait de la fenêtre pratiquée dans l'épaisseur de la muraille; l'éclat paisible de cette étoile troublait le roi, et le sommeil le fuyait. Les rossignols, qui toutes les nuits emplissaient les bois de leurs assourdissants chants d'amour, se taisaient pendant quelques heures aux environs de minuit, le silence régnait partout. Mais les bocages, autour du château, répandaient à travers la fenêtre ouverte un frais parfum de feuillage mouillé; apportant l'atmosphère du monde forestier jusque dans l'alcôve du roi.

L'esprit du souverain vagabondait sans obstacle et sans but dans le paysage enchanté. Le roi voyait le cerf et le daim couchés paisiblement sous les grands arbres, et, par la pensée, il s'approchait d'eux sans le moindre désir de les tuer. Peut-être la biche blanche était-elle en train de paître, là-bas; cette biche qui n'en était pas une, mais une jeune fille sous l'aspect d'une biche et dont les sabots étaient d'or.

Plus loin, au tréfonds du bois, le dragon dormait, son affreux cou écailleux replié sous ses ailes; sa puissante queue remuait mollement sur l'herbe.

Le roi éprouvait une émotion, une agitation singulière ; il était triste, et pourtant il se sentait plus fort que jamais. On eût dit que sa force pesait sur lui, l'écrasant de son poids. Il pensait à bien des choses, et se rappelait, par exemple, que dix ans plus tôt, âgé de dix-sept ans, il avait rencontré le Juif errant dans la ville de Ribe.

Le Père Anders, son confesseur, lui avait appris que le vieux proscrit d'il y avait douze cents ans était venu à Ribe, et il l'avait envoyé chercher. Mais quand Ahasvérus, tout tordu, le visage couleur de terre et vêtu de son caftan noir, tomba la face contre terre à ses pieds, la terrible colère qui s'était élevée dans son cœur contre cet homme qui avait trahi le Seigneur, s'évanouit. Il resta debout à le regarder avec étonnement :

— Est-ce toi le savetier de Jérusalem ? lui demanda-t-il.

— Oui ! répondit le Juif, en poussant un profond soupir. Il fut un temps où j'étais savetier à Jérusalem, la grande ville ; je faisais des souliers et des sandales pour les riches bourgeois et aussi pour les Romains. Un jour j'ai fait une paire de pantoufles pour la femme de Ponce Pilate, le gouverneur. Elles étaient entièrement couvertes de chrysoprase et de roses.

Ce soir, le roi pensa de nouveau à l'infinie solitude du Juif errant, aussi nettement que jadis à Ribe et comme si le temps était resté immobile depuis lors.

Mais les choses avaient changé et avaient pris un sens différent pour lui ; elles étaient devenues plus réelles. Il était lui-même Ahasvérus.

Combien d'êtres humains étaient morts dans son entourage depuis lors ? De vaillants chevaliers étaient tombés au cours des combats, de joyeux compagnons de sa jeunesse avaient disparu, ainsi que de gracieuses dames ; tous s'étaient évanouis comme les sons légers que l'on tire d'un luth.

Il songea au fou du vieux roi, dont le bonnet était garni de grelots et qui sautait si gaiement sur la table en singeant les grands seigneurs de la cour. Maintenant, il y avait bien des années qu'il était mort, et pendant des années aussi, le roi n'avait plus pensé à lui. Il avait souvent rencontré le regard du cerf pourchassé, en enfonçant son couteau et en le retournant dans le cœur de la bête, des larmes coulaient de ses yeux limpides. Mais le roi ne se représentait pas qu'il pût mourir lui-même. Au-dehors, une brise légère faisait frissonner les herbes et les branches feuillues ; les tapisseries pendues au mur près de la fenêtre se balancèrent doucement. L'obscurité empêchait le roi de distinguer les personnages et les animaux représentés ; mais il savait qu'ils bougeaient faiblement comme si leur procession avançait le long du mur.

Les pensées du roi prirent une autre direction, mais ne se contentèrent d'aucune image. Il se rappela le ravissement qui emplissait son cœur aux jours d'autrefois, à la seule idée de la chasse, de la danse, des tournois, de la guerre, ou de rencontres avec ses amis et des femmes. Le passé défilait lentement dans sa mémoire. Mais à présent où trouverait-il le vin qu'il boirait pour être heureux ? Pas un seul être humain n'avait le pouvoir de le verser dans sa coupe. Il était aussi seul dans son royaume du Danemark que dans son sommeil et dans ses rêves.

Le roi venait de livrer un long et dur combat contre

ses puissants vassaux, et il s'était réjoui de leur humiliation. Sa victoire n'avait pas été un de ces ravissements qui laisse sur la langue un goût de miel, mais de toute façon, le jeu, pour lui, valut la peine d'être joué.

Aujourd'hui, abandonné à la silencieuse et fraîche étreinte de la nuit, et en présence de l'étoile d'argent, il ne voyait plus dans l'épreuve de force avec ses hommes liges qu'un hasard pareil aux jeux et aux querelles d'enfant. La puissance qui jaillissait du plus profond de son être réclamait des entreprises plus importantes, une tâche d'une plus haute valeur. Il pensa aux femmes de sa cour, dames au cou de cygne, qui dansaient dans les salles de son château ; il aimait les voir danser et les entendre chanter, et il y eut un temps où il prenait plaisir à jouir de leur beau corps quand il les serrait, nues, dans ses bras, mais...

Cette nuit, cependant, il n'éprouvait nul désir de coucher avec aucune d'elles. Le roi se désolait de ne pouvoir accorder aucune satisfaction à son âme. Une brûlante passion pour sa propre âme l'avait embrasé dès sa jeunesse. Il revivait par le souvenir les nuits de printemps de jadis. Cette passion n'était alors que désir nostalgique d'adolescent. Maintenant que le roi connaissait le monde, c'était une cruelle souffrance qui le submergeait.

Il n'avait pas un ami sur cette terre ; tous les autres hommes, ses paysans, ses barons, ses soldats, les savants de son royaume avaient le privilège de trouver leurs égaux en qui ils pouvaient avoir confiance, et avec lesquels ils pouvaient partager leurs joies. Mais qui donc égaierait l'âme d'un roi ? La méditation du roi se porta alors vers Dieu.

Sans doute, le Seigneur était-il aussi seul que lui, le roi ; plus seul peut-être puisqu'il était un plus grand monarque.

Il regarda encore l'étoile, lointaine et pure comme un diamant, et soupira : *Ave, Stella maris, Dei Mater alma.*

De toutes les femmes, qui avaient vécu sur cette terre, la Vierge seule était capable de connaître, et d'apprécier, le cœur du roi, et d'accepter gracieusement son adoration. « Ce vieux Juif, songeait le roi, a dû connaître la Vierge ; peut-être aurait-il su me la décrire, si je l'avais questionné. Si j'étais né douze siècles plus tôt, j'aurais peut-être, moi aussi, voyagé en Terre sainte, et vu Marie de mes propres yeux. Le jeune roi du Danemark aurait-il été un rival du roi des cieux ? Non, non ! Seigneur ! murmura le roi, j'aurais seulement porté son gant sur mon heaume ; j'aurais seulement abaissé ma lance, chevauché sur mon grand cheval gris carapaçonné, à côté de son âne sur la route d'Égypte. Tu aurais souri toi-même, à ma vue. »

« Oh ! qu'est donc parfaite la compréhension entre le Seigneur et moi ! se disait le roi ; que notre accord serait doux et magnifique, si nous étions seuls sur la terre, sans êtres humains pour s'interposer entre nous par leur vanité, leur ambition, leur envie ! Oh ! Seigneur ! pensa le roi, il est temps que je me détourne d'eux, que je rejette tout ce qui fait obstacle au bonheur de mon âme. Je ne veux plus songer qu'à ce bonheur ; je veux sauver mon âme, et la voir se réjouir encore ! »

A ce moment-là, le roi crut entendre un tintement de cloche dans la nuit d'été. Personne, à part lui, ne pouvait l'entendre ; les ondes sonores l'enfermaient comme les vagues enferment un homme qui se noie. Il se mit à genoux dans son lit et leva la tête ; alors, il sut, il comprit.

Il s'aperçut que sa solitude était sa force, car, à lui seul, il était le monde entier.

La cloche ne résonna plus. Longtemps après qu'elle eut cessé de tinter, le roi, qui était resté tout tranquille, les mains jointes sur sa poitrine, remarqua, à la pâleur du ciel, que l'aube était proche. L'étoile qu'il avait contemplée, atteignait le haut de l'embrasure. Un souffle froid parcourut le monde, et le roi tira le couvre-pied de soie jusqu'à son menton. La rosée tombait. On percevait les premiers gazouillements du bruant jaune à la cime d'un arbre ; bientôt les autres oiseaux l'imiteraient, et, un peu plus tard, le coucou chanterait dans les bois. Le roi s'endormit.

Dans la matinée, quand son valet vint le réveiller et l'habiller, il pleuvait. En ouvrant les yeux, il pensa à Granze, le vieil esclave wende de son père. Peut-être avait-il rêvé de lui pendant son léger sommeil, à la fin de la nuit, et son rêve avait sans doute été influencé par le bruit de la pluie, car ses oreilles percevaient encore le murmure des vagues roulant sur les galets.

Le père de ce vieil esclave était venu, tout enfant, de l'île de Rugen. Le grand évêque Absalon l'avait amené au Danemark. Pendant sa vie entière, l'esclave n'avait vu personne de sa tribu ; il était aussi vieux que la mer salée, car, pour les Wendes, se disait le roi, les années ne comptent pas comme pour les chrétiens ; ils vivent éternellement. Autrefois, quand le roi n'était qu'un gamin, l'esclave avait été son meilleur ami ; ils avaient passé ensemble bien des jours sur la grève et le Wende lui avait appris à placer des filets et à harponner les anguilles à la lumière d'une torche. Depuis longtemps, ils ne s'étaient plus rencontrés. Le roi savait cependant que le vieil ermite était toujours de ce monde et habitait une cabane au bord de la mer. Il prit la résolution de monter à cheval le jour même, pour revoir le vieux Granze.

Le début de la vie du roi avait été marqué par son influence ; il convenait de lui refaire une visite. L'esclave wende connaissait bien des choses ignorées par les sujets danois du roi. Le souverain restait sous l'impression de ses réflexions nocturnes ; il se sentait fort et calme, sans inquiétude. Cependant, une fois bien réveillé, il ne s'attarda plus à rêver. Il en avait fini avec les spéculations de l'esprit, et savait quel chemin prendre ; il était lui-même le chemin, la vérité, la vie.

Il ordonna à son valet de lui mettre sur les épaules son riche manteau bleu, aux larges plis, dans l'étoffe duquel on avait tissé des feuilles et des oiseaux multicolores. Mais, pendant que son page se penchait sur ses éperons, on vint dire au roi que le prêtre Sune Pedersen était arrivé de Paris.

Sune Pedersen appartenait à la famille des Hvide, un clan puissant, qui comptait parmi ses membres quelques-uns des plus audacieux adversaires du roi. Mais le roi et Sune avaient appris leurs lettres ensemble, au temps où ils étaient de petits garçons. Sune avait une tête de moins que l'enfant royal, mais il le valait pour le tir à l'arc, l'équitation, la fauconnerie, et il était un élève zélé, à l'esprit vif.

Sa loyauté envers ses amis ne pouvait être mise en doute, et il n'avait peur de rien. Depuis cinq ans, il vivait à Paris, où il faisait ses études, et, de temps à autre, on informait le roi de ses progrès, et de ses brillantes perspectives d'avenir.

Sune franchit le seuil, vêtu moitié comme un clerc, moitié comme un cavalier, de ses habits noirs de voyageur. Il plia un genou devant le roi, qui le releva aussitôt et l'embrassa sur les deux joues.

Sune Pedersen était un jeune prêtre élégant, au regard franc, aux mains blanches. Ses vêtements lui allaient bien ; sa bouche petite, aux lèvres rouges et fraîches, souriait gaiement. Il avait une voix mélodieuse et parlait à la vieille manière danoise, sans artifice, sauf qu'il introduisait par-ci par-là un mot français dans ses discours. Il commença par féliciter le roi au sujet de l'embellissement des églises au Danemark et lui transmit les salutations de grands prélats parisiens. Il apportait au roi un cadeau de la part de Matthieu de Vendôme. C'était une relique, insérée dans une croix d'or ciselée. Cette croix ne serait remise au roi que plus tard, en présence des dignitaires de l'Église du Danemark.

Pendant la conversation du roi et du prêtre, le premier secrétaire du roi lui remit une liste des seigneurs et des hommes d'Église, qui attendaient d'être reçus par leur souverain. Le roi parcourut le papier des yeux : ces hommes qui demandaient audience étaient ceux qui avaient troublé la paix de

son âme, et qui s'étaient dressés contre l'autorité du
Roi de Danemark.

Pourquoi le leur avait-il permis ? Une légère inquiétude s'empara de lui comme s'il eût autorisé un
grossier écuyer à chevaucher un noble cheval.

L'espace d'un instant, il s'abandonna à ses pensées.
La liste citait une série des chefs les plus fiers du
Danemark ; mais, peu importait, il fallait courber ces
têtes ; il fallait qu'elles tombent. Le roi tendit la feuille
au secrétaire et lui enjoignit d'annoncer qu'il ne verrait
personne ce jour-là ; il allait monter à cheval pour une
course lointaine.

Sur ces entrefaites, la reine envoya son chambellan
dire au roi qu'elle était très inquiète parce que son
petit chien favori était malade ; elle demandait au roi
de venir l'examiner. Le roi répondit qu'il viendrait le
lendemain. Il dit à Sune de l'accompagner.

Sune, qui avait connu Granze au temps jadis, sourit
à ce souvenir ; le roi sourit aussi. Il se disait que leurs
souvenirs communs étaient tous brillants, comme
illuminés par une vive clarté. Ceux qui se rapportaient
à l'esclave wende, appartenaient à une époque plus
ancienne, alors qu'il avait à peine conscience de sa
propre personne et du monde ; ils émergeaient vaguement de l'obscurité du passé, et sentaient le varech et
les moules. Le sourire ne disparut pas de son visage,
tandis qu'il laissait libre cours à ses pensées. Que
ferait-il s'il devait faire mourir l'un de ces deux-là.
Serait-ce le vieux crâne noir et osseux qui tomberait,
ou bien cette jeune et charmante tête gracieusement
tonsurée ?

Il demanda à Sune s'il devait faire venir pour lui un

cheval éprouvé. Sune répondit qu'il se risquerait à
monter n'importe quel cheval des écuries du roi ; mais
qu'il amenait à Helsingör ses propres bêtes, bien
reposées. Il n'était pas venu directement de France,
car il avait passé par le Jutland pour voir sa famille. Le
roi fronça le sourcil, puis il sourit de nouveau. Et, peu
après, les deux cavaliers traversaient la cour du
château et franchissaient la poterne. La sentinelle,
postée sur la muraille, sonna du cor. Trois des
palefreniers du roi, le serviteur de Sune, et un gardien
du chenil, bavardaient derrière eux ; le roi avait permis
à Blanzellor, son chien de chasse favori, de courir à
côté de ses étriers. Ils chevauchèrent dans la forêt.

Les bourgeons, éclatés depuis peu, avaient fait place
à une jeune verdure encore soyeuse et douce, plus
semblable à des pétales de fleurs qu'à des feuilles.
Dans ces bois ravissants, les branches légères se
balançaient comme des algues dans les eaux profondes. Sous les arbres régnait une lumière translucide et
la forêt était embaumée par le parfum balsamique des
fleurs et du feuillage nouveau. Les oiseaux chantaient
de tous côtés sous la bruine ; la colombe roucoulait
dans les hautes branches au passage des voyageurs.
Un renard croisa leur route tout juste devant eux ; il
s'arrêta une seconde et les fixa du regard ; sa queue
balaya le sol, puis il s'enfuit, petite flamme rouge, qui
s'éteignit dans les fougères mouillées.

Le roi interrogeait Sune sur la vie à Paris, et Sune lui
répondait gaiement avec une entière liberté. Il disait :

— Peut-être la splendeur de l'université n'est-elle
pas égale à celle d'il y a une centaine d'années, au
temps d'Abélard ou de Pierre de Lombardie ; mais leur

esprit la dirige toujours et lui prête un grand rayonnement. Tu ne peux, ô roi ! avant d'avoir été à Paris, savoir ce que c'est que cheminer à la clarté des sciences et des arts. L'indépendance de l'université de Paris a d'ailleurs été confirmée par la bulle du pape : *Parens scientiarum.*

Puis Sune parla du roi de France et de sa cour. Le roi Philippe était un chasseur célèbre. Sune lui-même, accompagné d'un de ses amis, un noble jeune prêtre anglais, avait été au château du roi à Saint-Germain pour assister à une chasse à courre. Il décrivit en détail la poursuite, les chevaux, la meute, et il ajouta : « Les nobles dames françaises sont aussi intrépides en selle que les hommes. »

Le roi l'interrompit :

— Qu'y a-t-il de vrai dans ce que l'on dit du charme de ces femmes françaises ?

Sune répondit :

— Pour autant qu'un ecclésiastique peut en juger elles sont en effet exquises, pieuses, accomplies, suaves comme des mélodies, aussi bien dans leur langage que dans leurs manières. Mais celle qui brille plus que toutes, c'est la jeune reine Marie de Brabant, ce lis immaculé. Elle exerce une grande influence sur le roi, son époux, et elle est sur le point, comme chacun l'espérait, de briser le pouvoir scandaleux de Pierre La Brosse, que le roi comblait de biens et d'honneurs. Pierre le payait mal d'une faveur aussi exceptionnelle, car on prétend qu'il a tenté d'empoisonner le jeune prince Louis, fils aîné du roi.

— Voilà bien la manière d'agir de ce monde ! dit le

roi. La loyauté envers le roi est chose rare, si tant est qu'elle existe.

Sune répondit :

— C'est vrai, Monseigneur ! A quels loyaux services peut s'attendre le roi de France, aussi longtemps qu'il favorisera un serf, le fils du barbier de son père, plus que ses vassaux de haute naissance ?

Sune reprit sa description d'une église de Paris : la Sainte Chapelle, édifiée par le roi Louis. Elle était sainte et glorieuse en vérité comme le paradis lui-même.

Tout en parlant, brusquement Sune fut saisi d'une grande tristesse. Interrompant son récit, il chevaucha en silence. Il avait revu, à plusieurs reprises dans ses rêves, cette verte forêt de Seelande, plus ravissante à ses yeux que toutes les cathédrales de France. Aujourd'hui, cependant qu'il la parcourait une fois encore à cheval, son cœur s'emplissait de regrets ; il avait la nostalgie de Paris, et de quelque chose qui ne se trouvait pas ici, et il répéta : « Comme le paradis ! »

— Dis-moi, Sune, fit le roi, si c'est par la volonté du Seigneur que l'humanité ne peut trouver le bonheur, et est condamné à désirer ce qu'elle ne possède pas, et qui, peut-être, n'existe nulle part. Si les animaux et les oiseaux se trouvent bien sur cette terre, ne peut-elle satisfaire les êtres humains, que Dieu y a placés ; les paysans, qui se plaignent de la dureté de leur sort ; les grands seigneurs qui ne sont jamais rassasiés de biens, les jeunes prêtres qui soupirent après le paradis dans les forêts vertes ? L'homme, ou, du moins, un homme entre tous ne devrait-il pas, somme toute, être en plein accord avec le Seigneur pour pouvoir dire : « J'ai trouvé la solution de l'énigme de ce monde ; j'ai fait mienne cette terre, et je suis heureux ! »

— Monseigneur, dit Sune — et tout en parlant il caressait le col de son cheval — c'est bien là la plainte éternelle de l'humanité. Depuis des milliers d'années, l'homme crie à Dieu : « Tu as créé la terre, ô Dieu ! et tu as créé l'homme, mais tu ignores ce que c'est d'être l'un de nous ; nous sommes incapables d'accorder les conditions de cette terre avec les désirs de nos cœurs, que tu as, toi-même, placés dans nos poitrines. Nous ne trouvons ici ni la paix, ni la justice, ni le bonheur auxquels nous aspirons. Nous ne pouvons supporter davantage ce schisme constant. Fais-nous connaître enfin le plan que tu as formé pour le monde et pour nous, et donne-nous la solution de l'énigme de notre vie. » Le Seigneur a entendu leurs cris ; il a réfléchi à leur plainte, et il a demandé aux bons anges, qu'il envoie partout, d'étudier le sort des hommes :

« — Est-il vrai que mon peuple mène aussi dure vie sur la terre qu'il le prétend ?

« Les anges répondirent :

« — En effet, le sort de l'homme sur la terre est dur.

« Le Seigneur pensa : « Il est dangereux de se fier aux déclarations de ses serviteurs ; mais j'ai pitié des hommes, et je vais descendre sur la terre pour examiner leur situation moi-même. »

« Et Dieu prit la forme et la ressemblance d'un homme, et descendit sur la terre. Les bons anges s'en réjouirent et se dirent les uns aux autres : « Voyez ! Le Seigneur a eu pitié de l'homme ; il va enfin montrer à ces pauvres mortels ignorants et bornés la voie de la prospérité et du bonheur. Ils vivront en harmonie avec

la terre comme nous avec le ciel. A présent, en
descendant sur la terre, nous n'y verrons plus de
larmes. »

« Trente-trois ans passèrent ! Trente-trois ans, qui,
pour les habitants du paradis, sont pareils à une heure.
Puis le Seigneur remonta sur son trône et appela ses
anges à se réunir autour de lui.

« Ils arrivèrent de tous côtés, à tire-d'aile, avides de
nouvelles de la terre. Le Seigneur paraissait plus jeune
que jamais ; il resplendissait de majesté. Lorsqu'il leva
la main pour prendre la parole, les anges virent qu'elle
était percée.

« Le Seigneur dit :

« — Je reviens de la terre, mes anges, et je connais
maintenant la condition, et le caractère de l'homme.
Personne ne les connaît mieux que moi. J'avais eu pitié
de l'homme, et je m'étais décidé à lui venir en aide ; je
n'ai point eu de repos que je n'aie exécuté ma
promesse. Aujourd'hui j'ai réconcilié le cœur de
l'homme avec les conditions de la vie terrestre. J'ai
indiqué à cette pauvre créature bornée le moyen de se
faire injurier, persécuter, couvrir de crachats, battre
des verges. Je lui ai appris comment il se fera crucifier.
Je lui ai apporté la solution de son énigme, qu'il me
suppliait de lui donner ; je lui ai livré le secret de son
salut. »

Au début, le roi n'avait pas écouté les paroles de
Sune ; il chevauchait absorbé par ses propres pensées.
Mais, à mesure que Sune avançait dans son récit, le
souverain y prêta une oreille plus attentive, et il riait
en lui-même.

« Ce n'est pas en vain, se disait-il, que Sune est allé

voir ses parents, les grands vassaux de Möllerup et de Hald. » Le petit théologien, camarade d'école du roi de Danemark, voulait lui prouver que l'humilité est une vertu divine. Telles sont les manières de nos amis ; ils chevauchent à nos côtés, mais ils nourrissent leurs propres desseins au fond de leur cœur.

Pourtant la voix de Sune, suavement modulée, mesurée et pleine de douceur, résonnait agréablement aux oreilles du roi.

Il pensa : « Je ne lui ferai point de mal, au contraire ; je ne le renverrai pas à Paris, mais le garderai près de moi pour qu'il continue à me raconter des histoires que nul autre que lui ne me raconte. Je garderai près de moi à la fois Sune et Granze, et tous deux resteront à mon service. »

Pourtant, quand Sune se tut, le roi dit d'un air pensif :

— A mon avis, le Seigneur a pris les choses un peu à la légère. Il n'a pas essayé de connaître suffisamment la condition humaine. Pourquoi a-t-il vécu seulement avec des charpentiers et des pêcheurs ? Du moment qu'il était descendu sur notre terre il aurait dû essayer de connaître la condition d'un grand seigneur, et pourquoi pas d'un roi. On ne peut pas dire qu'il a une parfaite connaissance de la terre tant qu'il n'aura pas monté un cheval. Il est possible, d'ailleurs, qu'il ait oublié qu'il a créé le cheval, le cerf, le fer, la musique, la soie.

La forêt se raréfiait peu à peu autour des deux cavaliers. Aux chênes et aux érables succédèrent les maigres bouleaux tordus par le vent ; par-ci par-là la bruyère apparaissait dans les clairières et la route finit

par ne plus être qu'un sentier sablonneux. La pluie
avait cessé. Le roi et Sune atteignirent la lisière du bois
et traversèrent au petit galop une région herbeuse
parsemée de quelques aubépines noueuses. Deux cor-
beaux se promenaient gravement sur l'herbe courte ;
ils s'envolèrent à l'approche des cavaliers. Plus loin,
ceux-ci franchirent une rangée de collines basses et se
trouvèrent en face de la mer libre.

Le roi arrêta son cheval et contempla le large. Le
vent marin saturé de l'odeur des algues lui souffla au
visage ; il aspira profondément, surpris de n'être pas
revenu en ces lieux depuis si longtemps. Pendant
quelques minutes, il ne pensa plus qu'à la mer. La
journée était brumeuse, mais une lueur vague et
indistincte, et le murmure incessant du ressac emplissaient le monde comme s'il eût été une cloche de verre.
Un bruissement profond montait des profondeurs de la
mer, étrangement irréel. Un vent violent avait soufflé
trois ou quatre jours auparavant. Le roi perçut tout
près de lui le léger babillage que font les vagues qui
s'écroulent sur les galets et le sable du rivage : c'était
ce bruit-là qu'il avait entendu en rêve.

La mer et le ciel se confondaient à l'horizon dans
une sorte de jeu instable et décevant. Vers l'ouest, les
flots couleur de plomb étaient plus sombres que le ciel ;
vers l'est plus clairs que l'air ; ils avaient la teinte
nacrée d'un miroir lumineux. Mais, au nord, on ne
distinguait plus aucune ligne de démarcation entre la
mer et le ciel. Mer et ciel se rejoignaient dans l'espace
insondable. Au loin, un rayon de soleil perça les
nuages aveugles et sans forme, et, en atteignant la mer,
la fit briller comme de l'argent. A mi-chemin de

l'horizon, un vol de cygnes sauvages, tel un récif couleur de perle, marquait d'une ligne blanche le pâle champ visuel.

L'un des serviteurs du roi avait été chargé de repérer la cabane du serf ; mais cette cabane était petite, et d'une teinte semblable à celle de la grève. L'homme l'aperçut cependant, grâce à la faible colonne de fumée bleue qui s'élevait au-dessus du toit conique. Près de la cabane, les cavaliers, en descendant des dunes, aperçurent son propriétaire dans la barque courte, large et noire. Granze, de l'eau jusqu'aux genoux, s'avançait vers le rivage, traînant derrière lui un lourd fardeau.

En voyant venir les cavaliers, le vieux serf s'arrêta, et abrita ses yeux de la main pour mieux voir ; puis il s'occupa de nouveau de son butin. Il avait relevé son habit de peau de chèvre jusqu'à la taille, et les deux jeunes gens ne purent s'empêcher de rire en le voyant, tant sa nudité noire et tordue avait peu le caractère humain. Il pataugea jusqu'à la rive sur ses pieds plats, et se secoua comme un chien mouillé, souffla, et déposa sur le sable le gros poisson qu'il traînait. Puis il fit retomber son sarrau jusqu'aux chevilles et, tout ébouriffé, il attendit les voyageurs.

Quand ils furent tout près de lui, le cheval de Sune fit un bond et devança celui du roi. Granze ne regarda pas le souverain ; il posa la main sur le pied de Sune et dit :

— Est-ce bien toi qui viens ici, Sune, le parent d'Absalon ? Je te croyais mort.

— Non, je ne suis pas encore tout à fait mort, grâce à Dieu, répondit, en souriant, Sune qui caressait son cheval pour le calmer.

Granze le regarda :

— Tu as bien failli mourir, cependant, il y a neuf lunes.

— C'est vrai ! dit Sune gravement.

Après un court silence, Granze parut rire sous cape et dit :

— Une femme t'a préparé un bon plat et l'a assaisonné avec de la mort-aux-rats. Peut-être a-t-elle pris le petit Sune pour un rat ? Si les rats consentaient à vivre dans les trous que Dieu a fait pour eux, les gens ne leur pardonneraient pas.

Sune avait pâli ; il restait à cheval sans dire un mot. Le roi fit avancer son cheval vers le vieux serf ; on voyait briller l'or de ses vêtements, de la garde de son épée, et de son tapis de selle. Il demanda à Granze :

— Ne me reconnais-tu pas, Granze, fils de Gnemer ?

— Bien sûr que je te reconnais, prince Éric ! répondit le Wende d'un ton solennel, bien que tu sois plus pâle que tu ne l'étais la dernière fois que je t'ai vu. Je t'ai déjà reconnu quand tu étais au sommet de la colline.

Granze regarda le roi droit dans les yeux pendant un long moment, puis il s'écria :

— Salut, mon maître ! Sois le bienvenu chez le bon et fidèle serf de ton père, que tu honores de ta visite ! Viens boire un coup avec Granze. Je t'offrirai la même bonne bière, que tu as bue ici la dernière fois que tu es venu, et même une bière meilleure. J'ai attrapé un gros poisson ce matin de bonne heure et je le ferai frire pour toi. Je fais sécher le poisson à la fumée dans ma cabane, mais, pour toi, j'allumerai un feu au-dehors, sur des galets. Assieds-toi et prends une fois de plus un repas avec Granze.

Il se précipita dans la cabane, et en revint portant sur l'épaule une outre noire en peau de bouc; la chienne alla renifler ses mollets:

— Rappelle ton chien! cria-t-il en sautant d'un pied sur l'autre; elle est belle et très vigoureuse, et, certainement elle t'est fort utile pour la chasse au cerf. Mais les chiens des grands n'aiment jamais le petit peuple, et surtout pas les serfs.

Il éleva l'outre jusqu'aux lèvres du roi qui était resté assis sur son cheval:

— Bois! dit-il.

Le roi avait oublié le goût de la bière; il y avait bien longtemps qu'il en avait bu dans la cabane de Wende. Mais ce goût lui rappela aussitôt que jadis Granze, sous l'effet de la boisson, dansait et faisait des discours incohérents. La bière lui brûlait la langue, mais une agréable sensation de bien-être parcourut ses veines.

Granze tendit l'outre à Sune, puis, la tête renversée, il but lui-même à la gargoulette et vida l'outre.

— A présent, nous sommes amis, dit-il; nos rêves et nos projets pourront différer, mais l'eau que nous produisons sera pareille.

Le roi avait eu l'intention de questionner Granze sur ce qui se passerait dans l'avenir, mais il jugea que ce n'était plus nécessaire. Il devinait que Granze et lui-même étaient de la même famille, bien plus que n'importe quels autres hommes au Danemark.

Le serf, qui avait été arraché à son foyer et n'avait jamais vu aucun des siens, et le roi, dont nul n'était l'égal autour de lui, étaient plus isolés que les autres,

mais plus sages aussi. Les puissances secrètes du
monde les reconnaissaient et leur obéissaient.

— Tu es un homme puissant, Granze! dit le roi;
aussi loin que s'étend ta vue, le monde est à toi. A ta
façon, tu vaux autant que les anciens ermites qui se
retiraient au désert, et restaient debout sur une
colonne pour magnifier le Seigneur. La seule différence, c'est que tu ne sers pas Dieu, mais l'idole de bois
noirci dans ta cabane, dont je me souviens bien.

— Non! dit vivement Granze, et il chercha du
regard l'appui de Sune : Granze a été baptisé; Granze
a reçu une instruction chrétienne, et n'a rien oublié. Je
connais celle qui a donné naissance à un enfant tout en
restant vierge, pareille à la vitre de ta fenêtre que
traversent les rayons du soleil, mais qu'ils ne brisent
pas. Je sais aussi l'histoire de l'homme avalé, puis
vomi par le poisson. Tu vois que j'ai raison! cria-t-il en
se signant pieusement.

Sune dit en latin :

— Broyez un sot dans un mortier avec des grains de
blé, sa sottise n'en disparaîtra pas pour autant.

Sune descendit de cheval et tint les étriers pour le
roi. La suite du roi sauta également à terre et emmena
les chevaux, tandis que le valet étendait un manteau
sur une pierre pour que le souverain pût s'asseoir.
Granze apporta un brasero plein de charbon et une
longue broche; il s'installa à croupetons sur le sable, et
fit du feu avec beaucoup d'adresse, tout en surveillant
ses hôtes du coin de l'œil à travers la fumée. Son
travail fait, il leur tendit un morceau de tourbe dur,
noir et gluant et dit :

— Ce morceau de tourbe était un arbre enraciné

dans la terre avant qu'il existât une poule pour pondre un œuf dans ton royaume.

— Il doit y avoir longtemps de cela ! opina le roi ; je ne me rappelle pas cet arbre.

Granze l'interrompit :

— Je ne me le rappellerais pas non plus si j'étais toi, mais il en va différemment chez nous autres Wendes ; notre mémoire conserve le souvenir de ce qui est arrivé au père de notre père et à ces vieillards qui étaient des adultes quand il tétait encore sa mère, et nous nous le rappelons chaque fois que nous le voulons. Toi aussi, tu as dans le sang les peurs et les convoitises de tes pères, mais tu n'as pas leur savoir. Ils ignoraient comment le transmettre à l'enfant qu'ils procréaient ; c'est pourquoi chez vous autres chaque homme doit tout recommencer depuis le début comme une souris qui vient de naître et se meut à tâtons dans les ténèbres. En ces jours d'autrefois, poursuivit Granze, bien des choses étaient vivantes, qui maintenant sont sans vie. Les vieux troncs d'arbres moussus et pourris dans la forêt et les marécages parlaient. Je ne les ai pas entendus parler moi-même mais j'en ai entendu un qui ronflait dans son sommeil, comme je passais près de lui sur l'étroit sentier par une nuit d'hiver. Les nuits de pleine lune, les grosses pierres du fond de la mer arrivaient sur le rivage, luisantes d'humidité et couvertes d'algues et de moules ; elles s'entraînaient à des courses de vitesse et s'accouplaient sur la côte. Les hommes étaient obligés d'abattre les arbres des grandes forêts pour avoir des terres de labour. Par ma foi, c'était un dur travail. Mes deux mains que voici ne l'ont pas fait, et pourtant c'est lui qui les a rendues noueuses. Mon esprit n'en serait-il pas resté noueux, lui aussi ? Les bûcherons s'abritaient entre les racines d'un grand pin, et quand ils étaient très fatigués, ils se recroquevillaient près de leur petit feu jusqu'à ne plus dépasser la taille d'une taupe.

« Alors est venue la tempête ; elle s'installa à la cime du pin, et chanta : « Champs de neige, champs de pierres, terre dévastée, grosses vagues mouvantes ; le monde est très vaste, il n'a pas de fin ! »

« Le chant descendit le long du tronc de l'arbre, et ce chant était une plainte : « Je suis las de cette perpétuelle fuite, rassasié par les distances que je parcours ; je n'en puis plus d'errer sans cesse. Quand donc aurai-je terminé ma course ? » Et soudain, la tempête elle-même glissa entre les branches, avança la tête et hurla : « Ha ! Ha ! petits bonhommes, qui n'êtes que des rats, des poux ! Mon souffle pourrait vous envoyer par-delà l'océan glacé ! Où seriez-vous alors ? »

« Et la tempête leur lança au visage de la fumée et des cendres puis s'en fut comme elle était venue. »

Le roi restait assis, le menton appuyé sur sa main, et regardait les flots. Il avait ôté son chapeau, et ses longs cheveux châtains retombaient sur son lourd collier d'or. A droite et à gauche du souverain, le rivage s'étendait tout blanc, parsemé de coquillages. Ici, rien ne poussait plus ; la terre avait renoncé à vivre et à procréer. Une noble désolation régnait sur la nudité de ces lieux, à la fois commencement et fin du monde.

Le roi pensait aux vaisseaux qui, depuis des siècles, avaient fait voile vers le large en quittant la côte danoise ; ils avaient largué de fortes voiles ; des épées et

des lances avaient brillé à bord. Le roi Canut était
parti du Danemark pour l'Angleterre, et Valdemar
pour l'Esthonie. L'évêque Absalon avait lancé ses
bateaux à la poursuite des pirates wendes ; ces routes
marines menaient vers les grandes batailles et les
brillantes conquêtes, mais elles avaient fini leur temps.
Les ancêtres royaux du roi Éric étaient morts et même
oubliés. Il ne restait plus qu'un chant guerrier que
murmuraient les vagues.

Course éternelle, tu es toi-même l'infini. Le paradis
dont parlait Sune commençait peut-être par là-bas où
le ciel et la mer se rencontraient.

Le visage de Granze avait passé au rouge brique
tant il avait bu. Il dit au roi :

— Je vais te dire maintenant pourquoi j'avais peur
de parler quand je t'ai aperçu. Quand tu as traversé les
collines, un cercle lumineux brillait autour de ta tête,
pareil aux auréoles des saints sur les tableaux. Comment as-tu obtenu cette auréole ?

A présent, le feu brûlait très clair ; Granze se leva et
tira à lui le grand poisson. Enfonçant ses doigts épais
dans les ouïes, il le souleva et le tint droit devant lui.
Le poisson avait presque la taille du corps rabougri de
l'homme.

— C'est un poisson pour un grand seigneur, dit
Granze ; il est fait pour ceux dont la tête s'entoure d'un
anneau lumineux. Il a fait un long trajet à la nage pour
te voir.

Le Wende prit son couteau, l'essuya à son vêtement
et, après avoir couché le poisson sur le sable, il le fendit
et plongea la main pour retirer les entrailles. Sune dit
au roi :

— Regarde ! Monseigneur ! En vérité, ce Wende n'a pas oublié les habitudes de ses ancêtres. C'est ainsi, je crois, que les prêtres de Swantewit accomplissaient leurs sacrifices humains et Granze est heureux de les imiter.

Il ajouta :

— C'est bien curieux de penser aux êtres humains et à ce qui les enchante en ce monde : la nourriture a cet effet sur les pauvres, ainsi que le vin ; le sang plaît aux hommes pendant la chasse et les combats ; la vue de leurs enfants les réjouit, et la danse est un bonheur pour les femmes.

La voix de Sune sur ce rivage exposé au vent n'était pas aussi doucement modulée que dans la chambre du roi ; on y percevait une note à la fois aiguë et tremblante comme dans la voix qui mue d'un jeune garçon.

Granze, rendu hardi par ses fréquentes rasades, riait d'un air sarcastique derrière le dos du prêtre. Tout à coup, il cessa de préparer le poisson, et de rire ; son visage exprimait la stupéfaction. Il éleva la main droite, et considéra son contenu ; puis il cracha dessus, le frotta contre ses vêtements, et le contempla encore avec attention.

— Oh ! cria-t-il d'une voix de stentor, ce poisson transporte dans son ventre un cadeau pour toi ; je t'apporte un anneau venu des profondeurs de la mer. Granze est donc un habile pêcheur n'est-il pas vrai ?

Et le vieux serf cracha derechef sur ses doigts et les essuya gravement à son sarrau de peau de chèvre.

Sune courut à lui et lui arracha l'anneau des mains. S'agenouillant devant le roi, il le lui tendit :

— Gloire à toi, roi du Danemark! cria-t-il, les éléments eux-mêmes te font allégeance; ils t'apportent leur trésor comme ils ont fait pour le roi Polycrate.

Le roi ôta son gant brodé et permit à Sune de lui passer l'anneau au doigt.

— J'ai oublié ce que j'ai appris du temps où nous allions à l'école, dit-il. Quelle est l'histoire du roi Polycrate?

— Polycrate, dit Sune, était roi de Samos et bien connu pour son heureuse fortune. Quand il proposa une alliance au roi Amadis d'Égypte, celui-ci, inquiet de la chance constante de Polycrate, posa comme condition le renoncement du roi de Samos à l'un de ses trésors. Polycrate jeta à la mer une chevalière, le plus beau de ses bijoux. Mais le lendemain on lui fit cadeau d'un gros poisson, et l'anneau était dans le ventre du poisson. Quand la nouvelle en parvint à Amadis, il déclina l'alliance avec Polycrate.

— Et puis? Qu'est-il arrivé au roi Polycrate? interrogea le roi.

— Quelque temps après, Polycrate se rendit chez Orontes, le gouverneur de Magnésie. La fille du monarque, avertie par un songe, supplia son père de renoncer à ce voyage; mais il ne l'écouta pas.

— Et alors? dit le roi.

Sune répondit :

— Le roi fut assassiné à Magnésie.

— Mais moi, reprit le roi après quelques minutes de réflexion, je n'ai pas cherché à satisfaire le destin, et à faire échec à ma chance en jetant mes trésors dans la mer.

— Non! dit Sune en souriant, ton anneau est en

vérité un don gratuit du sort lui-même. La mer te l'a
apporté de son plein gré. Les historiens futurs déclare-
ront que ce qui t'est arrivé est plus remarquable encore
que l'histoire de Polycrate.

— En ce cas, dis-moi, au nom de la camaraderie de
notre jeunesse, quel sens donnes-tu à mon histoire ?

— Monseigneur, dit Sune d'un air grave, je sais que
la signification des événements dépend de l'état d'esprit de ceux auxquels ils arrivent, et aucune aventure
extérieure n'est la même pour deux hommes. Tu es
mon roi, et mon souverain, mais tu n'es pas mon
pénitent, et je ne connais pas ton état d'esprit.

Le roi garda le silence pendant longtemps, puis il
dit :

— Lorsque Granze a trouvé l'anneau et a poussé
une exclamation de surprise, il a dit : « Je pensais au
roi Canut de Danemark. » Toi, qui n'oublies jamais
un récit, ô Sune ! tu dois te rappeler que la mer n'a pas
obéi au roi Canut quand il lui en a donné l'ordre.

— Oui, je connais cette histoire, Monseigneur, fit
Sune. Le roi Canut était un des grands monarques du
Danemark, et lui-même provoqua cet incident pour
faire honte à ses flatteurs. Jamais il n'a été plus grand
qu'à cette heure-là. Il fit placer son siège sur les flots et
leur ordonna de se retirer. Mais les vagues de la mer
continuèrent à se lever et à s'abaisser comme auparavant.

— C'est vrai, dit le roi, mais si les flots lui avaient
obéi, Sune ? S'ils lui avaient obéi ?

Il y eut un long silence, puis le roi s'écria en levant la
main :

— La pierre de cet anneau est bleue, bleue comme la mer !

Et il tendit ses doigts à Sune pour lui faire voir l'anneau.

Sune prit respectueusement la main du roi, puis se tut, perdu dans la contemplation de l'anneau. Le roi finit par lui demander :

— Que regardes-tu donc ?

Sune lâcha la main du roi, et sa main à lui retomba aussi.

— Par le Dieu vivant, Monseigneur ! dit-il d'une voix basse mais nette, voici une bien étrange coïncidence ; j'ose à peine vous en parler. La dernière fois que j'ai vu une bague semblable à celle-ci, c'était au doigt de ma parente, l'épouse de votre grand connétable Stig Andersen.

— A son doigt ? interrogea le roi.

— Oui, dit Sune ; par la Sainte Croix, à l'annulaire de sa main droite.

— Comment s'appelle-t-elle ?

— Ingeborg.

— Peux-tu expliquer pourquoi la bague était à son doigt ?

— Non, je n'en sais rien. J'étais avec le mari de la dame à Möllerup, dans la région de Mols, il n'y a pas plus d'une semaine, en venant de France. Nous faisions voile ensemble vers la petite île de Hjelm, non loin de la côte qui appartient au connétable. C'était par une journée claire et ensoleillée. La mer était bleue, et Mᵐᵉ Ingeborg trempait sa main dans l'eau. Ses doigts étaient délicats, trop fins pour la bague. Je lui dis de prendre garde de ne pas la perdre dans la mer et j'ajoutai qu'elle ne trouverait plus la pareille.

Le roi contemplait la bague et sourit.

— Le poisson de Granze a donc traversé la mer depuis notre pays de Mols jusqu'ici, dit-il, et il poursuivit :

— J'ai beaucoup entendu parler de la beauté de ta parente, mais je ne l'ai jamais vue. Est-elle vraiment si belle ?

— Oui, elle est très belle, répondit Sune.

Le roi voyait par la pensée le charmant tableau : la barque voguant sur les flots bleus par l'effet d'une brise légère ; le jeune prêtre vêtu de noir, et la jolie dame en robe de soie brodée d'or. Ses doigts blancs jouaient dans les petites vagues qui ridaient la surface de l'eau. Au-dessous nageait un gros poisson dans l'ombre bleue et sombre de la quille.

Tout à coup, il dit :

— Pourquoi as-tu dit à ta parente qu'elle ne retrouverait plus une bague pareille à celle qui glissait de ses doigts ?

Sune se mit à rire :

— Monseigneur, dit-il, je connais ma cousine depuis son enfance, je lui ai appris à jouer du luth et aux échecs, et nous avons bien souvent plaisanté ensemble. Ce jour-là, je lui ai dit, par plaisanterie, qu'elle devait prendre bien garde à sa bague, car elle ne retrouverait pas une autre pierre aussi bleue que ses yeux.

Le roi dit :

— Mme Ingeborg est une fort gracieuse et courtoise dame, de m'envoyer son anneau par ce poisson. Je porterai cette bague jusqu'à ce que je puisse la lui rendre.

« C'est bien curieux, dit-il encore, lorsque de belles dames portent des bijoux, ceux-ci s'harmonisent avec telle ou telle partie du visage ou du corps qu'ils doivent parer. Les perles ne sont plus qu'une partie de leur belle gorge, les rubis et les grenats ont la couleur de leurs lèvres, de leurs ongles et de leurs bouts de seins. Et tu me dis que cette pierre bleue est semblable aux yeux de Mme Ingeborg ? »

Granze était retourné à son feu, mais, de là-bas, il avait écouté parler les autres, et n'avait pas cessé de regarder le roi. Soudain, il s'écria :

— Maintenant le poisson a fendu les flots jusqu'ici et il a été pêché ; maintenant il est frit et prêt à être servi ; il t'appartient de le manger ; ton repas est prêt.

Le roi Éric de Danemark, surnommé Glipping, fut assassiné dans la grange de Finnerup, en l'an 1286 par une bande de vassaux rebelles.

Selon la tradition et les anciennes ballades, les assassins avaient à leur tête le premier connétable du roi, Stig Andersen Hvide. Il tua Éric par vengeance, parce que le roi avait séduit Ingeborg, son épouse.

Peter et Rosa

Une certaine année du siècle dernier, le printemps
fut tardif au Danemark ; le Sund resta gelé à la fin de
mars depuis la côte danoise jusqu'à celle de Suède. La
neige fondait légèrement pendant la journée dans les
champs et sur les routes, mais regelait pendant la nuit.
La terre et le ciel restaient également sans espérance et
sans pitié. Puis, une belle nuit, après une semaine de
brouillard froid et visqueux, la pluie se mit à tomber.
Le ciel qui s'étendait cruel et inexorable au-dessus du
sol sans vie, s'ouvrit. Il ne fut plus qu'un jaillissement
de vie torrentielle, et se confondit avec la terre. De tous
côtés, les échos répondaient au murmure incessant de
l'eau qui tombe, et peu à peu ce murmure augmentait,
et devenait un chant. Le monde frémissait une fois
encore ; les montagnes, les vallées ; les forêts et les
ruisseaux entendaient le vieux refrain : « Vous êtes
appelés à la Vie ! »

Au presbytère de SöllERöd, le neveu du pasteur,
Peter Köbke, jeune garçon de quinze ans, lisait et
peinait sur l'étude des Pères de l'Église, à la lueur
d'une chandelle de suif. Tout à coup, il perçut un son
différent de celui de la pluie, et, abandonnant ses

livres, il alla ouvrir la fenêtre. Le bruit de l'averse emplissait la nuit, mais Peter écoutait d'autres voix ; des voix magiques qui venaient d'en haut, de l'éther lui-même, et Peter leva la tête pour les mieux entendre.

Pourtant il faisait sombre, mais ce n'était plus l'obscurité hivernale ; déjà une clarté diffuse perçait l'ombre nocturne. Au-dessus de Peter, la musique de la vie en marche se faisait entendre dans les airs.

Battements d'ailes sonores, jeux de flûtes, siffle-ments aigus ; de partout des signaux de ralliement s'échangeaient là-haut entre les oiseaux migrateurs, en route vers le nord.

Peter resta un long moment à penser à ces voya-geurs ; il les voyait mentalement, un à un devant ses yeux, ces longues bandes de morillons, de petites sarcelles, de courlis, de souchets, dont, le cœur bat-tant, on attend le passage pendant les dernières soirées chaudes du mois d'août. Toutes les joies de l'été défilaient là-haut, ce soir, clamant à plusieurs voix un chant d'immortelle espérance, une merveilleuse pro-messe.

Peter était grand chasseur ; il tenait son vieux fusil pour son bien le plus précieux ; et, de tout son être, il s'élançait vers le ciel à la rencontre des oiseaux sauvages. Il savait bien ce qui agitait le fond de leur cœur ; il les entendait crier : Vers le nord ! Vers le nord ! Leurs cous tendus perçaient la pluie danoise qui mouillait leurs petits yeux brillants. Ils se hâtaient pour rejoindre l'été nordique, été de jeux et de renouveau, où le soleil et la pluie se partageaient l'immense voûte du ciel. Ils s'en allaient retrouver les lacs transparents, innombrables et sans nom, et les

nuits blanches de l'été dans l'extrême nord; ils se
hâtaient vers la région des combats et des amours.

Plus haut encore, et peut-être dans les combles du
monde, une multitude de cailles, de grives et de
bécassines, filaient à tire-d'aile au-dessus de la tête de
Peter, qui, cloué au sol, sentait ses membres frémir
sous le courant nostalgique. Il s'imagina qu'il faisait
lui-même un long trajet avec les oies sauvages.

Peter désirait partir en mer, mais le pasteur l'obligeait à rester au milieu de ses livres. Ce soir, à la
fenêtre ouverte, il évoqua solennellement par la pensée
son passé et son avenir, et fit le vœu de s'enfuir du
presbytère pour se faire marin. En cet instant, il
pardonnait à ses livres et ne souhaita plus de les brûler
tous. « Qu'ils se couvrent de poussière, ou tombent
entre les mains de gens poussiéreux, faits pour s'occuper de livres ! » songeait le jeune garçon. Lui, Peter,
allait vivre sous les voûtes frémissantes, au balancement du pont d'un navire; il verrait monter vers lui un
horizon nouveau à chaque lever du soleil.

Après avoir pris cette résolution, il éprouva un
sentiment de reconnaissance si profond qu'il joignit les
mains sur l'appui de la fenêtre. Il avait été élevé dans
la piété; ses remerciements s'adressaient à Dieu; mais
ils s'égarèrent quelque peu en route comme si la pluie
les avait fait légèrement dévier, car Peter remercia le
printemps, les oiseaux et même la pluie.

Dans la maison du pasteur, on pensait beaucoup à
la mort, et on l'envisageait fréquemment. Peter, en
imaginant son avenir, considérait aussi la mort du
marin. Il s'attardait parfois à se représenter sa couche
suprême au fond de la mer. Les sourcils froncés, il

contemplait sans émotion ses propres os étendus sur le
sable. Les courants des profondeurs dans leur clarté
verte passeraient à travers ses yeux, tels une série de
rêves. De gros poissons, et même des baleines, nage-
raient au-dessus de lui comme des nuages, et des bancs
interminables de menu fretin afflueraient soudain dans
les vagues, comparables à la foule des oiseaux qui
rayaient le ciel cette nuit.

La mort en mer, se disait Peter, serait paisible et
meilleure qu'un enterrement à Sölleröd, présidé par
son oncle, qui jetterait de la terre sur son cercueil. Les
oiseaux continuaient à traverser le Sund sous les
averses grises. Les lumières d'Helsingör apparaissaient tout en bas ; on eût dit une seconde Voie lactée.
Le vent salé fouetta les migrateurs lorsqu'ils atteignirent la pleine mer du Kattegat, et, au-dessous d'eux,
au cours de la nuit, de longues étendues d'eau, de terre
ferme, de bois, de landes désertiques, de marécages,
disparaissaient en direction du sud.

A l'aube, le vol des oiseaux s'abaissa dans l'air
argenté, et s'abattit sur une rangée d'îlots plats et nus.
Des rochers apparurent tout roses au lever du soleil et
illuminèrent les hautes vagues comme des étincelles
brillantes. La lumière du matin se refléta dans le beau
plumage des canards ; ils caquetaient, s'agitèrent,
becquetèrent le sol, nettoyèrent leurs plumes, et s'en-
dormirent la tête sous l'aile.

Quelques jours plus tard, Rosa, la fille du pasteur
était installée à son métier à tisser, auquel elle venait
de fixer des fils de coton bleus et rouges ; elle ne
travaillait pas mais regardait par la fenêtre. Ses
pensées suivaient une direction capricieuse. Tantôt

elle s'abandonnait au ravissement de sentir les souffles printaniers, et s'enchantait de sentir sa propre beauté toute fraîche ; tantôt elle était prise d'une violente colère contre le monde entier, vil et méprisable.

Rosa était la plus jeune de trois sœurs ; les deux aînées, déjà mariées, vivaient au loin, l'une à Möen, l'autre dans le Holstein. Rosa restait l'enfant gâtée de la maison. Elle disait et faisait ce qui lui plaisait ; mais elle n'était pas réellement heureuse. Elle se sentait seule, et au fond de son cœur elle était convaincue qu'elle devait s'attendre à subir une horrible épreuve un jour.

Rosa était grande pour son âge ; son visage rond, son teint frais s'accompagnaient d'une bouche pareille à l'arc de Cupidon. Ses cheveux frisaient, et se crêpelaient si obstinément que la jeune fille avait peine à les lisser ; et ses longs cils lui donnaient l'air d'être perpétuellement en embuscade.

Elle portait une vieille robe d'hiver d'un bleu déteint, aux manches trop courtes, et une paire de grossières chaussures rapiécées. Mais la grâce et l'aisance des mouvements de son jeune corps prêtaient à ces vêtements sans élégance une majesté classique, et pour ainsi dire pathétique.

La mère de Rosa était morte à la naissance de l'enfant. Le pasteur se préoccupait essentiellement des problèmes posés par la tombe ; même la vie journalière, au presbytère, était en quelque sorte orientée par la perspective du monde futur. La pensée de la mort régnait partout dans la maison. Il était difficile pour des êtres jeunes de s'y épanouir, et il semblait qu'ils dussent combattre sans cesse les influences néfastes

qui les tiraient vers la tombe, et les encouragements
continuels à renoncer à la tâche vaine et dangereuse de
vivre.

Rosa réfléchissait à sa façon, et autant que Peter, à
la mort ; mais elle détestait ces réflexions. Elle n'était
même pas séduite par la vision du paradis, où se
trouvait sa mère, et elle comptait bien vivre encore une
centaine d'années.

Pourtant, au cours de ce dernier hiver, elle avait été
souvent excédée et irritée par son entourage, au point
de souhaiter sa mort pour lui échapper et le punir.
Mais, avec le changement de saison, la tournure
d'esprit de Rosa changea également. Ne vaudrait-il
pas mieux que tous les autres meurent ? se disait-elle.
Débarrassée d'eux, libre et seule, elle se promènerait
sur les sentiers herbeux, elle cueillerait des violettes,
observerait le vol bas et rapide des pluviers au-dessus
des champs ; elle ferait des ricochets dans l'eau et se
baignerait sans être dérangée dans les rivières et dans
la mer.

L'image de ce monde heureux s'était présentée à elle
avec tant de force qu'elle resta toute surprise en
entendant son père gronder Peter dans la pièce voisine,
et en comprenant que tous deux continuaient à vivre
près d'elle.

Ce printemps-là, Rosa eut un grave sujet de plainte
contre son sort ; elle en était profondément affectée,
mais refusait de l'admettre.

Peter, son cousin, avait été adopté au presbytère
neuf ans plus tôt. Rosa et le petit orphelin étaient alors
âgés de six ans. Rosa se souvenait fort bien du temps
qui avait précédé l'arrivée de Peter ; elle se rappelait

ses poupées, dont l'attrait avait disparu après cette
arrivée. Les deux enfants s'entendirent bien, car Peter,
doué d'un bon naturel, se laissait dominer sans peine,
et ils vécurent ensemble plus d'une grande aventure.
Mais, depuis deux ans, Rosa avait grandi plus vite que
son cousin, et en même temps elle avait pris possession
d'un univers personnel, inaccessible aux autres, de
même que le domaine de la musique est inaccessible à
ceux qui n'ont pas d'oreille. Personne n'eût été capable
de situer cet univers ; il ne se prêtait pas davantage à
une description verbale. L'entourage de Rosa ne
l'aurait pas comprise si elle leur avait raconté qu'il
était à la fois infiniment étendu, et bien clos, joyeux et
grave, sûr et dangereux ; elle aurait été incapable aussi
de leur dire qu'elle-même ne faisait qu'un avec ce
monde de beauté et de force, de sorte que, dans sa
vieille robe et ses souliers rapiécés, elle était la créature
la plus belle et la plus inquiétante qui fût sur cette
terre.

Parfois elle avait l'impression que ses mouvements
et sa voix exprimaient la nature de ce monde des rêves,
mais dans une langue dont personne n'avait connaissance. Son jardin mystérieux n'était pas à la portée de
quelque garçon balourd, aux mains sales et aux
genoux écorchés, et elle en oubliait presque son ancien
compagnon de jeux.

Cependant, en ce dernier hiver, Peter avait rattrapé
le temps perdu ; il dépassait maintenant Rosa d'une
demi-tête, et Rosa se disait avec amertume qu'il
resterait le plus grand dorénavant.

Il était aussi tellement plus fort que sa cousine, que
ce changement inquiétait et offensait. Il s'était mis, de

son propre chef, à jouer de la flûte. La tournure
d'esprit philosophique de Peter l'avait fréquemment
incité jadis, pendant ses promenades avec Rosa, à
parler à la fillette des éléments et de l'ordre du monde
et du sort étrange de la lune, qui, à l'âge le plus tendre,
se lève quand on met au lit les autres enfants, et qui,
lorsqu'elle est vieille et décrépite, est tirée de son
sommeil au petit matin, à l'heure où les gens âgés
aiment à rester couchés.

Mais il n'avait jamais fait mention de ses observations en présence de ses aînés, et quand Rosa cessa de
s'y intéresser, il les garda pour lui. Or il arrivait depuis
quelque temps que Peter, sans y être invité, et devant
toute la maisonnée, décrivait les fantaisies de son
imagination concernant le monde ; et certaines d'entre
elles trouvèrent chez Rosa un singulier écho.

Ne correspondaient-elles pas aux siennes ? A ces
moments-là elle ne pouvait détacher ses yeux du visage
de Peter et elle était saisie d'une grande frayeur. Le
monde de ses rêves ne lui offrait plus aucune sécurité.

Peter était fort capable de dire à ce monde : Sésame !
ouvre-toi ! de le faire sien, d'y pénétrer de force, et elle
pourrait bien l'y rencontrer un jour ou l'autre. Elle se
sentait pour ainsi dire trahie par ce garçon qu'elle
avait protégé et avec lequel elle avait joué au temps où
il n'était qu'un enfant. Il en arrivait à lui barrer toute
initiative, et à la priver d'air dans sa propre demeure,
ce à quoi il n'avait réellement aucun droit. D'après
certains bavardages des grandes personnes, Rosa avait
deviné que Peter était un enfant illégitime, et, si Peter
avait été une fille, le fait aurait ému Rosa de compassion ; elle aurait vu sa compagne de jeu sous l'angle du

roman, ou de la tragédie. Mais Peter était un garçon ;
il avait sa part dans les agissements perfides du
séducteur inconnu : son père.

Pendant les longs mois d'hiver, Rosa s'était fréquemment aperçue qu'elle souhaitait le départ de
Peter. Elle avait envie de le voir s'embarquer sur la
mer pour y trouver une mort rapide, avant que par sa
faute elle connaisse de pires épreuves.

Comme Peter était un garçon hardi et insouciant, on
pouvait espérer cette solution.

Peter ignorait entièrement les sentiments violents
qui agitaient la jeune fille. A sa façon, il avait aimé
Rosa dès les premiers instants passés au presbytère.
De toutes les personnes qu'il y avait trouvées, elle était
seule à lui inspirer confiance. Il avait souffert de ses
caprices, bien qu'il les aimât, comme il aimait tout en
elle.

Depuis quelque temps il était souvent déçu de ne
rencontrer chez Rosa aucune sympathie pour les
choses auxquelles il attachait de l'importance, et
parfois même il la jugeait un peu superficielle et sotte.
Mais, en général, les êtres humains, leur caractère,
leur comportement, n'occupaient qu'une petite place
dans les pensées de Peter. Cette place se trouvait juste
au-dessus de celle qu'il accordait aux livres. Le temps,
les oiseaux, les navires, les poissons, les étoiles avaient
à ses yeux une bien plus grande importance. Il
conservait sur une étagère de sa chambre un bateau
qu'il avait fabriqué lui-même, et gréé avec beaucoup
de précision et de patience. Ce bateau avait pour lui
plus de prix que l'amitié ou l'hostilité de qui que ce soit
au presbytère. Il est vrai de dire que Peter avait tout de

suite donné à son bateau le nom de Rosa ; mais il est difficile d'en conclure si ce nom constituait un compliment pour la jeune fille, ou pour la barque.

Rosa, la jeune fille, ne s'occupait pas de son tissage ; elle regardait par la fenêtre. Le jardin gardait encore son aspect hivernal ; il restait nu et morne, mais le ciel prenait un léger éclat argenté.

L'eau dégouttait du toit et des branches de tous les arbres, la terre noire réapparaissait par plaques, là où la neige avait fondu. Rosa contemplait le ciel, le jardin, l'averse de l'air grave et attentif d'une sibylle, mais en réalité elle ne pensait à rien.

Éline, la femme du Pasteur, entra dans la pièce, en tenant un petit garçon par la main. Elle avait été la femme de charge au presbytère avant son mariage avec le pasteur quatre ans plus tôt, et les mauvaises langues de la paroisse prétendaient qu'elle n'avait pas été que femme de charge. Son mari avait le double de son âge, mais elle avait travaillé dur toute sa vie, et elle paraissait plus âgée qu'elle ne l'était. Son visage, hâlé et osseux, avait une expression patiente ; cependant sa démarche et ses mouvements étaient agiles.

La vie avec le pasteur lui pesait souvent, car le mari n'avait pas tardé à se repentir de son infidélité envers la mémoire de sa première femme, qui était sa cousine, fille d'un doyen de paroisse et vierge quand il l'avait épousée. Au fond de son cœur, il n'estimait pas non plus que le fils de la paysanne soit l'égal de sa fille, l'enfant de la morte.

Mais Éline était une créature simple, ayant hérité de la philosophie des paysans ; elle n'aspirait pas à une situation plus élevée que celle qu'elle avait toujours

occupée au presbytère. Elle ne posait pas de questions
au pasteur lorsqu'il ne lui parlait pas, et elle était
l'esclave de sa jolie belle-fille. Quand un différend
éclatait entre les époux, Rosa prenait toujours le parti
d'Éline ; et elle aimait tendrement son petit frère. Elle
avait fait de lui la seule personne qui en dehors d'elle-
même avait le droit d'agir, en tout et pour tout,
comme il lui plaisait, de même qu'un souverain qui en
salue un autre en l'appelant : Votre Majesté, mon
frère ! Mais l'enfant ne se prêtait pas à être gâté. Dans
cette demeure assombrie par l'ombre de la mort, tout
ce qui était jeune luttait pour rester en vie ; seul, ce joli
petit garçon paraissait accepter tranquillement son
sort. Renonçant volontairement à vivre, il accueillait
avec empressement sa fin, comme s'il était entré dans
ce monde à contrecœur.

La femme du pasteur s'assit modestement sur le
bord d'une chaise et posa ses mains laborieuses sur son
tablier bleu.

— Non ! Ton père n'achètera pas la vache, dit-elle,
en poussant un léger soupir. On vendra cette bête
tachetée, à Noël, pour trente-six dollars. C'est une
bonne vache, qui vêlera dans six semaines. Mais ton
père s'est fâché contre moi quand je l'ai prié de
l'acheter. Car, a-t-il dit, comment saurai-je si le jour
du jugement et le retour de Jésus-Christ ne sont pas
plus proches qu'aucun de nous ne s'en doute. N'amas-
sons pas de trésors dans ce monde !

« Pourtant, ajouta la femme du pasteur en soupirant, de toute façon, cette vache ferait bien notre
affaire cet été. »

Rosa fronça le sourcil ; elle ne parvenait pas à

concentrer suffisamment ses pensées pour en vouloir
beaucoup à son père, et elle dit froidement :

— Il finira bien par l'acheter.

Un papillon, engourdi par l'hiver, s'était réveillé
aux premiers rayons du soleil printanier et voletait
vers la lumière, heurtant ses ailes contre les vitres par
petits coups délicats. On aurait cru entendre ceux de
doigts menus.

L'enfant avait suivi le papillon du regard pendant
quelques instants, et il appela Rosa pour lui montrer
l'insecte.

— Mon frère, reprit Éline, est allé examiner la
vache ; c'est une bonne vache ; elle est douce ; je
pourrais la traire moi-même.

— Oui, c'est un papillon, dit Rosa à l'enfant. Il est
joli, je vais l'attraper pour toi.

Mais, comme elle essayait de le saisir, le papillon
s'envola soudain jusque tout en haut de la fenêtre.
Rosa ôta ses souliers et grimpa sur le rebord ; mais de
ce poste élevé au-dessus du monde, elle comprit que le
prisonnier cherchait à s'échapper à l'air libre. Elle se
rappela les papillons blancs du dernier été, qui volti-
geaient autour de la bordure de lavande du jardin et
elle sentit son cœur se gonfler de pitié pour celui-ci.

— Vois ! dit-elle à son petit frère, je vais ouvrir la
fenêtre et il s'envolera bien loin.

En effet, elle ouvrit la fenêtre et balaya le papillon
d'un geste. Au-dehors, l'air était vif ; on aurait cru
pénétrer dans un bain de fraîcheur. Rosa respirait à
pleins poumons. Au même moment, Peter suivait le
sentier du jardin en revenant de l'étable. Il s'arrêta net
à la vue de Rosa sur le rebord de la fenêtre. La nuit de

l'averse, il avait décidé de s'enfuir et de partir en mer,
et depuis lors, il n'avait plus rêvé que de bateaux,
schooners, barques, frégates. Or, voici que Rosa
debout sans souliers sur l'appui de la fenêtre, sa robe
bleue retenue en arrière par la barre d'appui, ressemblait tant à la figure de proue d'un beau navire, que,
l'espace d'une seconde, il se crut en face de son propre
rêve. La vie, la mort, les aventures du marin, la
destinée elle-même se dressaient devant lui sous la
forme de la jeune fille. Il se rappela vaguement avoir
eu souvent une vision pareille au temps où il était
encore enfant. Le monde était alors plein de douceur et
de beauté. Les adolescents, encore au seuil de l'enfance, ressentent souvent douloureusement la perte du
monde simple et enchanté de leurs premières années.
Peter ne parla point ; il ne savait comment s'adresser à
une figure de proue ; mais, tandis qu'il la contemplait,
elle aussi lui adressa un regard clair et franc, tout en
pensant au papillon. Peter crut que ce regard lui
promettait un grand bonheur et dans un élan spontané, résolut de se confier à la jeune fille et de lui
raconter tout.

Rosa descendit de son perchoir et remit ses souliers.
Elle était en harmonie avec le reste du monde : le
papillon avait trouvé la liberté, et l'enfant était heureux grâce à elle. En était-il de même de cet imbécile
de Peter ?

Un seul geste, un seul regard de Rosa avaient suffi
pour leur donner le bonheur à tous ; ils n'ignoraient
plus qu'elle était bonne, douce et la bienfaitrice du
monde entier.

Elle aurait voulu rester debout là-haut ; mais puis-

que c'était impossible, et que Peter demeurait immobile à la même place devant la fenêtre, elle descendit
dans la pièce et ouvrit la porte du jardin. En la voyant
si près de lui, le garçon rougit, s'avança vers elle et lui
prit le poignet au-dessous de la manche étroite :

— Rosa ! dit-il, j'ai un grand secret que personne ne
doit connaître ; je veux te le confier.

— Quel est ce secret ? dit Rosa.

— Je ne puis en parler ici ; d'autres pourraient nous
entendre ; toute ma vie en dépend.

Ils se dévisagèrent avec gravité, et Peter reprit :

— Je viendrai te voir cette nuit quand tout le
monde dormira.

— Non ! On t'entendra, objecta Rosa, car sa chambre se trouvait au premier étage sur la façade de la
maison, et celle de Peter était au rez-de-chaussée.

— Écoute-moi, dit-il ; je poserai l'échelle du jardin
contre le mur. Laisse ta fenêtre ouverte et j'entrerai
chez toi de cette façon.

Elle répondit :

— Je ne sais trop si je le ferai.

— Oh ! ne fais pas la sotte, Rosa, s'écria le jeune
garçon. Permets-moi de venir ; tu es la seule personne
au monde à laquelle je puisse me confier.

Au temps de leur enfance, quand Peter et Rosa
avaient projeté une grande entreprise, Peter montait
parfois la nuit dans la chambre de Rosa... Rosa
réfléchissait, et soudain elle ressentit au plus profond
d'elle-même, comme Peter, le regret de ce monde
disparu, et elle dit, en libérant son bras de la main de
Peter : « Peut-être que je te laisserai entrer. »

La nuit était brumeuse, mais c'était la première nuit

après l'équinoxe, et déjà l'on devinait la lumière du jour. Peter ne bougea pas avant d'avoir constaté que le pasteur avait éteint sa lampe ; puis il sortit de la maison. Il poussa l'échelle jusqu'au mur de la façade et la dressa jusqu'à la fenêtre de Rosa et, ce faisant, il s'égratigna la main. Quand il essaya d'ouvrir la fenêtre, il constata qu'elle était entrebâillée, et son cœur battit très fort. Il se hissa dans la chambre, et lentement, silencieusement, s'avança vers le lit. Il y posa la main pour s'assurer dans l'obscurité que Rosa était bien là, car elle ne faisait pas un mouvement, et ne soufflait mot. Puis il s'assit sur le lit, et resta quelques instants silencieux comme elle.

La pensée d'ouvrir son cœur à une amie qui ne l'interromprait pas et ne se moquerait pas de lui, l'émouvait autant, et le remplissait d'autant de reconnaissance qu'au moment où il avait écouté l'appel des oiseaux migrateurs. Il se rappela que des années peut-être avaient passé depuis ses dernières conversations intimes avec Rosa, et il se demandait si la faute en était à lui ou à elle ; en tout cas, cette constatation l'attrista fort. Il allait avoir grand-peine à exposer ses idées aujourd'hui.

Quand enfin il parla, les mots sortirent lentement, un à un, de ses lèvres, et il s'arrêtait entre chaque phrase. Il dit :

— Rosa ! essaye de me comprendre, même si je ne m'exprime pas clairement, comme ton père, ajouta-t-il d'un ton un peu railleur, car il s'était souvent moqué des sermons du pasteur ; mais il n'insista pas, ne sachant si Rosa n'avait pas changé d'opinion depuis ces jours anciens.

Il prit une forte inspiration et dit :

— Je n'ai jamais agi comme je l'aurais dû, mais je ne m'en rends compte qu'à présent. Tu sais qu'il y a des gens qu'on qualifie d'athées ; ce sont de terribles blasphémateurs qui refusent de croire à l'existence de Dieu. Eh bien, j'ai été pire qu'eux : j'ai offensé Dieu, et je lui ai fait du tort ; j'ai détruit Dieu !

Il parlait d'une voix basse et comme étouffée, coupant de ses phrases de longues pauses, paralysé par l'émotion, et par la peur de réveiller le reste de la maisonnée.

— Car, vois-tu, Rosa, dit-il, un homme ne vaut que par ce qu'il fait ; qu'il construise des bateaux, qu'il fabrique des montres ou des armes, ou même qu'il écrive des livres, si j'ose dire. Tu ne peux dire qu'un homme est un grand homme que s'il fait de grandes choses. Il en est bien ainsi de Dieu, n'est-ce pas Rosa ? Si Dieu n'est pas glorifié par son œuvre, comment peut-il être le Dieu de gloire ? Et moi, moi, je suis l'œuvre de Dieu. J'ai regardé les étoiles, la mer et les arbres, les animaux, les oiseaux, et j'ai vu comme ils sont en harmonie avec le plan de Dieu et se conforment à ses intentions à leur égard. Leur vie est certainement une satisfaction, un encouragement pour le Seigneur, comme lorsqu'un constructeur de bateaux fait un beau bâtiment, qui tient bien la mer.

« Je me suis dit que Dieu doit être triste en me voyant, moi ! »

Quand Peter s'arrêta pour penser à ce qu'il allait dire encore, il entendit Rosa soupirer profondément, et il lui fut reconnaissant de ne pas parler. Il reprit après un long silence :

10

— J'ai vu, l'autre jour, un renard près du ruisseau dans le bois de bouleaux. Il m'a regardé en remuant un peu la queue, et j'ai pensé qu'il remplissait parfaitement son rôle de renard, comme Dieu l'a voulu. Tout ce qu'il fait et entreprend est conforme à sa nature de renard ; il n'y a rien en lui, depuis ses oreilles jusqu'à sa queue, que Dieu n'ait pas décidé pour lui. Il est un renard de la tête à la queue tel que Dieu l'a voulu. Si le renard n'était pas cette belle et parfaite créature, Dieu non plus ne serait pas beau et parfait.

« Mais me voici, moi, Peter Köbke ; Dieu m'a fait, et sans doute a-t-il eu un peu de peine pour me fabriquer. Je devrais lui faire honneur comme le renard ; mais, au contraire, j'ai contrecarré son plan. Je me suis opposé à lui tout juste parce que mon entourage, les gens qui se disent mon prochain, ont désiré que je le fasse. Je suis resté enfermé pendant des années et des années, et j'ai lu des livres parce que ton vieux père voulait faire de moi un pasteur. Si Dieu avait voulu que je fusse pasteur, il m'aurait créé avec le caractère d'un pasteur ; ce n'aurait même pas été difficile pour lui, qui est tout-puissant. Il peut faire des pasteurs s'il le désire ; il en a fait beaucoup. Mais moi, il ne m'a pas fait pour être pasteur.

« Je suis lent quand il s'agit de faire des études ; tu sais bien que je suis un lourdaud. Je sens dans mes os combien je suis devenu grossier et coriace. Ce n'est pas drôle de lire les Pères de l'Église, et par ma faute j'ai rendu Dieu également dur et coriace. Pourquoi faut-il donc chercher à plaire à son prochain ? continua Peter d'un ton un peu pensif.

« Il ne sait pas ce qui est grand ; il est incapable
d'inventer ce qui est beau en ce monde, pas plus que
nous n'en sommes capables nous-mêmes. Si le renard
avait interrogé son entourage sur ses désirs à son sujet,
si même il avait interrogé le roi, le résultat de son
enquête eût été bien maigre. Si la mer avait interrogé
son entourage sur ses désirs à son sujet, on en aurait
fait un marécage, je te le garantis. En somme, quel
bien peut-on faire à son prochain, même si l'on y met
de la bonne volonté ?

« C'est à Dieu que nous devons faire plaisir, et c'est
lui que nous devons servir, Rosa ! Et même, si nous ne
pouvons réjouir Dieu que pour un moment, ce serait
déjà une grande chose.

« Si je ne parle pas clairement, Rosa, il faut me
croire de toute façon, car j'ai réfléchi à ce que je te dis
depuis très longtemps, et je sais que j'ai raison. Si je ne
vaux rien, Dieu ne vaut rien. »

Rosa approuvait la plus grande partie des conclu-
sions de Peter. Pour elle, la meilleure preuve de la
magnificence de la Providence, était sa présence à elle,
Rosa, en ce monde : une Rosa charmante et sans
défaut par la grâce de Dieu. Quant à l'opinion de Peter
concernant le prochain, elle n'était pas très sûre qu'elle
fût juste ; elle était convaincue qu'elle pouvait faire
beaucoup pour son prochain. On n'allume pas une
chandelle — en l'occurrence Rosa — pour la mettre
sous le boisseau, mais on la fixe sur un chandelier, et
elle éclaire toute la maison.

Pourtant, si Peter était capable d'exprimer des idées
pareilles, elle trouverait au presbytère au moins un
être vivant qui pourrait lui être utile.

Elle sourit à cette pensée.

— Pourtant, fit Peter dans un élan de passion, et malgré lui il élevait la voix, pourtant j'aime Dieu plus que tout ! Avant tout autre souci, j'ai le souci de la gloire de Dieu !

Effrayé d'avoir parlé trop haut, le jeune garçon se tut pendant quelques minutes, puis il murmura à la jeune fille :

— Recule-toi un peu, si tu y parviens, pour que je puisse me coucher près de toi ; il y a assez de place pour nous deux dans ton lit.

Sans répondre, Rosa recula vers le mur et Peter se coucha à côté d'elle. Jamais Peter ne se lavait plus qu'il n'est strictement nécessaire ; il sentait la terre et la sueur, mais Rosa respirait contre son visage l'haleine fraîche et agréable de son cousin. La position horizontale calmait Peter ; il parla avec moins d'emportement.

— Tout cela, dit-il très lentement, ne m'est arrivé que parce que je ne me suis pas sauvé.

Pour la première fois, Rosa ouvrit la bouche :

— Pas sauvé ? dit-elle.

— Oui ! Écoute-moi, Rosa ! Il faut que je me sauve pour prendre la mer, pour être un marin. Je suis fait pour être marin, et je serai un grand marin, autant que les plus grands. Dire que Dieu a fait ces grandes choses : les océans, les tempêtes qui les agitent, la lune qui projette sur eux sa lumière, et que je ne suis jamais allé les voir, mais les ai laissés seuls. Je suis resté dans cette pièce du rez-de-chaussée, ne regardant que ce qui se passait devant mon nez. Dieu m'a certainement désapprouvé de vivre ainsi. Imagine, Rosa, imagine seulement, afin de comprendre ce que je dis, qu'un luthier ait fabriqué une flûte et que personne n'ait jamais joué de cet instrument ; ne serait-ce pas abominable et désolant ? Puis, tout à coup ; quelqu'un s'empare de la flûte et joue. Le luthier l'entend et dit : « C'est ma flûte ! »

Une fois encore, Peter respira, et il y eut un long silence.

— Mais, dit enfin Rosa d'une petite voix claire, moi j'ai souvent désiré te voir partir en mer.

A ces paroles de sympathie surprenantes et inattendues, Peter répondit par un mutisme absolu. Il avait donc une amie, une alliée en ce monde ! Pendant longtemps il avait sous-estimé cette amie ; il l'avait même jugée légère et frivole ; et voici qu'elle lui était fidèle, qu'elle avait pensé à lui, devinant ses espoirs et ses aspirations. En cette heure paisible et fraîche de la nuit printanière, la douceur des relations humaines sincères lui était pour la première fois mystérieusement révélée. Enfin, il posa une question timide à la jeune fille :

— Comment cette pensée t'est-elle venue ?

— Je n'en sais rien, et en effet, à ce moment-là, Rosa avait oublié pourquoi elle avait souhaité que Peter parte en mer.

— Veux-tu m'aider à m'enfuir ? demanda le garçon, à voix basse, sans trop réfléchir à la portée de son exigence.

— Oui, fit Rosa après une brève hésitation ; mais comment puis-je t'aider ?

— Écoute ! dit Peter en se rapprochant vivement d'elle, c'est à Helsingör qu'on prend le bateau. J'en

connais un : *L'Espérance,* dont le capitaine s'appelle
Svend Bagge, et qui est à l'ancre à Helsingör en ce
moment. On m'accepterait à bord. Mais ton père ne
me laissera pas aller à Helsingör à moins que tu ne lui
dises que tu as envie d'y aller toi-même pour voir ta
marraine, et que tu crains de voyager seule. Alors il se
peut qu'il me permette de t'accompagner.

« Et quand nous y serons, Rosa, quand nous serons
à Helsingör, je serai à bord de *L'espérance* avant que
personne ne le sache. Je serai sur la mer du Nord avant
qu'on se soit douté de rien, et nous approcherons de
Douvres en Angleterre ! Rosa, un jour, je doublerai le
cap de Bonne-Espérance, ou le cap Horn ! »

Il s'arrêta, oppressé par tout ce qu'il avait encore à
dire.

« Je puis fort bien rester ici toute la nuit ! pensa-t-il.
Dieu ne s'oppose pas à ce que je reste jusqu'à demain
matin de bonne heure. »

Rosa ne répondit pas tout de suite ; il n'était pas
mauvais pour Peter qu'elle le fît attendre un peu ; il
apprendrait ainsi à apprécier davantage son aide.

— Tu as tout combiné avec précision ? finit-elle par
dire avec un soupçon d'ironie.

Il essaya de comprendre ce qu'elle entendait par là.

— Non, dit-il, je n'ai rien combiné ; tout m'est venu
brusquement comme une inspiration ; et sais-tu
quand ?... quand je t'ai vue debout sur le rebord de la
fenêtre !

Il n'osa pas lui dire qu'elle ressemblait à la figure de
proue de *L'Espérance ;* mais un triomphe si joyeux
transparaissait au travers même de son chuchotement,

que Rosa comprit tout sans qu'il fût besoin d'explica-
tions. Elle objecta :

— Beaucoup de bateaux sombrent, Peter, et la
plupart des marins finissent par se noyer.

Peter tarda un peu à répondre, car il avait quelque
peine à se détacher de la vision de Rosa à sa fenêtre.
Quand il reprit la parole, ce fut pour dire :

— Je le sais bien, mais tout le monde est destiné à
mourir un jour ou l'autre, tu comprends ; et je pense
que mourir noyé est bien la mort la plus magnifique de
toutes.

— Pourquoi te figures-tu cela ? dit Rosa qui avait
peur de l'eau.

— Je ne sais pas... c'est peut-être à cause de cette
masse d'eau. Car, si l'on y pense, il n'y a rien qui
sépare les océans ; ils forment un tout. Si l'on se noie
dans la mer, ce sont toutes les mers qui vous reçoivent ;
je trouve que c'est magnifique !

— Peut-être que c'est magnifique en effet ! dit Rosa.

En parlant des océans, Peter avait fait un grand
geste, et il avait atteint Rosa à la tête ; il sentit contre
sa paume la douce chevelure crêpelée, et sous les
cheveux le petit crâne dur et rond. Une fois de plus il
resta silencieux. Bien que sa volonté n'y fût pour rien
ses doigts touchaient la tête de Rosa et caressaient ses
cheveux. Cependant, il retira bientôt la main et dit :

— Il faut que je redescende.

— Oui ! dit-elle.

Il sortit du lit et resta à côté dans l'obscurité. Puis il
dit :

— Bonsoir !

Rosa répéta : « Bonsoir ! »

— Dors bien! dit encore Peter, qui, de sa vie, n'avait souhaité à personne de bien dormir.

— Dors bien, Peter! répéta Rosa.

Peter arriva au bas de l'échelle dans un tel état de ravissement qu'il aurait bien pu se diriger en sens inverse, du côté du ciel vers les étoiles qu'il connaissait si bien, mais que le brouillard lui cachait à présent. Son agitation était due à deux causes : d'une part, la perspective de sa fuite, et d'autre part : Rosa!

Dans une situation normale, ces deux formes d'extase auraient paru incompatibles; mais, cette nuit, toutes les tendances et les forces de son être se fondaient en une force unique, et formaient un tout d'une parfaite harmonie. La mer s'était transformée en une déesse, et Rosa incarnait une puissance universelle, écumeuse et salée comme la mer.

Pendant un instant, il fut tenté d'escalader à nouveau l'échelle. Par la pensée, il monta jusqu'à la fenêtre, entra dans la pièce et, transporté par la merveilleuse conscience de leur appartenance, il embrassa Rosa. Pour un peu, son corps eût suivi son esprit, s'il n'avait compris soudain qu'il ne saurait que faire de ce corps une fois là-haut. Il s'assit donc sur l'échelon le plus bas, la tête dans les mains, dans un mystérieux accord avec le monde entier.

Au bout d'un certain temps, ses pensées prirent un cours plus raisonnable : au fond, son attitude en face de l'univers différait des sentiments qu'il éprouvait pour la jeune fille couchée dans la chambre du pignon. En face du monde et de l'humanité en général et de son propre sort, il était désormais dans une attitude de défi; il était le conquérant; les puissances opposées

seraient forcées de se soumettre à lui, sinon il rendrait
coup pour coup, et il obtiendrait ce qu'il exigeait. De
ce côté-là, tout était clair comme le jour, brillant
comme le métal ou comme la surface de la mer. Les
dangers, l'aventure, la victoire, apparaissaient à Peter
dans une vive lumière.

Mais, en face de Rosa ? Un désir passionné de tout
donner, de se montrer d'une générosité magnifique, le
bouleversait. Il ne possédait rien sur la terre qui fût
digne de Rosa, et même s'il avait disposé de tous les
trésors du monde, il les aurait oubliés en cet instant.
Ce qu'il aurait voulu offrir à Rosa, c'était à la fois lui-
même, l'essence même de son être, et l'éternité. Ce
don, qu'il aspirait à faire à Rosa, eût été, il en était sûr,
la plus grande victoire, et l'ultime sacrifice dont il était
capable. Il lui était impossible de partir avant d'avoir
accompli ce sacrifice.

Rosa le comprendrait-elle alors ? Ce sacrifice le
recevrait-elle ? Accepterait-elle son offrande ?

Tandis que le cours de ses pensées se détournait
lentement des aventures marines pour s'orienter vers
la jeune fille, il comprit avec une sorte de ferveur, mais
aussi de crainte, que tout chez elle n'était encore que
ténèbres solennelles et sacrées, de même que dans les
eaux profondes des mers où règne le silence absolu.
Peter se disait que Rosa paraissait le connaître beaucoup mieux qu'il ne la connaissait, elle. Il ne parvenait
pas à l'approcher complètement ; il ne pouvait deviner
ses pensées et ses aspirations, même en s'y efforçant.
Chaque fois qu'il tentait d'approcher de la jeune fille,
il était repoussé par une force inconnue, un magné-

tisme à rebours, ce magnétisme dont ses livres lui
avaient appris l'existence.

Ces pensées empêchèrent Peter de dormir jusqu'au
matin. Il se rappela Jacob qui avait combattu l'ange
de Dieu pendant toute la nuit ; mais sa version du récit
lui accordait en partie à lui-même le rôle de l'ange de
Dieu. C'était Peter qui criait à Rosa : « Tu ne me
laisseras pas que je ne t'aie bénie ! »

Là-haut, dans sa chambre, peu après que Peter l'eut
quittée, Rosa se tourna sur le côté, la joue appuyée sur
ses mains jointes, sa longue natte reposant sur sa
poitrine ; c'est ainsi qu'elle s'installait tous les soirs
quand elle avait envie de dormir. Mais, ce soir-là, à sa
grande surprise, elle sentit qu'elle ne dormirait pas du
tout. Elle avait lu quelque part que des gens passaient
des nuits sans dormir ; mais en général, c'étaient des
amoureux déçus, ou abandonnés, et ne pas dormir
lorsqu'on est content paraissait bien curieux à la jeune
fille. Elle restait songeuse après cette heure que Peter
avait passée dans son lit. Ses cheveux avaient impré-
gné l'oreiller d'une légère odeur. Pour rien au monde
Rosa n'aurait voulu se rapprocher de la place qu'il
avait occupée ; elle resta collée contre le mur telle
qu'elle était couchée pendant la présence de Peter.

Elle pensait : il a dit que tout lui était venu
brusquement tandis qu'il me voyait debout à la
fenêtre, et elle se rappelait vaguement sa méfiance
récente à l'égard de son vieux camarade, et son refus
mental de le laisser accéder à son univers secret à elle.
Ce que venait de dire Peter aurait pu être dit dans cet
univers-là.

« Tu es une sotte, Rosa ! » murmura-t-elle, du ton dont elle grondait jadis ses poupées.

La force de Peter qui l'avait inquiétée lui plaisait maintenant. Elle se souvint d'un incident auquel elle n'avait plus pensé depuis des années. Peu après l'arrivée de Peter au presbytère, ils s'étaient battus elle et lui. Rosa avait tiré les cheveux de Peter, et Peter, entourant Rosa de ses bras, avait essayé de la jeter par terre. Elle riait, les yeux fermés, à ce souvenir. Dans son demi-sommeil, il lui semblait encore qu'elle lui arrachait des boucles.

En descendant le long de l'échelle, Peter avait oublié de bien fermer la fenêtre, et la fraîcheur de l'air nocturne se faisait sentir dans la pièce. Une demi-heure après le départ de Peter, Rosa s'endormit d'un doux et paisible sommeil.

Mais, vers le matin, elle fit un rêve affreux, et se réveilla le visage ruisselant de pleurs. Elle s'assit dans son lit ; ses cheveux chatouillaient ses joues mouillées. Incapable de se rappeler tous les détails du rêve, elle savait seulement que quelqu'un l'avait abandonnée, et laissée horriblement seule dans un monde glacé, sans couleur et sans vie. Mais, en retrouvant ce souvenir, elle se souvint aussi que Peter allait s'enfuir, et partir en mer ; et elle devint très pâle.

Il allait s'enfuir ! C'est ainsi qu'il la remerciait pour lui avoir permis d'entrer dans son lit, de l'aimer plus que quiconque depuis cette veillée ! Par la pensée, elle repassa leur conversation, phrase par phrase. Elle avait eu l'intention de lui témoigner sa tendresse ; n'avait-elle pas imaginé avant de s'endormir qu'elle caressait ses épais cheveux brillants, qu'elle avait tirés autrefois, qu'elle les avait lissés et enroulés autour de ses doigts ? Et pourtant ! Il s'en était allé vers des pays lointains où elle ne pourrait le suivre. Il ne se souciait pas de ce qui adviendrait d'elle ; il la laissait dans son rêve. Dans deux ou trois jours, il serait parti ; il ne reverrait plus le presbytère, ni l'église, ni les bonnes vaches dans l'étable qui le connaissaient si bien ; il n'entendrait plus les gens parler le danois, mais quelque langue étrangère incompréhensible pour Rosa ; et il oublierait Rosa ; elle serait pour toujours absente de ses pensées.

A cette idée, elle mordit ses cheveux, salés par ses larmes. Elle avait promis de demander à son père, pour elle et pour Peter, la permission de se rendre à Helsingör. Ce serait bien facile de faire échouer le grand projet de Peter : si elle en parlait à son père, il n'y aurait pas de bateau qui puisse emporter Peter ; Peter ne contournerait pas le cap Horn ; il ne se noierait pas ; il ne disparaîtrait pas à jamais dans les océans. Rosa s'assit dans son lit, puis se recroquevilla, couvant littéralement sa pensée comme une poule couve ses œufs. Jusqu'à présent, elle avait réussi à tenir à distance inquiétudes et tourments ; aujourd'hui, ils se rapprochaient d'elle, qui détestait le contact des choses ; ils se pressaient contre elle, lui coupaient le souffle.

Elle finit par se lever, et enfila sa vieille robe.

Rosa implorait bien rarement une faveur de son père ; il lui accordait toujours ce qu'elle lui demandait parce que, disait-on, elle ressemblait tant à sa mère, dont elle portait le nom. Mais Rosa n'avait pas envie de jouer le rôle d'une morte ; elle voulait être elle-

même, la jeune Rosa, et nulle autre. Parfois, elle
s'adressait à son père pour venir en aide à Éline, ou à
son petit frère, mais elle ne le faisait pas dans son
propre intérêt. Pourtant, aujourd'hui, elle avait besoin
du secours de son père et de sa mère.

Parfois, depuis quelque temps, pour s'amuser, elle
se coiffait comme sa mère sur un petit portrait, dont sa
fille avait hérité. Ce matin, elle releva soigneusement
ses cheveux de la même façon devant son petit miroir
dépoli ; puis elle alla chez son père.

Elle sortit du bureau du pasteur les traits inexpres-
sifs comme ceux d'une poupée, et resta un moment au
seuil de la porte ; elle tenait à la main son mouchoir,
dans lequel elle avait noué l'argent nécessaire à l'achat
de la vache. Le pasteur lui avait dit de le remettre à
Éline.

Le père avait été si ému par leur conversation qu'il
avait caché son visage dans ses mains en apprenant
l'ingratitude de son neveu, et quand il le découvrit,
Rosa le vit trempé de larmes.

Au moment où elle sortait de la pièce, le pasteur lui
prit la main et la regarda. La presque impossibilité de
croire au dogme de la résurrection de la chair était
pour le pasteur une souffrance pour ainsi dire physique. Pourtant, il lui fallait annoncer à l'église cette
résurrection, car il se méfiait des impulsions charnelles
et les craignait. « Ces pénibles doutes ne tourmentent
pas ma petite fille, se disait-il ; elle vient de me parler
avec une confiance bien rare dans mon entourage, sa
chair que je touche est fraîche et pure ; on ne peut se
figurer qu'elle ne sera pas admise au paradis. »

Après avoir poussé un profond soupir, il avait

compté son argent et l'avait déposé dans la main tiède et tranquille de Rosa.

Celle-ci répugnait à tout ce qui se rapportait à l'achat et à la vente ; elle prit la somme en hésitant, et avec si peu d'attention que le vieillard lui recommanda de bien la nouer dans son mouchoir. Mais, une fois sortie, elle la glissa dans sa poche.

E''e cherchait à se persuader qu'elle avait agi correctement et raisonnablement, et décida de descendre à la cuisine pour y déjeuner.

Sur l'escalier, elle entendit un bruit de voix, et à la cuisine elle trouva toute la maisonnée réunie autour d'une marchande de poisson de la côte, qui apportait sa marchandise sur son dos dans une hotte.

Ces marchandes de poisson étaient des femmes du nord de l'île de Seeland, courageuses et dures à la peine. Elles faisaient trente milles à pied, lourdement chargées et par tous les temps, après quoi elle rentraient chez elles pour faire la lessive, le raccommodage et la cuisine pour leur mari et une douzaine d'enfants. Elles avaient la riposte prompte et, en tant que porteuses de nouvelles, étaient les bienvenues partout. Aussi préféraient-elles leur vie au grand air et sur les routes à celles des femmes de paysans liées à l'étable et à la baratte, ou même à celle de la femme du pasteur.

Emma, la marchande, avait posé par terre sa hotte, et, assise sur le billot, buvait du café tout en racontant tous les « on-dit » du voisinage ; elle riait elle-même de son récit ; le morceau de sucre fondait dans sa bouche. On la comprenait difficilement car elle avait perdu la plupart de ses dents, et elle parlait le dialecte de la côte, mêlé de suédois. Elle était suédoise de naissance comme la plupart des femmes de pêcheurs autour du Sund. Mais les enfants du presbytère parlaient eux-mêmes le dialecte quand ils en avaient envie.

La femme s'interrompit pour faire un signe de tête amical à la jolie fille du pasteur, et Rosa s'approcha du billot, portant sa tasse de café pour écouter les nouvelles. Quand Peter aperçut Rosa, il ne vit plus rien d'autre, et n'écouta plus la conteuse. Après quelques instants, il vint tout près de sa cousine mais n'ouvrit pas la bouche. Quand les rires et la conversation se firent de plus en plus bruyants à la cuisine, Rosa dit à Peter sans le regarder :

— J'ai parlé à mon père ; il me permet d'aller à Helsingör, et tu peux m'accompagner. Maintenant que la neige est en train de fondre nous pourrons partir avec les voituriers, et même dès aujourd'hui.

A cette nouvelle, le jeune garçon pâlit comme avait fait Rosa dans son lit au petit matin, en pensant à lui.

Il dit après un long silence :

— Nous ne pourrons pas partir aujourd'hui ; il faut que je revienne dans ta chambre cette nuit pour te dire quelque chose de plus. Tu me le permets, n'est-ce pas ?

— Oui ! répondit Rosa.

Peter retourna à l'autre bout de la cuisine, puis revint :

— La glace craque, dit-il. Emma l'a vu ce matin ; le Sund est libre.

Emma confirma la nouvelle à Rosa. Pendant tout l'hiver, les pêcheurs étaient forcés de faire un long trajet sur la glace pour pêcher la morue au hameçon. Maintenant la glace craquait et on apercevait la mer

libre ; dans peu de jours les barques de pêche seraient
de nouveau à flot.

— Je vais aller voir ça, dit Peter.

Rosa lui jeta un coup d'œil furtif, mais ne parvint
plus ensuite à détacher ses regards du visage de son
cousin, si étrangement solennel et radieux.

« Il ne sait rien de ce que je sais », se disait-elle.

— Viens avec moi, Rosa ! s'écria-t-il dans un grand
élan de joie comme s'il ne pouvait plus la quitter.

— Oui, dit Rosa.

Le petit garçon, entendant qu'ils allaient voir la
débâcle, voulut les accompagner ; Rosa le prit dans ses
bras :

— Tu ne peux pas venir, dit-elle, c'est trop loin
pour toi ; je te raconterai en rentrant ce que j'ai vu.

L'enfant posa gravement ses mains sur le visage de
sa sœur et répondit : « Non ! Tu ne me le raconteras
jamais. »

Éline essaya de retenir Rosa et de la persuader que
la distance était trop grande pour elle aussi.

— Mais, moi, j'ai envie d'aller loin, riposta Rosa.

Elle mit un vieux manteau, enfila des gants jaunes
tout miteux qui appartenaient à son père, et sortit avec
Peter.

Au-dehors, ils s'aperçurent que la neige avait disparu dans les champs, et pourtant tout était moins
sombre qu'auparavant. Le monde entier baignait dans
une sorte de lumière diffuse ; Peter et Rosa en étaient
aveuglés, et avaient peine à ouvrir les yeux. De tous
côtés, ils étaient entourés d'eaux courantes, faisant
jaillir des gouttelettes dans leur fuite rapide. La fonte
de la neige ne facilitait pas la marche. Peter allait d'un

bon pas, et puis il attendait impatiemment la jeune
fille, qui, dans ses vieilles chaussures, glissait et
trébuchait sur le sentier. Quand elle le rejoignit, elle
était toute rouge de fatigue, et comme étourdie par
l'air et la lumière. Tout à coup Peter s'arrêta
d'avancer.

— Écoute, dit-il, voici l'alouette.

Ils restèrent sans faire un mouvement, serrés l'un
contre l'autre, et, en effet, ils entendirent très haut au-
dessus de leurs têtes, les trilles extasiés et triomphants
d'une alouette, comme une incessante pluie de gouttelettes sonores. Un peu plus loin, dans la forêt, ils
rencontrèrent deux bûcherons, et Peter s'arrêta pour
leur parler, tout en taillant de longues baguettes, une
pour lui et une autre pour Rosa, dans les branches
d'un jeune hêtre. Le vieux bonhomme regarda Rosa et
demanda si elle était bien la fille du pasteur de
Sölleröd, et il s'étonna de la voir tellement grandie.

Les enfants du presbytère s'entretenaient rarement
avec les gens du dehors ; mais, aujourd'hui, Rosa avait
l'impression qu'Emma et le vieux bûcheron lui
ouvraient un monde nouveau.

Peter avait marché longtemps en silence, et dans
une sorte d'ivresse. La mer était devant lui et l'attirait
comme un aimant ; tout près de lui, Rosa le suivait pas
à pas. Mais, après sa conversation avec le vieux
bûcheron, sa langue se délia et il devint plus communicatif. Mais, ne trouvant pas de paroles pour exprimer
ses pensées, il décida de raconter une histoire à Rosa,
et il commença ainsi :

— J'ai entendu parler du capitaine d'un bateau qui
avait donné le nom de sa femme à son embarcation ; il

fit sculpter une magnifique figure de proue à l'exacte ressemblance de cette femme, avec les cheveux dorés comme les siens. Mais la femme était jalouse du bateau :

— Tu penses davantage à la figure de proue qu'à moi ! disait-elle. Mais il répondit :

— Oh non ! Si elle me plaît tant, c'est qu'elle te ressemble ; elle est toi ! N'est-elle pas magnifique ? N'a-t-elle pas un port superbe ? Ne danse-t-elle pas dans les vagues, comme tu as dansé le jour de notre mariage ? D'une certaine manière, elle est même plus gentille avec moi que tu ne l'es : elle s'en va où je lui dis d'aller, et elle fait flotter au vent sa longue chevelure, alors que tu caches la tienne sous un bonnet. Mais elle aussi me tourne le dos, et si j'ai envie d'un baiser, je reviens chez nous à Helsingör.

« Or, un jour que le capitaine faisait du commerce à Trankebar, la chance voulut qu'il aidât un vieux roi à fuir les traîtres de son propre pays. Quand le roi et le capitaine se séparèrent, le roi donna deux grosses pierres bleues au capitaine qui les fit placer dans les orbites de la figure de proue.

En rentrant chez lui, il raconta son aventure à sa femme, et il lui dit.

— Maintenant, elle a même tes yeux bleus.

— Tu aurais mieux fait de me donner ces pierres pour en faire des boucles d'oreilles ! déclara la femme.

— Non ! dit-il, c'est ce que je ne puis pas faire, et tu ne me le demanderais pas, si tu me comprenais.

« Cependant la femme ne cessait de se tourmenter au sujet des pierres bleues, et un jour que son mari assistait à une réunion de la corporation des capitaines

de vaisseaux, elle fit venir un vitrier de la ville, pour
ôter les pierres précieuses, et mettre à leur place deux
morceaux de verre bleu dans le visage de la figure de
proue. Le capitaine ne s'en aperçut pas et fit voile pour
le Portugal sans se douter de rien.

« Au bout d'un certain temps, la femme du capitaine s'aperçut que sa vue baissait et qu'elle n'y voyait
plus assez pour enfiler une aiguille. Elle alla chez une
guérisseuse, qui lui donna une pommade et des lotions,
mais elles ne servirent à rien, et la vieille femme finit
par hocher la tête et dire à sa cliente qu'elle souffrait
d'une maladie rare et incurable, et qu'elle allait
devenir aveugle.

« Mon Dieu ! s'écria la femme, que le bateau n'est-il
de retour à Helsingör ! Je pourrais faire ôter les
morceaux de verre et remettre en place les pierres
précieuses ! Car n'a-t-il pas dit que ces pierres étaient
mes ravissants yeux !

« Mais le bateau ne revint pas.

« Et la femme du capitaine, au lieu de voir revenir
son mari, reçut une lettre du consul du Portugal disant
que le bateau avait fait naufrage, et avait coulé avec
tout l'équipage.

« C'est une chose bien étrange, écrivait le consul,
qu'en plein jour, il ait filé droit vers un gros rocher, qui
se dressait au-dessus des flots. »

Tandis que Peter faisait son récit, il descendit avec
Rosa dans la forêt sur le versant d'une colline, et
durant cette descente, Rosa sentit un frôlement léger
contre son genou. Elle enfonça sa main dans sa poche,
et toucha le mouchoir contenant l'argent qu'elle avait
oublié de remettre à Éline. Elle palpa le contenu du

mouchoir : il devait s'élever à trente deniers. Ce nombre parut familier à la jeune fille : trente deniers ! Le prix d'une vie ! « Moi aussi, j'ai vendu une vie, pensa-t-elle ; j'ai fait ce qu'a fait autrefois Judas Iscariote ! »

Cette pensée avait peut-être été présente à son esprit depuis l'instant où elle avait regardé Peter dans la cuisine ; mais tandis qu'elle l'exprimait par des paroles, elle la frappa avec une telle violence qu'elle crut qu'elle allait tomber, et glisser la tête la première au bas de la colline. Elle vacillait, et Peter s'arrêta dans son histoire et lui dit de se retenir à lui. Elle entendit ses paroles, mais fut incapable de lui répondre et un profond silence tomba entre eux. Tout en continuant à marcher péniblement sur les talons de Peter, Rosa ne percevait plus ni le bruit de leurs propres pas, ni les murmures de la forêt ; elle avançait comme si elle avait été sourde.

« Voici, se dit-elle, qu'est venu le moment, que j'ai redouté, et attendu pendant toute ma vie ! Voici enfin l'horrible événement qui va me tuer ! »

Elle ne jugeait pas précisément que la catastrophe, ou le désastre, étaient dus à sa propre faute ; il n'était pas dans sa nature de comprendre les choses de cette manière, et, en toute circonstance grave, elle était prête à rejeter la responsabilité sur autrui ; mais elle acceptait sans protester la calamité.

Le destin avait prononcé son arrêt de mort.

Le nom de Judas continuait à retentir à son oreille. Oui, Judas était son égal, le seul être humain auquel elle pouvait recourir dans son besoin de conseil et de sympathie ; il lui indiquerait la voie à suivre. Cette idée s'imposa à elle avec une telle force qu'une minute plus tard elle regarda autour d'elle pour trouver un arbre où se pendre, comme Judas.

Précisément Rosa et Peter traversaient une clairière dans la forêt ; seuls quelques grands hêtres s'élevaient aux alentours, et pendant qu'elle les contemplait, un busard, le premier qu'elle eût aperçu de l'année, se détacha d'une haute branche, et d'un vol majestueux, s'enfonça dans le bois ; un reflet d'argent brillait sur ses larges ailes. Rosa pensait : « Judas a embrassé le Christ pendant qu'il le trahissait. Ils devaient être si bons amis qu'un baiser était chose naturelle entre eux. » Elle n'avait pas embrassé Peter, et désormais ils ne s'embrasseraient plus jamais ; c'était la seule différence qui existait entre elle et l'apôtre maudit.

Rosa ne voyait pas la forêt qui l'entourait, ni le ciel pâle au-dessus de sa tête. Elle se retrouvait dans le bureau de son père au moment où elle avait dénoncé Peter. Le pasteur lui avait parlé de sa jeunesse et lui avait raconté qu'à Copenhague il avait été l'assistant de l'aumônier de la prison. C'était là qu'il avait appris, disait le père, que la prison est un lieu de séjour excellent et sûr pour les êtres humains.

Lui-même avait souvent l'impression qu'il dormirait mieux dans la prison qu'en tout autre endroit.

Un certain nombre de malfaiteurs avaient essayé de s'échapper ; le pasteur avait eu pitié de leur courte vue, et avait compris que c'était pour leur bien qu'on les avait retrouvés et ramenés au cachot.

Puis, en soupirant, le père de Rosa avait pris l'argent et le lui avait remis. Il avait regardé sa fille

bien en face, lui disant : « Mais toi, Rosa, tu n'as pas
envie de te sauver ; tu resteras près de moi. »

Rosa avait fait, du regard, le tour de la pièce, et la
pièce paraissait répéter les paroles du père. C'était une
pièce pauvrement meublée, au sol de terre battue.
Rosa savait que les gens riaient en pensant que cette
chambre était le bureau d'un pasteur. Mais cette
chambre appartenait au monde de Rosa ; elle l'avait
toujours connue. Pourquoi donc, plutôt qu'elle-même,
un autre être l'abandonnerait-il ? Mais voici que
librement et pour toujours c'était elle qui s'y enfermait, qui s'enfermait dans la prison et dans la tombe.

Rosa se rappela la fenêtre ouverte de la nuit
précédente, après le départ de Peter, et l'ombre fraîche
autour de son oreiller. Elle avait aussi fermé cette
fenêtre ; elle avait fermé pour elle toutes les fenêtres du
monde. Jamais plus elle ne resterait debout à une
fenêtre ouverte, telle une figure de proue qui regarde
les flots, et ne laisserait Peter éprouver à sa vue cette
émotion spontanée et révélatrice.

Elle reprit lentement conscience de la réalité autour
d'elle ; revit la forêt brune et mouillée, les lacets de la
route et la personne de Peter, tête nue, le cou
emmitouflé dans un vieux cache-nez. Elle lui en
voulait un peu car c'était par lui que lui était venue sa
détresse ; sans lui, elle se promènerait encore belle,
joyeuse et fière, dans la forêt. Pourtant, elle ne pouvait
plus penser qu'à lui, rien qu'à lui.

Il avançait d'un pas léger, ce garçon robuste et bien
planté, la tête remplie de rêves. Elle sentait qu'elle
était liée à lui comme par une corde qui la tirait à sa

suite. Elle avait l'impression d'être une vieille femme, courbée et décrépite, plus âgée que lui au point de se désoler, de pleurer à cause de sa jeunesse et de son innocente simplicité.

De nouveau, ils atteignirent le sommet d'une colline, d'où la vue s'étendait sur la partie la plus basse de la forêt, forêt bleue voilée par le brouillard printanier.

Peter s'arrêta et garda le silence pendant une minute, et dit :

— Te rappelles-tu, Rosa, que, lorsque nous étions petits, nous venions ici cueillir des framboises ? Dans bien des années, quand nous serons de vieilles gens, nous reviendrons dans ces bois. Peut-être que tout aura changé ; on aura abattu la forêt et nous ne retrouverons pas l'endroit. Alors, nous évoquerons ensemble cette journée d'aujourd'hui.

Une fois encore, Peter cédait à la mélancolie mystique de l'adolescence, qui s'emparait de lui au moment du plein épanouissement de sa vitalité, et mêlait le passé et l'avenir, avec une sage gravité, qui devait disparaître presque aussitôt.

Il voyait le temps sous une forme abstraite. Rosa l'écoutait mais sans le comprendre : elle avait détruit le passé, et elle reculait avec horreur devant l'avenir. Tout ce qu'elle possédait en ce monde, se disait-elle, se réduisait à cette heure unique, pendant laquelle ils s'en allaient vers la mer.

Un peu plus tard, ils arrivèrent sur une courte pente couverte de pins ; au bas de ce bord escarpé s'étendait le Sund. Quelle vue merveilleuse ! Tout près du rivage, la glace formait encore une surface plane et solide, mais, déjà, à une courte distance, c'était la débâcle :

gros glaçons et plaques de glace chancelaient, vacil-
laient, se balançaient doucement, tournaient avec
lenteur sur eux-mêmes grâce au courant au-dessous
d'eux. Et, au-delà de leur ligne blanche et brisée,
c'était la mer libre, bleu pâle, presque aussi transparente que l'air. Élément majestueux, puissant ; encore
un peu somnolent après son long sommeil hivernal,
mais déjà libre de se mouvoir selon les désirs de son
cœur, et embrassant toute la terre dans un élan de
convoitise passionnée.

C'est à peine si un léger souffle de vent se faisait
sentir, mais un faible bruissement, comparable à un
joyeux bavardage à voix basse, montait dans l'air. Les
plaques de glace se heurtaient l'une contre l'autre,
pressées de se mouvoir librement.

Peter n'avait pas touché Rosa depuis qu'au lit il
avait joué avec ses cheveux ; maintenant il saisit sa
main et, au contact chaud de la paume brûlante du
jeune garçon, Rosa sentit instantanément affluer en
elle un fleuve d'énergie et de joie.

Puis, tout à coup, Peter dégringola le long du bord et
courut sur la glace, et Rosa courut derrière lui.

Si Rosa avait eu dix ou vingt ans de plus, elle serait
morte sans doute, ou serait devenue folle de chagrin en
cet instant. Mais elle était si jeune que la vigueur de
son désespoir la soutenait. N'ayant plus que cette seule
heure à vivre, il fallait bien qu'elle l'emplît de joies,
d'expérience, de douleur, au maximum de ses capacités : elle bondit sur la glace d'une aussi vive allure que
Peter.

La nature entière ruisselait d'eau, ce qui ravissait
Rosa plus que tout. Depuis quelque temps, la séche-

resse régnait, dure et impitoyable; rien ne cédait au toucher; rien ne répondait plus au cri du cœur. Mais ici, tout s'écoulait, tout ondoyait; le monde n'était plus que fluidité. Près du rivage, des glaces flottantes toutes blanches se brisèrent sous les pieds de Rosa, et elle pataugeait dans les flaques d'eau claire. Bientôt ses chaussures furent trempées, et en courant elle fit gicler des gouttes d'eau sur sa robe. Un léger vertige s'empara d'elle : dans une minute ou deux, elle et Peter n'allaient-ils pas fondre et se dissoudre dans les flots salés d'une suavité inconnue. Pourquoi, se demandait Rosa, Peter ne se serait-il pas contenté de faire des voyages pareils? Alors nous aurions pu être heureux.

Plus ils avançaient, plus souvent ils étaient obligés d'enjamber de grandes crevasses dans la glace verte, et brillante comme du verre. L'épaisseur de ces glaçons était grande encore, mais, à un certain moment, Rosa crut sentir le sol bouger légèrement sous ses pieds et elle eut l'impression que quelque chose ou quelqu'un, un tiers, s'était joint à leur entreprise aventureuse sur la mer, mais elle n'en dit rien à Peter.

Et ils continuèrent à courir et à sauter, restant toujours à côté l'un de l'autre. Tout à coup Rosa s'écria : « Nous voici dans le port d'Helsingör ! »

Le souffle de la mer frappait leurs visages échauffés; un courant venu du Sud se faisait sentir en cette calme journée et les glaces flottantes dérivaient lentement vers le nord. Le vent tourne rarement de l'est ou de l'ouest, mais il souffle pendant longtemps de l'est, amenant la pluie et le mauvais temps, puis il change et passe au sud-est, et au sud, pour finir à l'ouest, et

balayer le ciel. Parfois le calme succède à la tempête, et
le vent s'apaise. Alors, le Sund se couvre de voiles
blanches venues de contrées lointaines. On dirait du
duvet de cygne qui s'amasse sur le bord d'un étang.

Peter et Rosa se rappelaient les bateaux qu'ils
voyaient s'assembler ainsi pendant l'été.

Aujourd'hui des morillons nageaient sur les eaux
claires ; leur couleur se confondait avec celle des flots
au point qu'on ne les apercevait que grâce à leurs ailes
et leurs cous noirs, petites taches irrégulières et
changeantes sur le miroir d'eau.

— Oui ! répondit Peter ; nous sommes arrivés au
port d'Helsingör ; et, pointant son index au loin, il
ajouta : Voilà *L'Espérance !* Elle est à l'ancre, mais elle
est prête à prendre la mer !

L'Espérance était un grand amas de glace de cinquante pieds de long, séparé de la glace flottante, où se
trouvaient Peter et Rosa, par une longue crevasse.

— Faut-il que je monte à bord tout de suite, Rosa ?

Rosa croisa ses bras sur sa poitrine :

— Oui ! Montons à bord tout de suite ! dit-elle.
Nous serons dans la mer du Nord et près de l'Angleterre avant que personne ne s'en doute ; et un jour,
nous doublerons le cap Horn !

Peter s'écria :

— Vas-tu monter à bord avec moi ?

— Oui, dit Rosa.

— Oh ! Rosa ! murmura Peter après un silence.

Ils se dirigèrent vers *L'Espérance,* et Peter prit, et
retint la main de Rosa. La course les avait fatigués tous
les deux, et ils se réjouissaient de se reposer sur le pont
du navire. Peter, la tête levée, regardait droit devant

lui ; mais Rosa se retourna au bout d'un moment pour
voir l'aspect que prenait, à distance, la côte de
Seeland, où elle était née, et elle constata que la
crevasse entre elle et la banquise du Sund, s'était
élargie. Un courant d'eau claire, large de six pieds,
remplaçait le chemin qu'elle venait de faire avec
Peter : *L'Espérance* était réellement au large !

Le spectacle qu'elle découvrait terrifia Rosa ; elle
aurait voulu crier, fuir... mais elle ne cria pas ; elle
resta immobile ; sa main ne trembla même pas dans
celle de Peter, car, presque aussitôt, un grand calme
s'empara d'elle. Le destin qu'elle craignait depuis
toujours, et auquel elle ne pouvait plus échapper, elle
en avait la certitude aujourd'hui : c'était la mort, rien
que la mort !

Pendant quelques instants, elle fut seule consciente
du danger mais elle n'y pensa pas beaucoup ; elle resta
immobile et grave, acceptant son sort. Ils allaient
mourir, elle et Peter. Peter ne saurait jamais qu'elle
l'avait trahi. Peu importait dorénavant ce qu'elle
avait fait ; elle aurait même pu l'avouer à Peter. Une
fois encore, elle était Rosa : un don accordé au monde
entier et en particulier à Peter.

En ce moment où elle consacrait toutes les forces de
son être pour accueillir la mort, Rosa ne se désolait pas
pour sa propre personne ; mais elle était affligée pour le
reste du monde, qui allait perdre Rosa, et avec elle tant
de beauté et de grâce bienfaisante.

Peter perçut le léger balancement de la glace
flottante ; il se retourna et s'aperçut qu'elle allait à la
dérive. Il eut quelques battements de cœur, et sa main,
lâchant le poignet de Rosa, remonta jusqu'au coude de

la jeune fille. D'un bond, il entraîna celle-ci avec lui
sur le bord de la banquise. Seul, il pourrait sauter de
l'autre côté de la crevasse, mais Rosa n'en était pas
capable ; il recula donc un peu avec elle. De tous côtés,
il ne voyait plus que de l'eau libre. Les gens, qu'ils
avaient aperçus sur la glace, avaient disparu. Rosa et
Peter étaient seuls entre la mer et le ciel.

Désemparé, et affolé par la terreur, le garçon saisit
ses cheveux d'une main, et de l'autre, il tenait toujours
le coude de Rosa :

— Dire que c'est moi qui t'ai suppliée de m'accompagner ! gémit-il.

Un peu plus tard, il se tourna vers elle, et, pour la
première fois depuis qu'ils avaient quitté la maison, il
la regarda : son visage rond était calme. Sous ses longs
cils, ses yeux paraissaient en embuscade.

— Nous voguons droit vers Helsingör, dit-elle ; cela
vaut mieux que de rentrer d'abord à la maison, ne
crois-tu pas ?

Peter la considéra avec stupéfaction, et soudain le
sang lui monta aux joues comme une flamme. Le
danger ; la faute commise en emmenant Rosa jusqu'ici
perdirent toute importance en face de cette jeune fille
qui se révélait si admirable. En vérité, elle était, de la
tête aux pieds, pleine de grâce, telle que Dieu aurait
voulu qu'elle fût. Il continuait à la contempler ; sa
propre vie, ses rêves d'avenir, se présentèrent à son
esprit. Il se souvint aussi qu'il devait monter dans la
nuit dans la chambre de Rosa, et, à cette pensée, une
souffrance brusque et aiguë lui perça le cœur. Pourtant, ce qu'il éprouvait pour Rosa effaçait par sa
splendeur tout autre sentiment.

Jamais elle n'avait fait autre chose que ce que Dieu voulait qu'elle fasse. Quel bonheur pour lui de l'avoir rencontrée !

— Quand nous arriverons à Helsingör, où le Sund est étroit, dit Rosa, le capitaine de *L'Espérance* nous verra et viendra nous hisser à bord, n'est-ce pas ?

Le cœur de Peter brûlait d'adoration ; il sentait la brise légère dans ses cheveux ; l'odeur de la mer le grisait comme du vin ; le mouvement de l'eau, qui terrifiait Rosa, l'enchantait, lui. Comment aurait-il perdu tout espoir ? Comment n'aurait-il pas eu confiance en son étoile ? N'avait-il pas depuis longtemps, et peut-être tout au long de sa vie, été emporté d'un ravissement à l'autre ? Ce qui se passait en ce moment n'était-ce pas le miracle qui couronnait tout le reste ? Il n'avait jamais eu peur de mourir ; mais, à présent, il n'y avait pas de place en lui pour l'idée même de la mort. Jamais auparavant il n'avait senti aussi vivement la force de la vie.

Et en même temps, sur ce glaçon où le rêve et la réalité se confondaient, la distinction entre la vie et la mort paraissait également abolie. Peter devinait obscurément que cet état de choses correspondait au sens du mot d'immortalité. Il ne regarda plus ni en avant, ni en arrière : l'heure présente existait seule.

Lâchant le bras de Rosa, il regarda autour de lui, et s'en alla ramasser les cannes qu'ils avaient jetées, Rosa et lui, en approchant de *L'Espérance*. Puis, il creusa un trou dans la glace avec son couteau pour y enfoncer sa canne à lui ; il y attacha son vieux mouchoir rouge, qui allait lui servir de signal de détresse ; on le verrait de loin.

A la canne de Rosa, il fixa son couteau avec un bout de corde qu'il tira de sa poche ; il en ferait une gaffe. Si le courant les portait près du banc de glace, il pourrait peut-être s'y accrocher au moyen de cette gaffe.

Rosa le regardait faire.

Le drapeau rouge différenciait la banquise des autres glaces flottantes ; elle devenait un bateau, une maison, un refuge sur les flots pour Peter et Rosa. Il ne faisait pas froid. Le ciel déversait une lumière argentée.

Une pensée singulière traversa l'esprit de Peter : il souhaita d'avoir emporté sa flûte, et de jouer pour Rosa, car, jusqu'à présent, elle ne s'était jamais souciée de l'entendre.

Il sortit de sa poche une petite bouteille qu'il avait emportée en partant, et demanda à Rosa si elle voulait boire ? Cela lui ferait du bien ; et il en prendrait une goutte après elle. Rosa détestait l'odeur du rhum, et elle avait toujours été fâchée contre Peter parce qu'il en buvait. Aujourd'hui, après avoir un peu hésité, elle consentit à goûter l'alcool, et même d'en boire un peu au goulot, car ils n'avaient pas de verres.

Les quelques gouttes qu'elle absorba la firent tousser, et des larmes montèrent à ses yeux ; mais, pour faire plaisir à Peter, elle avala une seconde gorgée, qui la réchauffa toute. Peter but aussi à la bouteille et la déposa sur la glace. Quand Rosa reprit son souffle, elle dit :

— Au fond, le rhum n'est pas si mauvais que cela !

Peter enleva son manteau et son cache-nez pour en envelopper Rosa ; il croisa le cache-nez sur la poitrine de la jeune fille, qui le laissa faire sans un mot.

— Pourquoi as-tu relevé tes cheveux aujourd'hui ?
lui demanda-t-il.

Rosa se contenta de secouer la tête en guise de
réponse, trouvant trop long de lui exposer ses raisons.

— Laisse-les retomber, dit Peter ; le vent les fera
flotter.

— Mais ton cache-nez m'empêche de lever les bras !

— Me permets-tu de défaire ton chignon ?

— Certainement.

Les doigts de Peter, habitués à gréer une barque,
dénouèrent le ruban, qui retenait les cheveux, et Rosa
resta patiemment la tête un peu penchée tout contre
lui. La masse souple et brillante de la chevelure
couvrit, en tombant, les joues, la nuque et la poitrine
de la jeune fille, et, comme Peter l'avait prévu, le vent
fit voler les mèches, qui caressèrent doucement son
propre visage.

Au même moment et sans que rien ne l'eût fait
prévoir, la glace se brisa sous les pieds de Peter et de
Rosa, comme s'ils s'étaient trouvés au-dessus d'une
fente cachée, et que leurs poids combinés eussent fait
craquer la mince couche qui la recouvrait.

Le choc les jeta à genoux l'un contre l'autre ; en une
minute la glace s'enfonça à un pied en dessous de la
surface de l'eau.

Ils auraient pu être sauvés s'ils s'étaient séparés et
avaient lutté, chacun pour soi, des deux côtés de la
crevasse ; mais cette idée ne leur vint ni à l'un ni à
l'autre.

Se sentant perdre l'équilibre, et voyant l'eau glacée
autour de ses chevilles, Peter enlaça Rosa dans un élan
spontané et la serra contre lui. En cet instant suprême,

la sensation inconnue de perdre pied se confondit pour lui avec la douceur, inconnue aussi, de ce corps collé contre le sien.

Rosa appuya son visage au cou de Peter et ferma les yeux. Le courant était fort ; ils furent emportés dans les bras l'un de l'autre, en quelques instants.

Le champ de la douleur

La campagne vallonnée du Danemark était sereine et silencieuse, mais bien éveillée en cette heure matinale, qui précède le lever du soleil. Pas un nuage dans le ciel pâle ; pas une ombre sur les champs, les collines et les bois baignés dans la brume, couleur de perle, qui montait de tous les replis de terrain. L'air était frais, des gouttes de rosée mouillaient l'herbe et le feuillage. La nature, que ne troublaient ou n'inquiétaient ni le regard de l'homme, ni son activité, s'abandonnait au souffle éternel de la vie, que nul langage ne saurait décrire.

Pourtant une race humaine avait vécu sur cette terre pendant un million d'années ; elle avait été modelée par son sol, par son climat, marquée par ses pensées, de sorte que personne n'aurait su dire où cessait l'existence du pays, où commençait l'existence de l'homme. L'étroite ligne grisâtre de la route, qui serpentait à travers la plaine et sur le flanc des collines, exprimait sous une forme matérielle le désir humain d'un sort plus clément, et sa conviction que la douceur de vivre existait ailleurs.

Un enfant du pays aurait pu lire comme dans un

livre ouvert les secrets de ce paysage. La mosaïque irrégulière des prés verts et des champs de blé, jaunes d'or, racontait le dur effort des hommes luttant pour leur pain quotidien. Au cours des siècles, ils avaient appris la manière de labourer et de semer. Sur une colline éloignée, la croix des ailes immobiles d'un moulin à vent marquait une autre étape de l'histoire du pain.

Des toits de chaume, semblables à une longue et brune levée de terre là où les cabanes se pressaient les unes contre les autres, décrivaient la vie du paysan depuis le berceau jusqu'à la tombe. Le paysan qui, plus que toute autre créature, est près du sol et en dépend, prospère pendant une année fertile, mais est voué à la mort pendant les périodes de sécheresse ou d'épidémies.

Un peu plus haut, l'église couverte de tuiles rouges, le tracé horizontal du mur blanc du cimetière, et l'élan vertical des grands peupliers qui l'entourent, révèlent l'existence d'une région chrétienne. Un enfant du pays reconnaît dans cette église un édifice unique, habité seulement pendant quelques heures un jour sur sept, mais doué d'une voix forte et sonore pour annoncer les joies et les peines de la contrée. Elle est, pour lui, comme la personnification massive de la foi de la nation en la justice et la miséricorde du ciel.

Une vaste maison de maître s'élève au bout des majestueuses avenues de tilleuls, dont la silhouette pyramidale se dresse entre les coupoles feuillues des bois et des bosquets.

Ces élégantes figures géométriques profilées sur l'azur brumeux prennent un aspect symbolique aux yeux d'un enfant du pays ; elles parlent de puissance et de grandeur.

C'est ici que se décide le sort de la contrée environnante, des hommes et des bêtes qui la peuplent. Les paysans lèvent les yeux avec un respect mêlé de crainte vers les pyramides vertes des tilleuls défilant devant la place forte, témoins d'une époque de dignité, de décorum et de goût.

Le sol danois n'a pas produit de fleurs plus belles que cette demeure à l'extrémité de la longue avenue. Dans ses pièces spacieuses, la vie et la mort se présentaient avec une grâce imposante. La maison de campagne n'était pas dressée vers le ciel comme l'église, ni penchée vers la terre comme les chaumières ; son horizon était plus vaste, elle faisait partie des chefs-d'œuvre d'architecture répandus sur l'Europe entière. On avait appelé des artisans étrangers pour lambrisser les murs et les couvrir d'ornements en stuc. Ses habitants faisaient des voyages et en rapportaient des idées ; ils avaient fait connaissance avec les modes et les beautés nouvelles ; ils avaient acclimaté chez eux les peintures, les tapisseries, l'argenterie, les cristaux des pays lointains. A présent, la vie dans les maisons de campagne danoises comportait la possession de ces œuvres d'art.

La gentilhommière était aussi solidement enracinée dans le sol danois que les cabanes des paysans. Elle avait formé une fidèle alliance avec les vents qui soufflaient des quatre points cardinaux, avec le changement des saisons, la vie des bêtes, des arbres et des plantes. Mais les habitants de la vaste demeure, ombragée de tilleuls, ne s'intéressaient guère à ce qui préoccupait les paysans : les vaches, les chèvres, les cochons ; ils parlaient de chevaux et de chiens ou de la faune sauvage. Le gibier auquel les paysans montraient le poing, quand ils le voyaient venir dans le jeune seigle vert ou dans les blés mûrissants, représentait pour les châtelains le principal attrait de l'existence. Les signes du ciel proclamaient solennellement la continuité, l'immortalité temporelle de cette noble maison, où des générations nombreuses s'étaient succédé. Les familles qu'elle abritait vénéraient le passé, en même temps qu'elles se respectaient elles-mêmes, car l'histoire du Danemark était leur propre histoire.

De mémoire d'homme, un Rosenkrantz avait résidé à Rosenholm, un Juel à Hverrenge, un Skeel à Gammel Estrup. Ces gentilshommes avaient vu se succéder les rois et changer les modes, les styles, et ils avaient fait de l'existence de leur domaine leur propre existence, de sorte que leurs égaux, les paysans, les appelaient par le nom de leur terre : Rosenholm, Hverrenge, Gammel Estrup ; il importait peu au roi, à la famille, et au maître actuel de la gentilhommière lui-même, quel Rosenkrantz, Juel, ou Skeel, dans cette longue succession de pères et de fils, représentait à ce moment-là les champs, les bois, les paysans, le bétail, le gibier du domaine.

Le propriétaire des terres assumait plus d'un devoir : devoir envers Dieu ; devoir envers le roi, devoir envers ses gens, devoir envers le nom qu'il portait. Toutes ces obligations se fortifiaient les unes les autres et se résumaient en somme en un seul et unique devoir envers son patrimoine. Le devoir suprême consistait à maintenir la persistance sacrée de la race, et à produire un nouveau Rosenkrantz, un nouveau Juel, un nouveau Skeel à Rosenholm, Hverrenge et Gammel Estrup.

Dans les manoirs, on appréciait la grâce féminine. Avec la chasse et le bon vin, elle était la fleur et l'emblème de l'existence plus raffinée que l'on menait dans les nobles demeures, et, au fond du cœur, les vieilles familles s'enorgueillissaient plus de leurs filles que de leurs fils.

Les dames, qui se promenaient dans les allées de tilleuls, ou circulaient dans les lourds carrosses à quatre chevaux, portaient en elles l'avenir du nom, et telles que de vivantes et jeunes cariatides, elles soutenaient la maison de leurs bras.

Conscientes de leur valeur, elles se mouvaient dans une atmosphère d'hommages empressés, et de culte de leur propre personne. Il est possible qu'elles aient spontanément ajouté à leurs qualités une grâce humaine un peu malicieuse. Quelle n'était pas la liberté dont elles jouissaient, quel n'était pas leur pouvoir ? Certes, leurs maîtres gouvernaient le pays, et se permettaient bien des libertés ; pourtant, lorsqu'on en arrivait au principe vital et suprême de leur monde : la légitimité, c'étaient bien elles qui pesaient le plus lourd dans la balance.

Les tilleuls étaient en fleur ; mais, à cette heure matinale, on ne percevait qu'un léger parfum au jardin, message aérien, écho balsamique des rêves que l'on fait pendant les courtes nuits d'été. Un jeune homme longeait la longue avenue qui conduisait à la maison au bout du jardin, pour rejoindre un petit pavillon blanc, de style classique, d'où l'on jouissait

d'une vue très étendue. Les vêtements simples du
jeune homme comportaient pourtant du linge fin, et de
jolies dentelles ; il était tête nue ; un ruban rattachait
ses cheveux noirs. Vigoureux, et d'aspect résolu, le
promeneur avait de beaux yeux, et de belles mains. Il
boitait légèrement d'une jambe.

La grande maison au bout de l'avenue, le jardin et
les champs avaient été le paradis de son enfance. Mais
il avait voyagé et vécu loin du Danemark, à Rome et à
Paris où il était attaché à la légation danoise ; et aussi à
la cour du roi George d'Angleterre, le frère de la
malheureuse jeune reine danoise ; et il n'avait pas revu
sa demeure ancestrale depuis neuf ans.

Il ne pouvait s'empêcher de sourire en trouvant tous
ces lieux tellement plus exigus que dans ses souvenirs.
Mais en même temps, il était singulièrement ému en
les revoyant. Des morts s'avançaient vers lui et lui
souriaient. Un petit garçon, au col plissé, et portant un
cerceau et un cerf-volant, passa en courant dans
l'allée. Il lui jeta un vif regard, et lui demanda en
riant : « Veux-tu prétendre que tu es moi ? »

Il essaya de l'attraper au passage et de lui répondre : « Mais oui, je t'affirme que je suis toi. »

Mais l'autre s'enfuit légèrement sans attendre sa
réponse. Le jeune homme, qui s'appelait Adam, avait
des raisons particulières de s'intéresser au manoir et
aux terres. Pendant six mois, il avait été l'héritier de
tous ces biens, et, nominalement, il l'était encore à
cette heure. C'était cette circonstance qui l'avait
amené d'Angleterre jusqu'ici. Il y pensait en suivant
les avenues du parc.

Le vieux seigneur du manoir, l'oncle d'Adam, avait

eu bien des déboires dans sa vie familiale. Sa femme
était morte jeune, et deux de leurs enfants n'avaient
vécu que peu de temps. Le fils qui lui restait, camarade
de jeux d'Adam, était un garçon maladif et d'humeur
morose. Pendant dix ans, le père voyagea avec lui de
ville d'eaux en ville d'eaux, en Italie et en Allemagne,
n'ayant guère d'autre compagnie que celle de ce
garçon silencieux et presque moribond. Pourtant il
protégeait des deux mains la petite flamme vacillante
dans l'espoir qu'elle ne s'éteindrait pas avant qu'un
nouveau porteur du nom la fît briller de nouveau. A
cette même époque, un autre malheur avait frappé le
vieux gentilhomme : il tomba en disgrâce à la Cour, où
il avait occupé jusqu'alors une haute situation.

· Sur le point de relever le prestige de sa famille par le
riche mariage de son fils, il vit mourir le fiancé qui
n'avait pas encore atteint ses vingt-deux ans.

L'ambitieuse mère d'Adam lui apprit triomphale-
ment la mort de son cousin, et le changement survenu
dans sa propre fortune. Il ne sut que penser en
recevant sa lettre. Si l'héritage lui avait été accordé au
temps où, jeune garçon, il vivait au Danemark, c'eût
été pour lui le comble du bonheur. Il en serait ainsi
pour ses amis et ses camarades d'études danois s'ils
étaient à sa place ; ils le féliciteraient tous et ils
l'envieraient. Mais Adam n'était ni cupide, ni vaniteux ; il avait d'ailleurs confiance en ses capacités
personnelles, et s'était réjoui de constater que ses
succès ne dépendaient que d'elles. Sa légère infirmité
lui avait toujours valu une situation un peu à part de
celle des autres garçons. Peut-être avait-elle aiguisé sa
sensibilité à l'égard de bien des aspects de la vie. Par

exemple, il ne jugeait pas tout à fait légitime que le
chef de famille fût boiteux d'une jambe. Il ne voyait
même pas son avenir sous le même jour que les siens.

En Angleterre, il avait approché une richesse et une
splendeur dont sa famille n'avait pas la moindre idée.
Il avait été amoureux d'une Anglaise, qui avait
répondu à sa passion, et dont le rang et la fortune
étaient tels que le plus beau domaine du Danemark lui
eût paru un jouet d'enfant.

Il avait aussi appris en Angleterre à connaître les
grandes idées du siècle concernant la nature, le droit à
la liberté, la valeur de l'homme, la justice, la beauté.
L'univers avait pris pour lui des dimensions infiniment
plus vastes ; il ne désirait que l'élargir encore et
projetait un voyage en Amérique, dans le Nouveau
Monde. Au premier moment, il se sentit pris au piège,
comme si les morts qui portaient son nom, sortaient du
tombeau familial et tendaient vers lui leurs bras
parcheminés. Pourtant ce fut alors qu'il se mit à rêver,
la nuit, à la vieille maison et au jardin. Il se promenait
en songe dans les avenues de tilleuls, et respirait le
parfum des arbres en fleurs. Lorsque, à Ranelagh, une
vieille Bohémienne avait regardé sa main, et lui avait
prédit qu'un de ses fils résiderait dans le domaine de
ses pères, il avait éprouvé une satisfaction subite et
profonde, bien curieuse chez un jeune homme qui,
jusqu'alors, n'avait jamais pensé à ses fils.

Six mois plus tard, sa mère lui écrivit de nouveau.
Cette fois, la lettre lui annonçait que le vieil oncle avait
épousé lui-même la jeune fille destinée à son fils
défunt. Le chef de la famille était encore à la fleur de
l'âge ; il n'avait pas dépassé la soixantaine, et, bien

qu'Adam se souvînt de lui comme d'un homme petit et fluet, il restait vigoureux, et sa jeune épouse pourrait certainement lui donner des héritiers.

Dans son désappointement, la mère d'Adam rejetait sur lui toute la responsabilité de cette aventure. S'il était retourné au Danemark, comme elle l'en avait prié, son oncle l'aurait sans doute considéré comme son fils et ne se serait pas remarié ; bien au contraire, il lui aurait cédé la jeune fiancée.

Mais Adam était mieux informé sur le sujet que sa mère. La propriété familiale, à l'encontre des domaines voisins, s'était transmise de père en fils depuis que le premier propriétaire s'y était installé. La succession directe était une tradition jalousement gardée par le clan, et un dogme sacré pour l'oncle, dont un fils, issu de sa propre chair, comblerait tous les désirs. A la nouvelle du mariage de son oncle, le jeune homme fut saisi d'un remords cuisant : il lui semblait avoir trahi le vieux domaine du Danemark, et avoir pris à la légère l'offre généreuse d'un ami qui lui avait été fidèle, mais dont il avait payé la fidélité par une attitude déloyale. Ce ne serait que justice, se disait Adam, si dorénavant la propriété me reniait et m'oubliait. Le mal du pays, inconnu jusqu'ici, s'empara de lui, et pour la première fois, il se sentit étranger dans les parcs et les avenues de Londres.

Il écrivit à son oncle et lui demanda de bien vouloir le recevoir, et de lui permettre de séjourner chez lui. Il sollicita aussi un congé à la légation, et s'embarqua pour le Danemark. Dans sa pensée, il voulait se réconcilier avec le manoir, et, ayant peu dormi pendant la nuit, il s'était levé de bon matin. A présent, il longeait l'allée de tilleuls, et essayait d'expliquer son attitude au jardin, à la maison, aux champs et aux bois, pour se faire pardonner.

Cependant, le jardin s'apprêtait paisiblement et sans hâte à faire sa besogne journalière. Un gros escargot traînait dignement son sillage argenté le long de l'avenue, et Adam se rappelait que son grand-père en avait rapporté l'espèce de France, et qu'il en avait mangé ici dans son enfance. Quand Adam passa sous un vieil arbre, des oiseaux chantaient déjà dans ses branches ; quelques-uns d'entre eux harcelaient un hibou. Le règne de la nuit avait pris fin.

Adam voyait le ciel s'éclaircir au bout de l'allée : une clarté extatique d'une mystérieuse douceur emplissait le monde, annonçant le lever du soleil avant une demi-heure.

Le long du jardin s'étendait un champ de seigle ; deux chevreuils y avaient pénétré, leur pelage prenait une teinte rosée à la lueur de l'aube. Adam parcourut le champ du regard. Au temps où il était petit garçon, il y faisait trotter son poney, et c'était dans la forêt voisine qu'il avait tué son premier cerf. Il se rappelait les vieux serviteurs qui lui avaient appris à tirer ; il se rappelait jusqu'à leurs noms ; certains d'entre eux étaient aujourd'hui au cimetière.

Le promeneur se disait que les liens qui l'attachaient à ces lieux avaient un caractère mystérieux. Ils resteraient aussi forts même si Adam quittait de nouveau le domaine pour n'y jamais revenir, tant qu'un membre de sa race et portant son nom résiderait au manoir, chasserait dans la campagne et serait honoré par les habitants des cabanes. Adam, lui-même, aurait un foyer et serait en sécurité, sachant qu'il avait des racines dans cette terre, qui lui valait un certain poids dans le monde et parmi les hommes.

Ses yeux se posèrent sur l'église.

Autrefois, avant la venue de Martin Luther, les cadets des grandes familles étaient entrés dans les ordres de l'Église de Rome, et avaient abandonné leur fortune et leur prospérité matérielle pour servir un plus grand idéal. Eux aussi avaient fait honneur à leur demeure ancestrale, et leurs noms se trouvaient dans les registres familiaux des domaines.

En cette matinée solitaire, Adam laissa libre cours à ses pensées ; il lui semblait qu'il devait parler à la contrée comme à une personne, comme à la mère de sa race : « N'est-ce donc que ma personne que tu désires ? lui demanda-t-il. Rejettes-tu mon énergie, mon travail, mes rêves ? Si le monde pouvait reconnaître que la valeur et la vertu de notre nom n'appartient pas seulement au passé, n'en seras-tu pas satisfaite ? »

Un trop profond silence régnait dans la campagne pour que le jeune homme pût discerner si la terre lui répondait ou non. Il reprit sa promenade un peu plus tard, et parvint à la roseraie à la française, aménagée pour la jeune maîtresse du domaine. En Angleterre, il avait apprécié l'habitude de ne pas contraindre les plantes dans leur épanouissement, il aurait voulu délivrer les captives rougissantes, et leur permettre de prospérer librement au-delà des haies soigneusement taillées. « Peut-être, se disait-il, ce jardin élégant et conventionnel est-il un portrait floral de ma jeune tante, la dame de la cour, que je n'ai pas encore vue ? »

En arrivant, une fois de plus, au pavillon à l'extré-

mité de l'avenue, il s'arrêta, surpris, à la vue d'une
image dont les teintes délicates ne s'accordaient pas
avec un matin d'été au Danemark. Cette image était
celle de son oncle, poudré, en bas de soie, mais portant
encore sa robe de chambre de soie brochée. Il était
visiblement plongé dans une profonde méditation.
Adam se dit : « Qu'est-ce qui a bien pu pousser cet
amateur de la beauté, qui est depuis trois mois l'époux
d'une jeune femme de dix-sept ans, à se lever avant le
soleil, pour descendre au jardin ? »

Et le neveu alla rejoindre le petit homme si mince et
si droit. En l'apercevant, l'oncle ne manifesta aucune
surprise ; d'ailleurs rien jamais ne paraissait le surprendre. Il accueillit Adam par un compliment sur son
lever matinal, aussi aimablement qu'il l'avait accueilli
la veille au soir à son arrivée.

Un peu plus tard, il regarda le ciel et annonça avec
solennité :

— La journée sera chaude.

Dans son enfance, la façon cérémonieuse et imposante dont le vieux seigneur constatait les événements
les plus banals de l'existence avait toujours fait grande
impression sur Adam ; on aurait pu se croire en
présence du maître de cérémonie de Notre-Seigneur !
Tout, ici, était inchangé depuis toujours.

L'oncle offrit au neveu une pincée de tabac à priser.

— Non, merci, mon oncle ; le tabac oblitérerait mon
odorat, qui ne serait plus sensible au parfum de votre
jardin, dont la fraîcheur atteint celle du jardin d'Éden
nouvellement créé.

— Mais toi, mon cher Adam ! tu pourras manger

librement de tous les arbres de ce jardin ! dit l'oncle, en souriant.

Ensemble ils remontèrent lentement l'avenue. Le soleil, caché jusqu'alors, apparaissait au-dessus des arbres les plus grands. Adam parla de la beauté de la nature et de la grandeur des paysages nordiques, moins façonnés par la main de l'homme que ceux d'Italie. L'oncle prit cet éloge de la contrée pour un compliment personnel à son adresse et félicita Adam de n'avoir pas appris à mépriser sa patrie dans les pays étrangers, à l'instar de tant d'autres jeunes voyageurs.

— Non ! dit Adam, j'ai eu récemment en Angleterre la nostalgie des champs et des bois de mon pays danois. Et j'ai lu une nouvelle pièce danoise en vers qui m'a enchanté plus que toute œuvre anglaise ou française.

Et le jeune homme cita le nom de l'auteur, Johannes Ewald, et quelques vers puissants et tumultueux.

Encore tout ému par la citation qu'il venait de faire, il ajouta :

— Je me demande pourquoi nous n'avons pas compris jusqu'à présent combien notre mythologie nordique dépasse, par sa grandeur morale, celle de la Grèce et de Rome. N'eût été la beauté physique des anciens dieux, qui sont venus à nous sous la forme de statues de marbres, aucun esprit moderne ne les trouverait dignes d'être adorés, ni d'être l'objet d'un culte. Ils étaient médiocres, capricieux, perfides. Les dieux de nos ancêtres danois ont un caractère plus divin, de même que le Druide est plus noble que l'Augure. Car les dieux aux cheveux blonds d'Asgaard pratiquaient les plus sublimes vertus humaines ; ils

étaient justes, dignes de confiance, bienveillants et
même chevaleresques à une époque barbare.

Pour la première fois depuis leur rencontre, l'oncle
parut s'intéresser réellement à la conversation. Il
s'arrêta et releva un peu son nez majestueux :

— C'était plus facile pour eux, dit-il.

— Qu'entends-tu par là, mon oncle ? interrogea
Adam.

Le vieux seigneur répéta :

— C'était beaucoup plus facile pour les dieux
nordiques que pour ceux de la Grèce, d'être comme tu
le prétends, justes et bienveillants. Quant à moi, je
trouve que nos anciens Danois, en consentant à adorer
des divinités pareilles, ont fait preuve d'une sorte de
faiblesse d'esprit.

— Mon cher oncle, riposta Adam, qui souriait, j'ai
toujours estimé que les modes et usages de l'Olympe te
paraîtraient familiers. Mais, je t'en prie, dis-moi
pourquoi, à ton avis, la vertu est plus facile à nos dieux
danois qu'aux dieux de climats plus doux ?

— Parce qu'ils étaient moins puissants, répondit
l'oncle.

— Mais le pouvoir barre-t-il donc la route à la
vertu ?

— Non, répondit gravement le vieillard ; le pouvoir
est, en fait, la vertu suprême. Mais les dieux dont tu
parles ne furent jamais tout-puissants. Ils ne cessaient
d'avoir à côté d'eux ces forces obscures qu'on appelle
les « Géants », et qui étaient cause des souffrances, des
désastres, de la ruine de notre monde. Les dieux
pouvaient, sans danger, se consacrer à la tempérance
et à la bonté. Un dieu tout-puissant n'a pas cette

ressource ou cette facilité. Sa puissance l'oblige à se
charger de tout. Il est responsable de la destinée de
l'univers.

Ils avaient longé l'avenue jusqu'à l'endroit d'où l'on
apercevait le manoir. Le vieux seigneur s'arrêta et
parcourut du regard la maison et ses abords.

L'imposante construction n'avait pas changé, et
derrière les deux hautes fenêtres de la façade se
trouvait aujourd'hui la chambre de sa jeune tante.
Adam le savait. L'oncle fit demi-tour et reprit la
promenade en sens inverse, puis il dit :

— L'esprit chevaleresque, dont tu parlais, n'est pas
une vertu omnipotente ; il faut au chevalier des forces
rivales puissantes qu'il puisse défier. Quelle figure
ferait saint Georges en face d'un dragon dont la force
serait inférieure à la sienne ? Le chevalier, qui ne
trouve pas pour lui résister des forces supérieures, est
obligé de les inventer et de se battre contre des moulins
à vent. La qualité même de chevalier implique des
dangers tout autour de lui : la bassesse, les ténèbres.
Non ! crois-moi, mon cher neveu, en dépit de sa valeur
morale, ton Odin chevaleresque d'Asgaard doit prendre rang derrière ce Jupiter, qui avoue et accepte le
monde sur lequel il règne. Mais, tu es jeune, et
l'expérience des vieilles gens doit te sembler pédan-
tesque.

Il resta immobile pendant un moment, après quoi il
proclama avec solennité : « Le soleil est levé ! »

En effet, le soleil apparaissait au-dessus de l'horizon.
Le vaste paysage s'anima brusquement ; la splendeur
de la lumière fit briller l'herbe humide de mille feux.

— Je t'ai écouté avec un grand intérêt, mon oncle,

dit Adam ; mais tandis que tu parlais, tu avais l'air
préoccupé ; tes yeux se posaient constamment sur le
champ au-delà du jardin, comme si un événement de
grande importance, une question de vie ou de mort,
nous y attendait. Maintenant que le soleil est levé, je
vois les moissonneurs dans le seigle ; je les entends qui
aiguisent leurs faux. Je me souviens de t'avoir entendu
dire que c'est aujourd'hui le premier jour de la
moisson. C'est un grand jour pour un propriétaire
terrien, et qui suffit bien à l'empêcher de penser aux
dieux de la mythologie. Le temps est beau, Dieu
merci ! et je te souhaite une pleine grange.

Le vieillard ne bougeait pas ; il s'appuyait sur sa
canne.

— Tu as raison, dit-il enfin ; il se passe quelque
chose sur ce champ de seigle, et il s'agit d'une question
de vie ou de mort. Asseyons-nous ! et je te raconterai
toute l'histoire.

Ils s'assirent sur le banc devant le pavillon, et
pendant qu'il parlait, le vieux maître du domaine ne
quitta pas du regard le champ de blé.

— Il y a une semaine, dans la nuit de jeudi dernier,
dit-il, quelqu'un a mis le feu à ma grange de Rödmose-
gaard ; tu connais l'endroit, tout près du marais ; le
bâtiment a entièrement brûlé. Pendant deux ou trois
jours nous n'avons pu mettre la main sur le coupable.
Puis, lundi dernier, le gardien de Rödmose et le
charron du quartier sont arrivés au manoir, amenant
un gamin, Godske Pil, le fils d'une veuve ; ils jurèrent
sur la Bible qu'ils l'avaient vu à la tombée de la nuit
rôder autour de la grange. Godske n'avait pas une
bonne réputation à la ferme ; le gardien lui en voulait à

propos d'une histoire de braconnage ; et le charron ne l'aimait pas non plus, car il le soupçonnait, je crois, de courtiser sa jeune épouse.

« Quand j'ai interrogé le garçon, il protesta par serment de son innocence, mais il ne put maintenir sa position en face des deux hommes âgés qui l'accusaient. Je l'ai donc fait mettre sous les verrous, et j'avais l'intention de l'envoyer au juge du canton avec une lettre de moi.

« Le juge est un imbécile, et naturellement il ne ferait que ce que je voudrais. Il est capable d'envoyer ce garçon au bagne comme incendiaire, ou bien de le mettre chez les soldats, en insistant sur son mauvais esprit et son braconnage ; ou encore, s'il pensait agir selon mes désirs, de le relâcher, tout simplement.

« J'étais à cheval, pour voir si le seigle était bientôt mûr pour la moisson, quand on m'amena une veuve, la mère de Godske ; elle me suppliait de l'entendre. Tu te souviens probablement d'elle ; elle s'appelle Anne-Marie, et habite la petite maison à l'est du village. Elle non plus ne jouit pas d'une bonne réputation dans le pays ; on prétend qu'étant jeune fille elle attendait un enfant et s'est fait avorter.

« Après avoir pleuré pendant cinq jours, elle avait une voix si éraillée qu'il m'était difficile de la comprendre ; pourtant elle parvint à me dire que son fils avait été en effet à la ferme de Rõdmose le mercredi, mais sans mauvaise intention ; il était allé voir quelqu'un. Godske est le fils unique de cette femme ; elle appela Dieu à témoin de son innocence, se tordant les mains, et me conjurant de sauver son enfant.

« Nous nous trouvions dans le champ de seigle que

nous contemplions en ce moment, toi et moi ; et j'ai été
pris d'une idée subite : j'ai dit à la veuve : « Si, en un
jour, entre le lever et le coucher du soleil, tu es capable
de faucher ce champ, et que le travail soit bien fait,
j'abandonnerai la poursuite, et tu garderas ton fils.
Mais, si tu es incapable, il partira, et tu ne le reverras
sans doute jamais plus. »

« Anne-Marie considéra attentivement le champ de
seigle, puis elle embrassa mes bottes de cavalier, tant
elle m'était reconnaissante de lui accorder une pareille
faveur. »

Quand le vieux seigneur se tut, Adam lui demanda :
— Elle aimait beaucoup son fils ?
— C'est son unique enfant ; pour elle, il signifie le
pain quotidien et le soutien de sa vieillesse. On peut
affirmer qu'il lui est aussi cher que sa propre vie. De
même que, dans une sphère plus élevée, un fils
représente pour son père le nom et la race, et qu'il est
aussi précieux pour ce père que la vie éternelle. Oh
oui ! son fils est précieux pour elle, car il faut trois
hommes pour faucher en un jour ce champ de blé ; un
homme seul ne le fauchera qu'en trois jours.

« Aujourd'hui, Anne-Marie se mettra au travail au
lever du soleil ; tu vas la voir à l'extrémité du champ,
un fichu bleu sur la tête accompagnée de l'homme qui
la suit sur mon ordre, et qui certifiera qu'elle fait sa
besogne sans l'aide de personne ; deux ou trois de ses
amis sont aussi autorisés à la suivre pour l'encou-
rager. »

Adam parcourut le champ du regard, et vit en effet
une femme la tête couverte d'un fichu bleu, et quelques

autres personnes près d'elle. L'oncle et le neveu gardèrent le silence pendant quelques minutes.

— Crois-tu que ce garçon est innocent ? dit alors Adam.

— Je ne sais que penser, n'ayant pas de preuves. Les affirmations du gardien et du charron sont contraires à celles du garçon. Si vraiment je croyais ce qu'il me dit, ce serait pure affaire : ou de chance, ou de sympathie. Ce gamin a été le camarade de jeux de mon fils ; le seul qu'il ait jamais aimé, et avec lequel il se soit bien entendu.

— Crois-tu, reprit Adam, à la possibilité pour cette femme de remplir tes conditions ?

— Je ne saurais le dire ; ce serait impossible pour une personne ordinaire, mais aucune personne ordinaire n'aurait jamais accepté cette condition. Anne-Marie et moi, nous ne trichons pas avec la loi et la justice.

Pendant un moment, Adam observa les mouvements du petit groupe dans le champ de seigle, après quoi il dit :

— Veux-tu rentrer au manoir ?

— Oh non ! Je pense rester ici jusqu'à la fin de cette histoire.

— Jusqu'au coucher du soleil ? s'écria Adam, avec surprise.

— Oui, répondit le vieux seigneur.

— La journée sera longue.

— Oui, elle sera longue. Mais, dit-il, comme Adam se levait pour s'en aller, si vraiment tu as en poche la tragédie dont tu parlais, aie la bonté de la laisser ici pour me tenir compagnie.

Adam lui tendit le livre.

Dans l'allée, il rencontra deux domestiques, qui apportaient au pavillon le chocolat du matin à leur vieux maître. Le soleil montait dans le ciel, et il commençait à faire chaud. Le parfum était littéralement enivrant et l'air du jardin s'emplissait d'une exquise suavité. A l'heure calme de midi on percevrait, dans la longue avenue, un murmure bas et incessant, pareil au son lointain d'un orgue : le bourdonnement d'un million d'abeilles, qui pénétraient dans le calice mouvant des fleurs, ivres de miel et de joie. Pendant le bref été danois, il n'est pas de période plus riche et plus merveilleuse que la semaine de floraison exubérante des tilleuls. L'arôme divin vous monte à la tête, et vous emplit le cœur ; il identifie la campagne du Danemark avec les champs Élysées. L'odeur des foins se mélange au parfum du miel et de l'encens ; on vit moitié au pays des fées, moitié dans une armoire à pharmacie. L'avenue se transformait peu à peu en un mystérieux édifice, temple de dryade, couvert du sommet à la base d'une profusion d'ornements, et tout doré par le soleil. Mais derrière le mur du jardin, sous les voûtes de feuillages, on jouissait d'une fraîcheur et d'une obscurité bienfaisantes, comme dans un sanctuaire paradisiaque, situé au milieu d'un monde en feu, et le sol restait humide.

Dans la maison, et derrière les rideaux des deux fenêtres de la façade, la jeune maîtresse de céans quitta son vaste lit pour enfiler ses pantoufles à hauts talons. Sa chemise de nuit, garnie de dentelles, remontait au-dessus de ses genoux. Sur ses épaules, enroulés sur des épingles à friser, ses cheveux conservaient encore la poudre de la veille. Le jeune visage restait gonflé par le sommeil. La jeune femme s'avança jusqu'au milieu de la pièce, puis resta immobile ; elle paraissait très grave, et plongée dans de profondes réflexions, mais, en réalité, elle ne pensait à rien. Seules, des images sans ordre défilaient dans sa tête, et elle essayait de les classer dans le cadre habituel de son existence. Elle avait grandi à la cour, qui était son univers, et dans tout le pays on n'aurait pu trouver, sans doute, créature plus exquisement élevée, conformément aux habitudes d'un palais. Grâce à la faveur de la vieille reine douairière, elle portait son nom et celui de la sœur du roi, la reine de Suède : Sophie-Magdalena. C'était en tenant compte de ces distinctions que son mari, désireux de relever sa situation jusqu'au rang le plus haut, l'avait d'abord choisie comme épouse pour son fils, et ensuite pour lui-même. Le propre père de la jeune femme, qui avait une charge dans la maison royale, et appartenait à la nouvelle aristocratie de la cour, avait fait, en son temps, la même chose que le vieux seigneur. Il avait épousé une châtelaine de la campagne pour prendre pied dans la vieille noblesse du Danemark. La fille avait hérité du sang de sa mère. La campagne avait été pour elle une surprise immense et pleine de délices. Pour entrer au château, il lui fallait traverser la cour de ferme, et passer sous le monumental portail de pierre de la grange, où le roulement de sa voiture éveillait, pour quelques secondes, de retentissants échos. Elle passait devant les écuries et le chevalet de torture, d'où, parfois, un pauvre diable la suivait de ses yeux tristes. Une longue file d'oies s'envolait en criant à l'approche de l'équipage et l'énorme taureau, un anneau fixé à ses naseaux, grattait la terre dans sa fureur aveugle et menaçante.

Au début, cette arrivée lui avait fait l'effet d'une comédie risible; mais, après un temps, toutes ces créatures, tous ces bâtiments qui lui appartenaient, devinrent partie d'elle-même. Ses aïeules, les nobles dames de la campagne danoise, étaient des femmes robustes, que ne rebutaient ni les odeurs de l'étable, ni les cris des bêtes, et que n'effrayaient pas les rigueurs de la température, et voici que leur jeune descendante avait affronté la pluie en riant, comme un jeune arbre qui prospère sous l'averse. Elle avait pris possession de sa nouvelle demeure à l'époque où la terre entière faisait éclater ses bourgeons, où la vie s'épanouissait et se propageait. Des fleurs, qu'elle n'avait jamais vues que dans des bouquets et des guirlandes, jaillissaient du sol à ses pieds; des oiseaux chantaient dans toutes les branches; les agneaux nouveau-nés lui plaisaient plus que ses poupées de jadis. On lui amenait les poulains nés au haras, pour qu'elle leur donnât un nom. Elle les contemplait pendant qu'ils frottaient leur tendre museau contre le ventre de leur mère pour téter. Jusqu'alors, elle n'avait entendu parler que vaguement de cet acte singulier. Il lui arrivait aussi de voir, dans le parc, l'étalon se cabrer et crier près de la jument.

Toute cette luxuriance, cette vie sensuelle, cette fécondité, se révélaient à elle, rien que pour son plaisir.

Elle avait été pourvue d'un vieux mari, qui la traitait avec un respect pointilleux parce qu'elle était destinée à lui donner un fils. Dès le début de leurs relations, elle avait su que telle était la condition de leur mariage; et elle reconnaissait que son mari faisait de son mieux pour tenir ses propres engagements. Elle-même, étant d'une nature loyale, et sévèrement élevée, ne se déroberait pas à son devoir. Mais elle avait vaguement conscience d'un désaccord, ou d'une incompatibilité, dans son existence, qui l'empêchait d'être aussi heureuse qu'elle s'y attendait. Au bout d'un certain temps sa tristesse prit une forme étrange. Elle avait le sentiment d'une absence dans sa vie ; quelqu'un aurait dû être près d'elle, et n'y était pas.

La jeune femme n'avait aucune expérience dans le domaine de l'analyse psychologique ; à la cour, on n'avait pas le temps de s'y livrer. Maintenant qu'elle était bien plus souvent réduite à sa propre société, elle essayait de comprendre ses aspirations personnelles. Elle imagina à la place vide son père, ses sœurs, son maître de musique, qu'elle avait admiré ; mais personne ne comblait son attente. Parfois le poids qu'elle avait sur le cœur s'allégeait, et elle se croyait délivrée de cette curieuse détresse ; et puis, il arrivait de nouveau pendant une heure de solitude, ou même en présence de son mari, voire dans ses bras, que tout criait autour d'elle : Où es-tu, où es-tu ? Alors ses yeux effarés inspectaient la chambre, en quête de l'être qui aurait dû s'y trouver, mais n'était pas venu.

Six mois plus tôt, elle avait appris que son premier fiancé était mort, et qu'elle en épouserait le père, et elle n'en avait pas éprouvé un grand chagrin.

Lors de leur unique rencontre, son jeune prétendant lui avait paru infantile et ennuyeux. A présent, elle songeait parfois à ce garçon qui était mort, et se demandait si la vie eût été plus gaie avec lui ; mais elle se hâtait de chasser cette image, dernière apparition fugitive du défunt sur la scène de ce monde. Sur un des murs couverts de brocart de la chambre, on avait fixé un grand miroir ; la nouvelle mariée croyait y voir défiler des visages nouveaux. La veille, pendant une promenade en voiture avec son mari, elle avait aperçu à distance quelques jeunes filles du village en train de se baigner dans la rivière, en plein soleil. Pendant sa vie entière elle avait vécu parmi des statues de marbre, représentant des déesses, mais il ne lui était jamais arrivé de penser à la nudité de personnes de son entourage, sous leurs « adriennes », leurs robes à traîne, leurs gilets ou leurs culottes de satin. Jamais elle ne pensait qu'elle aussi était nue sous ses vêtements.

Ce jour-là, en face de son miroir, elle défit lentement les rubans de sa chemise de nuit, qui tomba par terre. La pièce était dans la pénombre, car les rideaux restaient baissés. Le miroir renvoyait l'image d'un corps argenté comme une rose blanche. Seuls étaient légèrement teintés de carmin les joues, les lèvres, les extrémités des doigts et les bouts de seins. La taille mince était due au corset baleiné, qui l'avait étroitement serrée dès son enfance. Au-dessus du genou, un léger rétrécissement marquait la place de la jarretière. A voir les membres ronds et fermes, on avait l'impression qu'en y enfonçant un couteau n'importe où, on obtiendrait une section transversale parfaitement circulaire. Les hanches et le ventre étaient lisses au point que le regard ne parvenait pas à s'y fixer.

Mais, à son avis, elle ne ressemblait pas tout à fait à une statue, et elle éleva les bras au-dessus de sa tête et se retourna pour voir son dos.

Au-dessous de la taille, on remarquait encore les faibles traces rouges dues au séjour au lit.

La jeune femme essaya de se rappeler quelques légendes concernant les dieux et les déesses, mais elles se perdaient pour elle dans un lointain passé et ses pensées la ramenèrent aux jeunes paysannes dans la rivière. Pendant quelques minutes, elle les idéalisa, en fit des compagnes de jeu, et même des sœurs. Ne lui appartenaient-elles pas comme lui appartenaient la prairie et la rivière bleutée ? L'instant d'après, lui revint le sentiment d'être perdue, une horreur du vide pareille à une souffrance physique. Quelqu'un aurait dû être près d'elle maintenant, son autre moi-même, semblable à l'image du miroir, mais plus proche, plus forte, plus vivante... et il n'y avait personne ! L'univers entier était vide autour d'elle.

Tout à coup, une démangeaison sous le genou interrompit sa rêverie et réveilla son instinct de chasseur. Elle mouilla un doigt du bout de sa langue et l'abaissa vivement jusqu'à l'endroit démangé ; un corps minuscule, collé contre la peau satinée, fut pris aussitôt entre le bout des doigts. La jeune femme resta immobile à le contempler comme absorbée par ce fait mystérieux : pourquoi une puce était-elle la seule créature qui risquait sa vie pour connaître la douceur de sa chair et de son sang ?

La femme de chambre ouvrit la porte et entra, chargée des vêtements de jour de sa maîtresse : linge de rechange, corset, cerceau à crinoline, jupons. La maîtresse de maison se rappela qu'elle avait un hôte : le neveu arrivé d'Angleterre.

Le vieux seigneur avait recommandé à sa femme

d'être aimable pour leur jeune parent, déshérité pour ainsi dire, puisqu'elle occupait sa place, et il lui avait conseillé de faire une promenade à cheval avec lui.

Dans l'après-midi, le ciel, si bleu le matin, se couvrit de nuages et la route azurée perdit toute couleur, comme si le soleil blanc de chaleur au zénith avait diffusé des vapeurs tout autour de lui. On entendait à l'ouest, vers l'horizon, de sourds grondements de tonnerre ; une ou deux fois la poussière des routes tourbillonna au-dessus du sol ; mais les champs, les bois, les collines étaient immobiles, pareils à un paysage peint.

Adam longeait l'avenue en direction du pavillon. Quand il rejoignit son oncle, celui-ci, tout habillé, tenait à deux mains sa canne et ne quittait pas le champ de seigle du regard. Le livre apporté par Adam était posé à côté de lui. De nombreuses personnes étaient réunies, par groupes, de-ci, de-là, et une longue file d'hommes et de femmes avançait lentement vers le jardin et la faucheuse, en longeant le marais.

L'oncle salua son neveu d'un signe de tête, mais il ne parla, ni ne changea de position. Adam resta près de lui, aussi silencieux et immobile que lui.

Cette journée avait été fort déprimante. Quand Adam s'était retrouvé dans le vieux domaine, les suaves mélodies du passé lointain avaient resurgi dans ses sens et son esprit, et s'étaient mêlées aux notes ensorcelantes du présent. Il était de retour au Danemark ! Mais, l'enfant devenu jeune homme avait acquis un sens plus aigu de la beauté. Certes, il n'ignorait pas les autres pays ; il avait plus d'un récit à faire à leur sujet, mais il restait le fils authentique de sa patrie, plus que jamais enchanté par son charme.

Et voici qu'une discordance troublait ces harmonieux accords ! L'histoire tragique et cruelle que le vieux seigneur lui avait contée dans la matinée, et le triste combat engagé si près de lui dans ce champ de seigle, bouleversait Adam. Il lui semblait percevoir, dominant tout autre bruit, le roulement monotone, sourd et menaçant d'un tambour annonciateur d'une catastrophe.

Le bruit se répétait d'instant en instant. Adam sentait qu'il changeait lui-même de couleur et ne répondait plus à sa jeune tante que d'un air absent, submergé par une pitié profonde pour tous les êtres vivants, plus profonde que celle qu'il avait jamais éprouvée.

Tandis que les promeneurs chevauchaient le long du champ où se déroulait le drame, Adam avait eu soin de maintenir son cheval entre ce champ et sa compagne, afin de l'empêcher de voir ce qui se passait, et de lui poser des questions. Et, en rentrant au manoir, il avait choisi, pour la même raison, le sentier de la forêt.

La vision du vieillard, telle qu'elle lui était apparue au lever du soleil, l'obséda toute la journée plus encore que la pensée de la femme peinant avec sa faucille. Il finit par s'interroger sur la part que ce personnage solitaire et résolu avait jouée dans sa propre vie. Du jour où son père était mort, l'oncle avait personnifié aux yeux du jeune garçon la loi, l'ordre, l'expérience de la vie, la bienveillante tutelle. Que faire ? se disait-il, si, après ces dix-huit ans, l'attachement filial changeait, et si l'aspect et la personnalité de son second

père devenaient l'horrible symbole de la tyrannie et de
l'oppression du monde ? Que faire si ces deux images
devaient s'opposer l'une à l'autre, telles des ennemies
mortelles ?

S'ajoutant à ces réflexions, une inquiétude sinistre
au sujet du sort même du vieux seigneur s'emparait
d'Adam.

Car, sans aucun doute, la déesse Némésis ne tarde-
rait pas à paraître. Cet homme avait régné sur le
monde qui l'entourait pendant plus de temps que
n'avait duré la vie d'Adam, et jamais il n'avait été
contredit par personne. Pendant ses pérégrinations en
Europe, en la seule compagnie d'un garçon malade de
sa propre race, il s'était accoutumé à rester à l'écart de
son entourage, et à se fermer à toute la vie extérieure,
aussi était-il devenu insensible aux idées et aux
sentiments des autres êtres humains, et incapable de
les comprendre. D'étranges pensées lui avaient alors
traversé l'esprit, et il s'était vu lui-même comme la
seule personne qui existât réellement, tandis que le
monde n'était qu'un jeu d'ombres vaines, dépourvues
de toute réalité.

Aujourd'hui, dans son autoritarisme sénile, il inter-
venait dans la vie d'êtres plus simples et plus faibles
que lui ; il utilisait à ses propres fins la vie d'une femme
sans craindre la justice rétributive. « Sait-il, se disait le
jeune homme, qu'il existe en ce monde des forces
différentes que la puissance éphémère d'un despote, et
plus formidables qu'elle ? »

L'appréhension d'une catastrophe imminente gran-
dissait chez Adam avec la chaleur orageuse de la
journée. Elle devint peu à peu certitude du désastre,

qui ne menaçait pas seulement le vieux seigneur, mais sa maison, son nom et Adam lui-même ; il lui semblait qu'il devait avertir cet homme qu'il avait aimé, avant qu'il ne fût trop tard.

Mais, en cet instant, où il se retrouvait près de son oncle, la paix du jardin vert le frappa si vivement que la voix lui manqua pour crier son angoisse.

Une petite mélodie française, que sa tante lui avait chantée au manoir, vint alors remplacer dans son esprit l'appel désespéré de sa conscience : « C'est un trop doux effort ! » Adam connaissait bien la musique ; il avait entendu cet air à Paris auparavant, mais par une voix moins suave.

Au bout d'un moment, il demanda :

— Cette femme remplira-t-elle les conditions du marché ?

Son oncle ouvrit les mains et dit :

— C'est extraordinaire, on dirait vraiment qu'elle les remplira. Si l'on compte les heures écoulées depuis le lever du soleil jusqu'à présent, tu jugeras que la moitié du temps accordé à Anne-Marie lui reste encore. Et, vois ! elle a fauché les trois quarts du champ ; mais nous allons devoir tenir compte de ses forces déclinantes au fur et à mesure de son travail. Au fond, il serait vain de notre part de parier pour l'issue de cette affaire ; il faut attendre et voir venir. Assieds-toi et tiens-moi compagnie pendant que j'attends.

Adam s'assit, partagé entre deux sentiments contraires.

— Voici ton livre, reprit l'oncle en ramassant le volume ; il m'a aidé, finalement, à passer le temps. C'est de la grande poésie, véritable ambroisie pour l'oreille et le cœur. S'ajoutant à notre entretien de ce matin sur la divinité, elle m'a donné matière à réfléchir, surtout au sujet de la JUSTICE RÉTRIBUTIVE.

Le vieux seigneur prit une pincée de tabac, et poursuivit :

— La nouvelle génération fait Dieu à sa propre image, un dieu humain. Et maintenant elle est déjà en train d'écrire une tragédie sur son dieu !

Adam n'avait nulle envie de se lancer dans une discussion sur la poésie avec son oncle, mais il avait peur du silence, lui aussi :

— En ce cas, il serait possible que la tragédie, dans notre monde tel que nous le voyons, nous paraisse une manifestation noble et divine.

— En effet, dit l'oncle d'un ton solennel, c'est un noble phénomène, le plus noble des phénomènes sur cette terre ; mais il n'est que terrestre, et jamais divin. La tragédie est le privilège de l'homme, son plus grand privilège. Le Dieu de l'Église chrétienne lui-même, quand il voulut faire l'expérience de la tragédie, dut revêtir la forme humaine.

Et le vieux seigneur ajouta pensivement :

— La tragédie n'est pas une valeur absolue comme c'eût été le cas si Dieu avait été réellement un homme. La divinité confère à son histoire une importance divine, l'importance d'une comédie. Le rôle tragique par la nature des choses est celui du bourreau, et non celui de la victime. Mon bon neveu, il nous faut nous garder de fausser les éléments purs de l'ordre du monde. La tragédie devrait rester la part des êtres humains, soumis par leur nature même, ou par les conditions de leur vie, à la loi de nécessité ; elle est pour eux salut et béatification. Les dieux, que nous ne devons pas croire liés à la nécessité, mais incapables de l'admettre, ne peuvent rien connaître de la tragédie. Quand ils se trouvent en face d'elle, ils ont le bon goût et la délicatesse, selon mon expérience personnelle, de rester tranquilles et de ne pas intervenir.

Après une pause, il reprit :

— L'art véritable des dieux est l'art comique. La comédie est une condescendance des dieux envers le monde des hommes ; c'est la vision sublime qui ne peut faire l'objet d'une étude, mais est toujours un don gratuit du ciel. Les dieux voient leur propre être se réfléchir dans la comédie comme dans un miroir, et, tandis que le poète tragique est lié par des lois strictes, ils accordent à l'artiste comique une liberté aussi illimitée que la leur. Ils ne soustraient même pas leur propre existence à ces jeux moqueurs, les sports. Jupiter est capable de combler de ses faveurs Lucianos de Samosate. Tant que les railleries conservent un authentique goût divin, le poète comique peut se moquer des dieux, et rester un dévot sincère. Mais en s'apitoyant, en larmoyant sur son dieu, on le renie, on l'obnubile, et c'est bien là le plus affreux des athéismes.

« Ici, sur la terre, nous qui tenons lieu de divinités et qui nous sommes émancipés de la tyrannie de la nécessité, nous devrions abandonner à nos vasseaux le monopole de la tragédie, et accepter avec grâce la comédie pour notre part.

« Seul un maître brutal se moquera des besoins de

ses serviteurs, ou en fera une farce. Seul un pédant, un
petit-maître, craindra le ridicule.

« En vérité, conclut le vieux seigneur après ce long
discours, la même fatalité, qui, frappant le bourgeois
ou le paysan, devient une tragédie, se hausse jusqu'à la
comédie chez le véritable aristocrate. L'aristocratie se
distingue par l'esprit et la bonne grâce, avec lesquels
elle accepte son sort. »

Adam ne put réprimer un léger sourire en entendant
prononcer l'éloge du comique par les lèvres de ce
prophète grave et pompeux ; et par ce sourire ironique,
il se séparait mentalement, pour la première fois, du
chef de sa famille.

Une ombre s'étendit sur les alentours ; le soleil
disparut derrière un nuage. Le paysage changea de
couleur, pâlit et se ternit. Les sons eux-mêmes, en
l'espace d'une minute, parurent sur le point de mourir.

— Et maintenant, dit le vieux seigneur, si la pluie se
met de la partie et mouille le seigle, Anne-Marie ne
pourra pas achever son travail en temps voulu. Mais
qui donc vient vers nous ? fit-il soudain, en tournant la
tête.

Précédé d'un laquais, un homme en bottes de
cavalier descendait le long de l'avenue, son chapeau à
la main. Il s'inclina profondément devant le vieux
seigneur, puis devant Adam.

— Tiens ! Mon bailli ! s'écria le maître. Bonsoir,
bailli ! Quelles nouvelles m'apportez-vous ?

Le bailli eut un geste de regret :

— Rien que de tristes nouvelles, Monseigneur, dit-
il.

— Expliquez-vous.

— Dans tout le pays, dit le bailli avec force, il n'est plus personne qui travaille ; pas une faux en train de couper les blés, sauf celle d'Anne-Marie dans le champ de seigle. La moisson est interrompue ; tout le monde entoure Anne-Marie. C'est un triste jour pour le début de la moisson.

— En effet ! dit le vieux seigneur.

Le bailli continua :

— Je leur ai parlé avec amitié, et je les ai engueulés ; mais rien n'a servi. On dirait qu'ils sont tous sourds.

— Mon brave bailli, dit le vieux seigneur, laissez-les tranquilles, laissez-les faire ce qu'ils veulent. De toute façon, il est possible que cette journée leur soit plus profitable que beaucoup d'autres. Où est Godske, le fils d'Anne-Marie ?

— Nous l'avons enfermé dans la petite pièce au-dessus de l'écurie, dit le bailli.

— Ce n'est pas ce qu'il faut faire ; laissez-le assister au travail de sa mère. Mais, qu'en pensez-vous ? Aura-t-elle fauché le champ en temps voulu ?

— Si vous me demandez mon avis, Monseigneur, je vous dirai que je le crois. Qui donc s'y serait attendu de la part de cette petite femme ? Et il fait si chaud aujourd'hui ! Je ne me souviens pas d'une journée aussi chaude. Vous, Monseigneur, vous n'auriez pas été capable de faire ce qu'a fait Anne-Marie depuis ce matin, ni moi non plus d'ailleurs.

— Certes, nous n'en aurions pas été capables, bailli !

Le bailli tira de sa poche un mouchoir rouge et s'essuya le front, ce qui parut apaiser un peu son irritation. Puis il reprit d'un ton amer :

— S'ils travaillaient tous comme le fait en ce
moment cette veuve, la terre nous rapporterait beaucoup plus.

— Oui, dit le vieux seigneur, et il parut absorbé par
le calcul du profit qu'il pourrait tirer de son domaine.

— Pourtant la question des profits et pertes est plus
compliquée qu'elle n'en a l'air. Je vais vous dire
quelque chose qu'il faut que vous sachiez : la plus
célèbre toile qui ait été tissée jamais a été défaite
chaque nuit. Mais, venez donc voir ! Anne-Marie est
presque au bout du champ. Allons jeter nous-mêmes
un coup d'œil sur son travail.

En disant ces mots, il se leva et mit son chapeau.

Le nuage s'était dissipé et les rayons du soleil
brûlaient à nouveau la vaste plaine. Quand le vieux
seigneur et son compagnon quittèrent l'ombre des
arbres, et s'avancèrent sur le terrain découvert, la
chaleur était si écrasante que leurs visages furent
inondés de sueur, tandis que leurs paupières se
fermaient sous l'effet d'une douleur cuisante. Sur
l'étroit sentier ils étaient forcés de marcher l'un
derrière l'autre, le seigneur en tête, tout vêtu de noir.
Le valet de pied, dans sa brillante livrée, fermait la
marche.

Le champ était en effet aussi peuplé qu'une place de
marché : une centaine d'hommes et de femmes pour le
moins se pressaient sur le terrain fauché. Ce spectacle
rappela à Adam certaines gravures de sa Bible : Esaü
et Jacob à Édom, ou les moissonneurs de Booz dans le
champ d'orge près de Bethléem. Une partie de la foule
restait sur les bords du champ ; d'autres formaient de
petits groupes autour de la femme qui fauchait ;

quelques personnes la suivaient de près, liant des gerbes derrière elle, comme si elles avaient pu lui venir en aide de cette manière, ou si, de toute façon, elles entendaient prendre part à son effort. Une femme plus jeune, portant un seau sur la tête, restait tout près d'elle ainsi qu'un petit nombre d'enfants. L'un d'eux aperçut le premier le vieux seigneur et sa suite et les désigna aux autres. Les lieurs de gerbes laissèrent tomber les épis, et quand le vieillard s'arrêta, les assistants l'entourèrent. La femme sur laquelle tous les regards avaient convergé jusqu'alors paraissait toute petite sur cette vaste scène. Elle avançait avec lenteur, et d'une façon irrégulière, pliée en deux, comme si elle eût marché sur les genoux, et trébuchant à chaque pas. Son fichu bleu avait glissé en arrière, et ses cheveux gris étaient collés à sa tête par la sueur et la poussière. Ils étaient couverts de paille. Elle était visiblement tout à fait inconsciente de la foule qui l'entourait ; elle ne tourna pas la tête une seule fois et ne regarda pas les nouveaux arrivants. Absorbée par sa besogne, elle ne cessait pas de tendre la main gauche pour prendre quelques épis, puis de les faucher au ras du sol avec sa main droite. Ses mouvements indécis et tâtonnants rappelaient ceux d'un nageur épuisé.

Elle arriva si près du vieux seigneur que son ombre se projeta sur elle. Au même instant, elle chancela et faillit tomber. La femme qui la suivait, la cruche posée sur la tête, l'abaissa jusqu'aux lèvres d'Anne-Marie qui but sans lâcher sa faucille, et l'eau coula des coins de sa bouche. Un garçon parmi ceux qui l'entouraient, plia vivement un genou, prit les deux mains d'Anne-

Marie dans les siennes, et, les soutenant et les guidant, coupa une poignée de seigle.

— Non, non ! dit le vieux seigneur, ne fais pas cela, mon garçon ! Il faut laisser Anne-Marie terminer son travail en paix.

En entendant sa voix, la femme leva sur son maître un regard hésitant. Son visage osseux et hâlé était couvert de sueur et de poussière, ses yeux voilés ; mais ils n'exprimaient en aucune façon ou la crainte, ou la peine. En vérité, parmi tous les visages graves et désolés qui l'entouraient, celui d'Anne-Marie était le seul qui fût empreint de calme, de paix et de douceur.

Ses lèvres serrées formaient une ligne étroite sur laquelle apparaissait un petit sourire joyeux, réservé et patient, tel qu'on en voit chez une vieille femme en train de filer au rouet, ou de tricoter, une femme qui aime son travail et en est heureuse. La femme plus jeune reprit sa cruche et Anne-Marie se remit à faucher avec une ardeur vive et tendre, comme une mère qui met son nourrisson au sein.

Elle repartit en avançant la tête. Son allure était celle d'un insecte qui s'affaire dans les hautes herbes, ou du petit voilier qui fonce en pleine mer ; mais son visage paisible ne se penchait plus que sur son travail.

Toute la foule dans le champ, et avec elle le groupe du pavillon imita Anne-Marie, avançant quand elle avançait, comme tirés par une corde à sa suite. Le bailli, auquel pesait le profond silence, dit :

— Le seigle rapportera plus que l'an dernier !

Mais sa remarque ne parut pas intéresser le maître. L'autre la répéta à Adam, et finit par s'adresser au valet de pied, qui, se jugeant au-dessus d'une discussion sur l'agriculture, se contenta, pour toute réponse, de se racler la gorge.

Après un moment, le bailli rompit à nouveau le silence :

— Voilà le garçon ! dit-il en tendant le pouce. On l'a amené.

Au même instant, Anne-Marie tomba, et son entourage immédiat la releva. Adam s'immobilisa brusquement sur le sentier, et se couvrit les yeux de la main. Son oncle, sans se retourner, lui demanda si la chaleur l'incommodait.

— Non, dit Adam, mais arrête-toi ! Je voudrais te parler.

L'oncle s'arrêta, sa main sur sa canne, et ses regards dirigés droit devant lui, comme s'il regrettait d'être retenu.

— Au nom de Dieu, cria le jeune homme en français, n'oblige pas cette femme à continuer !

Il y eut un court silence, puis l'oncle répondit également en français :

— Je ne l'oblige pas, mon ami ! Et je ne l'ai jamais obligée. Si, il y a trois jours dans ce même champ, elle avait rejeté ma proposition, que lui serait-il arrivé de fâcheux ? Rien, sauf que l'affaire de son fils aurait suivi son cours selon les lois du pays comme tout autre cas de ce genre ; et elle reste toujours libre de renoncer à son entreprise au moment qu'elle choisira.

— Oh oui ! cria Adam, et au prix de la vie de son enfant ! Ne vois-tu pas qu'elle est en train de mourir ? Tu ne sais pas ce que tu fais là, et quelles vont en être les conséquences pour toi.

Le vieux seigneur, qui était resté un instant perplexe

devant ces reproches inattendus, ne tarda pas à
retrouver son sang-froid et ses yeux clairs, bleu pâle,
considérèrent son neveu d'un air de dignité étonnée.
Son long visage cireux, encadré de deux boucles
symétriques, avait quelque ressemblance avec un vieux
mouton, ou un vieux bélier, plein de dignité et de
fierté. Il fit signe au bailli de ne pas s'arrêter, et le valet
de pied recula un peu aussi. L'oncle et le neveu
restèrent en quelque sorte seuls sur le sentier ; pendant
une minute ni l'un ni l'autre ne reprit l'entretien. Ce
fut l'oncle qui parla le premier :

— C'est à cet endroit-là, fit-il avec hauteur, que j'ai
donné ma parole à Anne-Marie.

Adam l'interrompit :

— Mon oncle, une vie est plus importante qu'une
parole ! Reprenez la vôtre, je vous en supplie ; vous
n'avez obéi qu'à un caprice, ou une lubie. Je vous en
conjure, faites-le pour vous encore plus que pour moi,
mais je vous serais reconnaissant tant que je vivrai si
vous exaucez ma prière.

— Tu dois avoir appris à l'école, repartit l'oncle,
qu'au commencement, il y avait « la parole ». Peut-
être la parole a-t-elle été prononcée par caprice,
l'Écriture ne nous dit rien à ce sujet ; mais la parole
reste toujours le principe même, fondamental, de notre
monde, sa loi de gravitation. Mon humble parole
personnelle a été le principe de cette terre que nous
foulons pendant toute une vie d'homme, et il en a été
de même avant moi de la parole de mon père.

— Tu te trompes ! fit impétueusement le neveu. La
parole est créatrice ; la parole émane de l'imagination,
de l'audace, de la passion. Oh ! Combien les forces

créatrices de vie sont plus précieuses que toute loi
restrictive ou de contrôle ! Tu veux que cette région
que nous contemplons soit fertile et féconde, alors,
n'en bannis point les éléments qui créent, et conservent la vie, et n'en fais pas un désert par la prédomi-
nance de la loi ! Si tu considères les êtres plus simples
que nous, mais qui sont plus proches de la nature, ces
gens qui n'analysent pas leurs sentiments, mais dont la
vie ne fait qu'un avec celle de la terre, ne t'inspirent-ils
pas de la tendresse, du respect et même de la
vénération ?

« Cette femme est prête à donner sa vie pour son fils.
Nous arrivera-t-il jamais, à toi ou à moi, qu'une femme
donne sa vie de bon gré pour nous ? Et si la chose se
produisait en effet, la prendrions-nous assez à la légère
pour ne pas renoncer, en retour, à nos idées précon-
çues.

— Tu es jeune, riposta le vieil oncle. Une génération nouvelle applaudira sans conteste à tes idées ;
mais moi, je suis à la vieille mode ; je t'ai cité des textes
vieux de mille ans. Peut-être ne nous comprenons-nous
pas tout à fait. Mais, si, à tes oreilles, mon orthodoxie
ne paraît pas désuète, rappelle-toi que dans cent ans
tes paroles et les miennes paraîtront désuètes à la
génération qui, à ce moment-là, discutera l'importance
de la parole et de la vie. Prends patience, mon neveu !
et permets-moi de t'expliquer mon attitude.

« Crois-moi ! Le bien public me tient autant à cœur
qu'à toi. Mais faut-il que ce souci du *bien commun*[1] ne
tienne compte que des gens qui sont avec nous

---

1. En français dans le texte.

aujourd'hui, et pas du tout de ceux qui nous ont
précédés, ou qui nous suivront ? En réfléchissant bien,
nous verrons que les générations passées constituent la
majorité.

Adam fit un geste d'impatience, et l'oncle, s'interrompant lui-même, ajouta :

— Bon ! Laissons-les se reposer comme elles le
méritent. Mais, tu avoueras que les générations futures
ne peuvent qu'être en majorité. Et quand nous parlons
du bien du plus grand nombre, il faut laisser le dernier
mot à ce plus grand nombre. On m'a raconté que le
Pharaon d'Égypte fit de cent mille de ses sujets ses
esclaves, et leur imposa de grandes souffrances pour la
construction de ses pyramides. Il aurait pu, au même
prix, distribuer du pain et du vin au peuple ; il aurait
pu le nourrir et le vêtir, et le peuple l'aurait béni.
Aujourd'hui, et bien qu'à l'époque tout se soit passé
comme on nous l'a appris, ces gens sont tous morts et
disparus. Depuis lors, des centaines de générations ont
levé les yeux avec orgueil et joie vers les pyramides des
Pharaons comme vers leurs propres biens. Une grande
œuvre, mon neveu, alors même qu'elle s'accomplit
dans les larmes, et même, hélas ! dans le sang, est une
source importante de joies, un trésor pour les générations à venir ; elle est, aux jours d'épreuve et de disette,
le pain du peuple.

« Cependant, poursuivit le vieillard, jamais tu ne
trouveras une compréhension telle de ces valeurs, et tu
ne peux raisonnablement pas espérer la trouver chez la
moyenne des gens, dont le pain quotidien est le
principal souci, et qui vivent au jour le jour tant au
point de vue mental que physique.

« Sois-en persuadé, mon neveu, c'est notre affaire, notre responsabilité à nous, qui avons reçu l'héritage du passé, et qui savons que notre nom, notre sang, continueront à vivre pendant les siècles à venir. Ces humbles paysans, dont la vie ne fait qu'un avec celle de la terre, et dont tu as parlé avec tant de fervente sympathie, à quoi leur servons-nous, s'ils ne peuvent se fier à nous pour veiller sur le « bien commun », non seulement d'aujourd'hui, mais de demain ?

« Tu vois bien, mon neveu, que si toi et moi avons quelque peine à voir les choses sous le même angle, entre mes gens et moi, il existe une compréhension réelle. Peut-être Anne-Marie penserait-elle que j'attache peu d'importance à son exploit, si maintenant, à la onzième heure, je l'annulais par une parole nouvelle. A sa place, c'est ce que je penserais.

« Oui, mon neveu, il est bien possible que, si je cédais à tes instances, ma décision ne serait plus d'aucune utilité en regard de la fidélité de cette femme, et que nous la verrions continuer à faucher, incapable de s'arrêter dans le champ de seigle, comme en est incapable la navette dans le tissu. Mais alors, Anne-Marie ne serait plus qu'un personnage choquant, horrible, d'un ridicule insupportable, comme une petite planète errante dans le ciel quand la loi de la gravitation est supprimée.

— Et si elle meurt à la tâche ! s'écria d'une voix vibrante Adam. Son sang retombera sur votre tête !

Le vieux seigneur ôta son chapeau et passa doucement une de ses mains sur sa tête poudrée :

— Sur ma tête ? fit-il. Je n'ai pas perdu la tête au cours de bien des tempêtes, et il ajouta fièrement : et

malgré le vent froid des hauteurs. Sous quelle forme
son sang tombera-t-il sur ma tête, mon neveu?

— Je ne saurais le dire! cria le jeune homme dans
son désespoir. Ce que j'ai dit est pour te mettre en
garde! Dieu seul sait ce qui arrivera.

— *Amen!* murmura le vieux seigneur, tandis que ses
lèvres esquissaient un léger sourire.

Adam poussa un profond soupir, et dit, en danois:

— Non! Je ne vous suivrai pas; le champ est à
vous; les choses se passeront comme vous l'avez
décidé. Mais, pour ma part, je ne puis plus rester ici.
Procurez-moi, je vous en prie, une voiture pour
m'emmener dès ce soir; je ne saurais passer une
nouvelle nuit sous votre toit, ce toit qui m'était cher
plus que tout autre, en ce monde.

Adam était oppressé par trop de sentiments contra-
dictoires pour qu'il lui fût possible de les exprimer par
des paroles. Le vieux seigneur, qui s'était déjà remis en
marche, s'arrêta et son laquais l'imita. Il se tut
d'abord pour laisser à Adam le temps de se ressaisir;
mais le jeune homme était bouleversé et incapable de
reprendre son sang-froid.

— Faut-il donc, demanda son oncle en danois, que
nous nous séparions ici, dans le champ de seigle? Je
t'ai aimé presque autant que mon propre fils; j'ai suivi
ta carrière en ce monde d'année en année, et j'ai été
fier de toi. J'ai été heureux quand tu m'as écrit que tu
revenais au manoir. Si aujourd'hui, tu veux t'en aller,
je te souhaite tout le bien possible.

Le vieillard passa sa canne d'une main dans l'autre,
et regarda son neveu en face, d'un air grave.

Adam ne rencontra pas ce regard. Il parcourut le

paysage des yeux. En cette tiède fin d'après-midi, les couleurs retrouvaient leur éclat comme une peinture placée dans un éclairage qui lui convient. Dans les prés, les petits tas de tourbe se détachaient tout noirs sur le gazon vert. Le matin de ce même jour, Adam avait joyeusement souri à toute cette nature, comme un enfant qui se jette en riant dans les bras de sa mère, et, dès ce soir, il était forcé de s'en arracher pour toujours, ne se sentant plus en harmonie avec elle.

Au moment de la séparation, la patrie lui était plus chère que jamais, tellement embellie et magnifiée par ce départ prochain, qu'elle lui apparut comme un pays de rêve, un paysage du paradis. Adam se demandait si ces lieux étaient bien ceux qu'il avait vus quelques heures plus tôt.

Mais si ! Devant lui s'étendait réellement le terrain de chasse du passé lointain, et là, toute proche, se trouvait la route qu'il avait suivie à cheval ce même jour.

— Dis-moi où tu as l'intention de te rendre, en partant d'ici, interrogea le vieux seigneur. J'ai fait moi-même de nombreux voyages en mon temps ; je sais ce que veut dire le mot : départ, et je connais le désir de l'évasion. Mais l'expérience m'a appris que ces mots n'ont en réalité de sens que par rapport aux lieux et aux êtres que l'on quitte. Quand tu auras quitté ma maison, bien qu'elle te voie t'éloigner avec tristesse, ton départ sera pour elle un événement fugitif dont on ne parlera plus. Mais pour celui qui s'en va, les choses sont différentes, et pas aussi simples. En quittant un endroit, il est en route vers un autre, par la loi même

de la vie. Dis-moi, au nom de notre vieille amitié, où tu
comptes aller. Est-ce en Angleterre ?

— Non, dit Adam.

Au tréfonds de son être, il sentait qu'il ne retournerait jamais en Angleterre, où il ne retrouverait pas
l'existence libre et aisée qu'il y avait menée. L'Angleterre était trop proche ; il lui fallait être séparé du
Danemark par des eaux plus profondes que la mer du
Nord.

— Non, dit-il, je n'irai pas en Angleterre, mais en
Amérique, dans le Nouveau Monde.

Il ferma les yeux, essayant de se représenter son
existence en Amérique, alors que les champs et les bois
de sa patrie se trouveraient au-delà des eaux grises de
l'océan Atlantique.

— En Amérique ? répéta l'oncle en fronçant les
sourcils. J'ai entendu parler de l'Amérique ; on y jouit
d'une grande liberté. Tu y trouveras une imposante
chute d'eau et des Peaux-Rouges. J'ai lu qu'on y tue
des dindons comme nous des perdrix. Si tel est ton
désir, mon neveu, va en Amérique, et sois heureux au
Nouveau Monde.

Après ces mots, il resta plongé dans ses pensées
comme si, déjà, il avait envoyé le jeune homme en
Amérique, et en avait fini avec lui.

Quand il reprit enfin la parole, ce fut sous la forme
du monologue de celui qui observe le va-et-vient des
événements tandis que lui-même ne bouge pas.

— Prends du service en Amérique ! Adresse-toi au
pouvoir, qui t'offrira des conditions plus faciles que
celles d'ici, afin que tu ne sois pas obligé d'acheter, au
prix de ta propre vie, la vie de ton fils.

Adam n'avait pas écouté les remarques de son oncle au sujet de l'Amérique, mais leur conclusion solennelle le frappa. Il leva les yeux et, pour la première fois de sa vie, il s'aperçut que la personne du vieux seigneur était un tout. Il s'aperçut combien son oncle était petit, bien plus petit que lui-même ; combien il était mince et pâle, et il le vit dans ses vêtements noirs. Pareil à un anachorète sur son propre domaine. Une pensée traversa l'esprit d'Adam : « Que c'est terrible d'être vieux ! »

L'horreur du tyran ; la crainte qu'il lui avait inspirée ; la sinistre appréhension qui l'avait hanté à son sujet et n'avait pas cessé de l'obséder pendant toute la journée, parurent se dissiper, et il eut pitié aussi de la frêle et sombre silhouette debout devant lui. Tout son être avait aspiré à l'harmonie. Maintenant que le pardon et la réconciliation s'avéraient possibles, il en éprouvait un vrai soulagement, et il se rappela Anne-Marie buvant l'eau que l'autre femme portait à ses lèvres. Il enleva son chapeau comme l'avait fait son oncle un peu plus tôt ; de sorte qu'à distance un observateur aurait pu croire que ces deux gentilshommes, vêtus de noir, se saluaient réciproquement avec respect. Puis il passa la main dans ses cheveux pour les écarter de son front.

Une fois de plus, la mélodie entendue dans la pièce donnant sur le jardin, s'imposa à lui :

> *Mourir pour ce qu'on aime*
> *Est un trop doux effort.*

Il se tut pendant un long moment, puis il cueillit quelques épis de seigle, et les égrena machinalement dans sa main.

Les voies de ce monde lui apparaissaient sous l'aspect de lignes entrelacées formant un dessin compliqué. Il n'était donné, ni à lui ni à aucun autre mortel, d'en ordonner le tracé, ou de le contrôler. La vie et la mort, le bonheur et le malheur, le passé et le présent, formaient un ensemble inextricable. Pour un initié, cet ensemble énigmatique était peut-être aussi facile à déchiffrer que notre écriture, qui, pour le sauvage, paraîtrait sans doute confuse et incompréhensible, alors qu'un écolier la lit sans peine. Et du contraste de tous ces éléments naît l'harmonie. Toutes les souffrances de la vie, le vieillard, que son neveu avait jugé si sévèrement, les avait éprouvées quand il avait regardé mourir son fils, et qu'il craignait la suppression de sa propre raison de vivre. Et Adam, comme lui, connaîtrait la douleur, les larmes, le remords, et, par ces épreuves mêmes, la plénitude de la vie.

Et maintenant, pour la femme qui peinait dans le champ de seigle, l'épreuve allait se transformer en triomphe ; car mourir pour ce qu'on aime est un effort trop doux pour être exprimé en paroles. En réfléchissant, Adam découvrait qu'il avait toujours cherché l'unité des choses, le lien secret de tous les phénomènes de l'existence. C'est bien pour cette unité qu'il avait lutté obscurément ; c'était une aspiration qui l'avait parfois laissé insensible aux jeux de ses camarades, et qui, en d'autres moments, par exemple quand il ramait sur le lac par les nuits de lune, le transportait de bonheur. Là où d'autres jeunes gens, dans leurs plaisirs ou leurs amours, cherchaient le contraste et la variété, il n'avait aspiré qu'à comprendre pleinement l'unité du monde.

Si les événements n'avaient pas changé, si son jeune cousin n'était pas mort, et que les circonstances qui avaient suivi son décès n'eussent pas provoqué le retour d'Adam au Danemark, cette aspiration à l'harmonie aurait peut-être décidé le jeune homme à faire une tentative pour la trouver dans les forêts vierges du Nouveau Monde, et peut-être aurait-il réussi. Mais, la connaissance de l'harmonie s'était révélée à lui aujourd'hui, aux lieux mêmes où il avait joué enfant. De même que le son ne fait qu'un avec la voix qui chante, que la route ne fait qu'un avec son but, que les amants ne font plus qu'un dans leur étreinte, l'homme s'identifie à sa destinée, qu'il aimera comme lui-même.

Adam laissa de nouveau errer ses regards jusqu'à l'horizon. Pour peu qu'il le désirât, il allait découvrir les causes de cette brusque conception de l'unité du monde. Le matin même, il avait évoqué avec insouciance, et pour son unique plaisir, les raisons de la certitude qu'il éprouvait d'appartenir à ce pays et à ce sol. Cette méditation avait été le début de tout, et depuis lors la certitude avait grandi, se révélant de plus en plus forte, et le transformant, lui, comme ses lectures lui avaient appris que la conversion religieuse transforme certains hommes.

Un jour, Adam l'étudierait de plus près, car la loi de cause à effet le fascinait ; mais il ne le ferait pas maintenant.

Enfin, il dit :

— Si tu le désires, je ne partirai pas ; je resterai ici.

Soudain, un roulement de tonnerre brisa le calme de l'après-midi ; l'écho s'en répercuta dans les collines, et le jeune homme en ressentit l'effet dans sa poitrine avec une telle violence qu'il aurait pu se croire saisi et secoué par une main humaine.

Le pays lui avait parlé.

Il se rappela qu'il lui avait posé une question douze heures plus tôt, moitié par jeu, moitié sans trop savoir pourquoi. Et maintenant, il obtenait une réponse : que lui dicterait-elle ? Adam l'ignorait, et il ne chercha pas à le savoir. Par sa promesse à son oncle, il s'était entièrement livré aux hautes et mystérieuses puissances du monde.

— Advienne que pourra ! se dit-il.

— Merci ! dit l'oncle, en faisant de la main un petit geste figé. Je suis heureux de ce que tu m'annonces. Il n'aurait pas fallu permettre à la différence de nos âges et de nos opinions de nous séparer. Dans notre famille, on est habitué à rester en paix et en confiance les uns avec les autres. Tu as soulagé mon cœur d'un grand poids.

Les paroles de son oncle renouvelèrent d'une manière fugitive l'inquiétude et la douleur que le neveu avait ressenties dans l'après-midi ; mais il refusa de s'y attarder, ne voulant pas que rien ne vienne troubler la félicité nouvelle et suave que lui valait sa résolution de rester au manoir.

— Je vais au champ de seigle, dit le vieux seigneur ; mais tu n'as pas besoin de m'accompagner ; je te dirai demain comment cette histoire s'est terminée.

— Non, je reviendrai au coucher du soleil pour assister moi-même à la fin.

Et pourtant il ne revint pas. Il resta conscient de l'évolution de la tragédie, et le profond chagrin, la compassion qui emplissaient son cœur tandis qu'il la suivait par la pensée, prêta à ses paroles, à ses regards, à ses mouvements, une gravité pathétique. Mais il éprouvait une sorte de certitude qu'en accompagnant au clavecin sa jeune tante chantant l'air d'*Alceste,* dans les salons du manoir, il était au centre des événements tout autant que dans le champ de seigle ; et tout aussi proche des êtres humains dont le sort se décidait là-bas.

Comme Anne-Marie, il se trouvait entre les mains du destin, et le destin, par des voies différentes, les amènerait tous deux au but voulu.

Adam devait se rappeler plus tard ses pensées ce soir-là.

Mais le vieux seigneur resta sur place. A l'approche du soir, il eut même une idée singulière : il ordonna à son valet de l'aider, dans le pavillon, à changer ses vêtements noirs pour des habits de cour, en satin broché. Il enjoignit au laquais de lui passer par-dessus la tête une chemise garnie de dentelle, et tendit ses jambes maigres pour qu'on lui enfile des bas de soie et des souliers à boucles. Dans ce costume d'apparat, il prit seul un frugal repas, mais l'accompagna d'une bouteille de vin du Rhin pour se fortifier. Il resta assis pendant quelques instants un peu affaissé dans son fauteuil. Puis, quand le soleil fut près de l'horizon, il se redressa et se dirigea vers le champ.

Les ombres allongeaient leur sombre azur sur les pentes orientales des collines ; du pied des arbres isolés dans les blés partaient d'étroites coulées bleues ; et le

vieillard, qui avançait vers le champ, projetait derrière
lui, sur le sentier, une ombre de plus en plus longue. Il
ralentit le pas une seule fois croyant entendre une
alouette au-dessus de sa tête chanter son chant printanier. Le cerveau fatigué du vieillard ne faisait plus
nettement la distinction entre les saisons, et, qu'il
s'arrêtât ou qu'il marchât, il semblait planer dans une
sorte d'éternité.

Dans le champ de seigle, la foule ne gardait plus le
silence comme au cours de l'après-midi. Plusieurs
personnes échangeaient des propos animés à haute
voix, et un peu à l'écart, une femme pleurait.

En apercevant son maître, le bailli vint vers lui pour
lui parler ; il était fort digne. La veuve, dit-il, selon
toute vraisemblance allait avoir fini dans un quart
d'heure de faucher le champ.

— Le gardien et le charron sont-il ici ? lui demanda
le vieux seigneur.

— Ils sont venus, et sont repartis, répondit le bailli.
Chaque fois ils ont déclaré qu'ils ne reviendraient pas ;
mais ils sont revenus malgré tout, et ils sont ici en ce
moment.

— Et où est le garçon ? interrogea encore le vieux
seigneur.

— Il est avec sa mère, dit le bailli. Je lui ai permis
de la suivre ; il est resté tout près d'elle pendant
l'après-midi entière, et vous allez le voir là-bas, à côté
d'Anne-Marie.

Anne-Marie s'avançait vers les deux hommes d'un
pas plus régulier que précédemment, mais avec une
extrême lenteur, comme si elle allait s'arrêter à tout
instant.

Aux yeux du vieux seigneur, ce ralentissement de son allure, s'il eût été voulu, aurait été la manifestation inimitable et imposante d'un art parfait.

On pourrait s'imaginer l'empereur de Chine s'avançant de cette manière dans une procession rituelle. Le vieillard abrita ses yeux de la main, car le soleil s'abaissait derrière l'horizon, et ses derniers rayons faisaient papilloter la lumière, éblouissant le vieux seigneur. Les feux du couchant exaltaient la splendeur de la terre et du ciel. Tout le paysage n'était plus que du métal en fusion. Les prairies et les talus herbeux devinrent de l'or pur ; le champ d'orge voisin, avec ses longs épis, se transforma en un lac d'argent étincelant.

Il ne restait plus qu'un petit espace couvert d'épis dans le champ de seigle, quand la femme, effrayée par le changement de la lumière, tourna un peu la tête pour jeter un regard du côté du soleil. Ce faisant, elle n'arrêtait pas de travailler, mais elle s'emparait d'une poignée d'épis et la coupait, puis d'une autre, d'une autre encore.

Alors, un long murmure se fit entendre : était-ce la foule qui soupirait ? d'un bout à l'autre du champ ce n'était plus que mouvement, agitation. Seule, la femme qui fauchait ne s'aperçut pas de l'émotion générale ; elle tendit encore la main, et quand elle ne rencontra que le vide, Anne-Marie parut surprise et désappointée. Puis ses bras retombèrent et elle s'écroula sur le sol.

Plusieurs femmes éclatèrent en sanglots, et la foule se serra près de la gisante, ne laissant qu'un faible espace du côté où se trouvait le maître. L'approche soudaine de l'assistance effara Anne-Marie ; elle fit un

geste incertain, comme si elle eût craint qu'on la
touche.

Son fils, qui ne l'avait pas quittée de la journée,
tomba à genoux à côté d'elle. Même lui n'osa pas la
toucher, mais il étendit l'un de ses bras derrière le dos
de sa mère, et l'autre devant elle, à la hauteur de la
clavicule, pour la retenir si elle devait tomber ; et il ne
cessait de se lamenter.

En cet instant, le soleil disparut.

Le vieux seigneur s'avança, et se découvrit solennellement. La foule se tut, dans l'attente de ce qu'il allait
dire ; mais, pendant une ou deux minutes, il ne dit
rien, puis il s'adressa lentement à la femme :

— Ton fils est libre, Anne-Marie.

Puis il attendit encore un peu avant d'ajouter :

— Tu as fait une bonne journée de travail ; ton
travail est celui d'un grand jour ; on s'en souviendra
longtemps.

Anne-Marie ne leva les yeux que jusqu'aux genoux
du maître, et il comprit qu'elle n'avait pas entendu ses
paroles ; il reprit doucement :

— Dis à ta mère, Godske, ce que je viens de lui dire.

Le garçon n'avait pas cessé de sangloter ; il lui fallut
du temps pour reprendre ses esprits et maîtriser son
émotion et ses pleurs. Alors il parla d'une voix sans
timbre, et un peu impatiente, comme s'il transmettait
à sa mère une nouvelle banale :

— Je suis libre ! mère. Tu as fait une bonne journée
de travail ; on s'en souviendra longtemps.

Au son de sa voix, elle tourna son visage vers lui ; un
faible éclair de surprise parut sur ses traits, mais elle
n'eut pas, non plus, l'air d'entendre ce qu'il disait, de

sorte que ceux qui entouraient la mère et le fils se demandaient si l'épuisement n'avait pas rendu Anne-Marie sourde.

Pourtant, elle finit par lever doucement une main hésitante vers le visage de Godske, et elle toucha de ses doigts la joue du jeune garçon ; cette joue était trempée de larmes, et le bout des doigts de la mère y resta légèrement collé.

Elle parut incapable de vaincre cette faible résistance, ou même de retirer sa main. Puis, doucement, sans se presser, comme une gerbe de blé qui s'incline vers le sol, elle se pencha, et sa tête se posa sur l'épaule de son fils, qui l'entoura de ses bras. Il la tint serrée contre lui, le visage enfoui dans les cheveux et le fichu pendant si longtemps que les assistants les plus proches de la mère et du fils, pris de peur en voyant le corps si frêle dans les bras du garçon, se baissèrent pour relâcher son étreinte. Il les laissa faire sans dire un mot, mais la femme qui prit Anne-Marie dans ses bras pour la relever, dit, en s'adressant au vieux seigneur :

— Elle est morte !

La foule, qui avait suivi Anne-Marie pendant toute la journée, resta sans bouger, sans détourner les regards du champ, pendant plusieurs heures, tant que dura le crépuscule, et plus longtemps encore. Bien plus tard, quelques hommes firent un brancard avec des branches d'arbre, et emportèrent la morte. D'autres s'attardèrent à parcourir le champ d'un bout à l'autre. Ils refaisaient le trajet de la journée, mesuraient le champ de seigle, liaient les dernières gerbes fauchées par Anne-Marie.

Le vieux maître resta longtemps avec eux ; lui aussi faisait quelques pas, s'immobilisait, et recommençait à marcher.

Quand il fit plus sombre, il put circuler tout près d'eux, ou même au milieu d'eux sans être reconnu.

Plus tard, à l'endroit où la femme était morte, le vieux seigneur fit dresser une pierre gravée d'une faux.

Les paysans de la région baptisèrent ce champ du nom de *Champ de la douleur.*

Et il fut connu sous ce nom bien après que l'on eut oublié l'histoire d'Anne-Marie et de son fils.

Une histoire consolante

L'écrivain Charles Despard entra dans un petit café à Paris, où il retrouva un compatriote de ses amis, qui, assis à une table près de la fenêtre, dînait tranquillement. Charles s'assit en face de lui, poussa un soupir de soulagement et commanda une absinthe. Il ne parla pas avant d'être servi et d'avoir goûté le contenu de son verre, mais il écouta attentivement les quelques lieux communs énoncés par son compagnon.

Dehors, il neigeait ; on n'entendait pas marcher les passants sur la mince couche blanche qui recouvrait le pavé ; la terre était muette, et comme morte. Mais l'air était frémissant de vie. Dans les intervalles obscurs, entre les réverbères, la neige manifestait sa présence aux passants, par une multitude de petits frôlements cristallins et glacés sur les lèvres et les cils. Autour des becs de gaz, les flocons apparaissaient en pleine lumière, tel un tourbillon de menues ailes blanches, qui semblaient danser de haut en bas, de bas en haut, petit système solaire étincelant, ruche d'abeilles silencieuses dans sa féerique agitation. La cathédrale Notre-Dame se dressait, haute et sévère, dans la nuit

aveugle; on eût dit un rocher se profilant vaguement
jusque dans les espaces infinis du ciel.

Le nouveau livre de Charles venait d'avoir un grand
succès et de lui rapporter beaucoup d'argent. Mais
l'écrivain n'était pas dépensier, car il avait toujours été
pauvre, et n'avait pas des goûts de luxe. Quand il
observait d'autres gens pour apprendre d'eux comment ils se débarrassaient de l'argent gagné, il jugeait
le plus souvent ridicule et inepte leur manière d'agir.

Il laissa donc sa fortune entre les mains des ban-
quiers, gens mystérieusement capables, et que pas-
sionne ce côté de l'existence; et il resta lui-même très
souvent démuni d'argent liquide. A ce moment, sa
femme était retournée dans sa propre famille. Charles
Despard n'avait pas de domicile fixe; il voyageait
presque constamment, et se sentait chez lui un peu
partout. Cependant il gardait au cœur le regret
constant de la vie qu'il menait autrefois à Londres.

A présent, il ne recherchait guère la société de ses
semblables. C'était un homme silencieux, sujet à des
accès de tristesse comme ceux dont parle le vieux
proverbe : *Omne animal post coïtum, triste.* Car, pour
Charles, la vocation d'écrivain, et les passions amou-
reuses étaient intimement liées. Il lui arrivait de se
dire, en entendant un air, ou en sentant un parfum :
« J'ai déjà entendu cet air, ou senti ce parfum, au
temps où j'étais soit passionnément amoureux, soit en
train d'écrire un livre; je ne me rappelle plus quel était
le cas; mais je me rappelle avoir connu alors une sorte
de vitalité débordante. Tout mon être s'épanouissait
dans l'harmonie et la joie. Quels que fussent les
événements, ils m'apparaissaient comme une excep-

tionnelle félicité et se trouvaient, au moment voulu, à leur vraie place. »

Mais, ce soir-là, il était entré dans ce café comme quelqu'un dont une aventure amoureuse vient de se terminer, las et péniblement convaincu du vide et de la vanité de toutes les ambitions humaines.

Pourtant il se réjouissait d'avoir rencontré son ami, avec lequel il s'entendait bien.

Charles était petit et mince, et avait l'air très jeune pour son âge, mais son convive était encore plus petit que lui et d'un âge indéfinissable, bien que l'écrivain sût que l'autre avait dix, ou même quinze ans de plus que lui. De proportions élégantes, les mains, les oreilles et les pieds finement modelés, il avait des traits délicats, des lèvres au noble dessin, un teint frais, une voix mélodieuse ; on aurait pu le prendre pour un modèle réduit, en cire, de l'être humain, destiné à être exposé dans un musée. Ses vêtements étaient bien coupés ; il avait posé son chapeau haut de forme derrière lui sur un rayon, au-dessus de son pardessus et de son parapluie.

Il s'appelait Æneas Snell, ou du moins se donnait lui-même ce nom, mais en dépit de son caractère liant et sympathique, son origine et sa vie passée restaient obscures. Certains disaient qu'il avait été prêtre, mais qu'il avait été chassé de l'Église dès le début de son ministère. Plus tard, il s'était distingué comme médecin des maladies de la peau. Puis, au cours de voyages, tant en Europe qu'en Afrique, il avait connu nombre de villes et de gens. Mais de grands événements, soit heureux, soit tristes, ne semblaient pas l'avoir touché personnellement, bien que le sort eût voulu que des

drames et des catastrophes étranges se fussent passés
aux lieux mêmes où il se trouvait.

Il était en Égypte au moment où la peste y sévissait ;
au service d'un prince indien, pendant une mutinerie ;
et le duc de Choiseul-Praslin avait assassiné sa femme
quand Æneas Snell était son secrétaire.

A présent, celui-ci était administrateur des biens
d'un grand nouveau riche de Paris.

Ses amis s'étonnaient de voir un homme de si grand
talent, et possédant une telle expérience, se contenter
toute sa vie d'être au service d'autrui ; mais Æneas
expliquait son cas en invoquant le flegme et la
passivité de sa nature. Il était incapable, disait-il, de
trouver lui-même des raisons suffisantes pour entreprendre quelque action que ce fût ; mais si quelqu'un
d'autre l'en priait, ce fait devenait pour lui un motif
suffisant pour agir.

Il réussissait bien dans ses fonctions d'intendant, et
jouissait en tout de la confiance de son employeur. Son
attitude suggérait parfois qu'en accomplissant sa tâche
il s'honorait lui-même et honorait son patron, ce qui
enchantait le riche Français.

Æneas était un agréable compagnon, patient auditeur et conteur habile ; sa propre personne ne jouait
jamais un grand rôle dans ses récits, mais il racontait
les plus singulières histoires comme si elles s'étaient
passées sous ses yeux et, en somme, c'était bien
possible.

Charles, après avoir bu son absinthe, devint plus
communicatif ; il appuya son coude sur la table et son
menton dans sa main, puis il dit lentement et d'un ton
grave :

— Tu aimeras ton art de tout ton cœur, de toute ton âme et de toute ta pensée ; et tu aimeras ton public comme toi-même ! Quelques secondes plus tard, il ajouta :

— Toutes les relations humaines comportent un élément monstrueux et cruel. Mais la relation de l'artiste avec son public est la plus monstrueuse ; elle est aussi terrible que le mariage.

En disant ces mots, il jeta à Æneas un regard empreint d'une profonde amertume, comme s'il voyait en lui l'image de son public et il poursuivit :

— Car nous, les artistes et le public, nous dépendons malgré nous les uns des autres, même en ce qui concerne notre existence.

Une fois encore, Charlie tourna vers son ami un regard accusateur, lourd de peine. Æneas comprit que l'écrivain se trouvait dans un dangereux état d'esprit et que toute observation, sauf une remarque banale, pouvait lui faire perdre complètement son équilibre nerveux.

— S'il en est ainsi, dit-il, votre public ne vous a-t-il pas procuré une existence agréable ?

Mais ces mots eux-mêmes troublèrent Charles au point qu'il resta silencieux pendant un long moment.

— Mon Dieu ! dit-il enfin, croyez-vous donc que je parle de mon pain quotidien ? de ce verre ? de mon habit ? de ma cravate ? Pour l'amour du Christ, essayez de comprendre ce que je dis ! Non, chacun de nous attend le consentement, ou la coopération de l'autre rien que pour vivre. Là où l'on ne peut contempler, ni écouter aucune œuvre d'art, il ne peut y avoir de public non plus. C'est clair, je suppose, même pour vous. Parmi les œuvres d'art, par exemple, une peinture existe-t-elle quand personne ne la regarde, un livre existe-t-il si personne ne le lit ? Non ! Æneas ! Tableaux et livres sont faits pour être regardés, ou lus. Par le seul fait d'être regardés ou lus, ils font naître ce personnage formidable : le spectateur. Et celui-ci, suffisamment multiplié — et nous avons besoin d'être multipliés, incroyables créatures que nous sommes —, devient notre public, dont, ainsi que vous le voyez, nous sommes à la merci.

— En ce cas, s'écria Æneas, vous devriez faire preuve de plus de compassion les uns envers les autres.

— Compassion ? riposta Charles, de quoi parlez-vous donc ?

Puis il tomba dans une profonde méditation. Après un long silence il reprit lentement :

— Nous ne pouvons pas avoir pitié les uns des autres. Un public ne peut être indulgent, compatissant pour un artiste ; s'il l'était, ce ne serait plus un public, Dieu merci d'ailleurs ! Et un artiste ne saurait être compatissant pour un public, du moins n'a-t-il jamais essayé.

« Je vais vous expliquer ce qu'il en est de notre profession. Toutes les œuvres d'art sont belles et parfaites, et toutes sont en même temps hideuses, ridicules, complètement ratées. Au moment où je commence à écrire un livre, ce livre est toujours plaisant ; je le regarde et je vois qu'il est bon. Le premier chapitre est si bien construit, toutes les parties s'accordent de manière assez exquise pour en faire un tout d'une merveilleuse harmonie, et généralement, à ce moment-là, le dernier chapitre du livre est le plus réussi de tous.

« Mais, en même temps et dès son début, une ombre affreuse suit mon œuvre; c'est en quelque sorte une difformité odieuse, écœurante, qui pourtant est pareille à mon œuvre, et qui parfois, et souvent même, prend sa place, de sorte que je ne la reconnais plus; mais je recule d'horreur à sa vue, comme la mère devant l'enfant changé dans son berceau, et je me signe à la pensée de l'avoir jamais considérée comme étant ma chair et mon sang.

« Bref, toute œuvre d'art est, à la fois, idéalisation et perversion. Et le public a le pouvoir d'en faire définitivement un chef-d'œuvre ou une caricature.

« Quand le cœur du public est touché, ému jusqu'aux larmes, et acclame le travail de l'artiste et le déclare un chef-d'œuvre, l'œuvre d'art devient en effet le chef-d'œuvre que je vois au début de mon travail. Et quand le public déclare que l'œuvre d'art est insipide et sans valeur, elle perd toute valeur, en effet. Mais quand le public refuse totalement de la regarder, *voilà*[1] ! comme on dit à Paris, elle n'existe même plus. C'est en vain que je crierai : « Ne voyez-vous donc rien ? » On me répondra très poliment : « Rien du tout ! »

« En vérité, Æneas, si cette éventualité se produit, il est inutile de peindre ou d'écrire !

— Mais ne vous figurez pas, dit encore Charles, que je n'aie pas compassion du public, et que je ne me rende pas compte de ma culpabilité envers lui. J'en ai

---

1. En français dans le texte.

compassion, et cette compassion me pèse. J'ai lu le
livre de Job afin d'y puiser la force de supporter ma
responsabilité.

— Vous voyez-vous, vous-même, à la place de Job ?
demanda Æneas.

— Non ! répondit Charlie fièrement, et d'un air
solennel : à la place de Dieu !

Il poursuivit :

— Je me suis comporté à l'égard de mon lecteur
comme Dieu à l'égard de Job. Je sais — personne ne
sait mieux que moi — combien Dieu a besoin de Job
en tant que public, et pourquoi il ne peut se passer de
lui. Et même je me demande si Dieu ne dépend pas
plus de Job que Job ne dépend de Dieu. J'ai fait un
pari avec Satan concernant l'âme de mon lecteur. J'ai
semé sa route d'ornières, et je l'ai environné de
terreurs ; je l'ai élevé et je l'ai abaissé ; son énergie a
fondu grâce à moi comme neige au soleil ; il n'est plus
resté de lui que cendre et poussière. Quand il s'attendait à voir la lumière, il se trouvait dans les ténèbres.
Job ne désire pas plus servir de public à Dieu que mon
public ne désire être le mien.

Charles soupira, et regarda son verre ; puis il le
porta à ses lèvres et le vida.

— Pourtant, dit-il à la fin, Dieu et Job se réconciliè-
rent, et il vaut la peine de lire ce passage, car Dieu, au
milieu de la tempête, plaide la cause de l'artiste, et de
l'artiste seul. Il réduit à rien les scrupules moraux et
les souffrances morales de son public. Il n'essaie pas de
justifier son attitude par des arguments au sujet du
bien et du mal :

Qui est celui qui obscurcit mes desseins ?
Connais-tu les lois du ciel ?
As-tu plongé jusqu'au fond de l'abîme ?
As-tu empêché les Pléiades de folâtrer ?
Fais-tu pleuvoir dans un pays désert ?
Dis-le donc, puisque tu sais tout.

« Dieu parle des horreurs et des abominations de l'existence et demande avec insouciance à son public si, lui aussi, veut jouer avec elles comme avec un oiseau et permettre à ses filles de faire de même. En vérité, Job est le public idéal ; qui, de nous, en trouvera un comparable à lui ? Les arguments de Dieu lui font baisser la tête ; il renonce à ses griefs ; il reconnaît qu'il est mieux et plus en sécurité entre les mains du grand artiste qu'entre celles de n'importe quelle autre puissance de ce monde, et il admet qu'il a parlé sans comprendre des merveilles qui le dépassent et qu'il ne conçoit pas.

« Le Seigneur a agi envers moi de la même manière, conclut Charles avec douleur, et, peu après, il ajouta :

« J'ai lu à plusieurs reprises le livre de Job, la nuit quand je ne pouvais dormir ; et j'ai mal dormi ces derniers mois. »

Puis il s'absorba dans ses souvenirs.

— Pourtant, dit-il, au bout d'un long silence, quel est le sens de tout cela ? Pourquoi n'abandonnons-nous pas la peinture et le travail littéraire pour laisser le public en paix ? Quel bien lui faisons-nous et, en fin de compte, en quoi l'art est-il utile aux hommes ? Vanité des vanités ! Tout est vanité.

Pendant ce temps Æneas avait fini de dîner et sirotait tranquillement son café. Il dit :

— Monsieur Camus, mon patron, fait dans ses moments perdus une collection de tableaux ; il tient beaucoup à avoir une galerie de tableaux dans son bel hôtel ; mais, comme il ne se connaît guère en peinture, et n'a pas de temps à consacrer au choix des œuvres d'art, il en était fort contrarié jusqu'à présent. Maintenant, c'est moi, qui, à sa place, ai fait la tournée des peintres. Je les ai vus, un à un, et j'ai demandé à chacun d'eux de me vendre le tableau que, parmi ses œuvres, il estimait personnellement le meilleur. Notre galerie se développe et promet d'être exceptionnelle.

— C'est ce que vous croyez, riposta Charlie. L'artiste ne peut dire lui-même laquelle de ses œuvres est la meilleure. Alors même que vos artistes sont d'honnêtes gens, et ne vous ont pas collé subrepticement les tableaux qu'ils ne peuvent vendre à personne — et ce sont ceux que vous méritez —, ils ne peuvent juger avec équité.

— Non, en effet, dit Æneas ; mais une collection de tableaux, dont chacun a été désigné par le peintre comme la meilleure de ses œuvres, doit bien finir par être intéressante, et exciter la curiosité du public.

— Et vous-même, s'écria Charlie, d'un ton amer, vous faites les commissions d'un riche dilettante, et vous courez d'un artiste à l'autre, mais vous n'avez jamais fait, ni acheté, un tableau pour votre propre compte. Quand, un jour, vous crèverez, vous pourriez bien n'avoir pas vécu.

Æneas hocha la tête.

— Pourquoi hochez-vous la tête ? demanda Charlie.

— J'approuve ce que vous dites... Je pourrais aussi bien n'avoir pas vécu.

Ils observèrent un court silence, puis Æneas s'écria gaiement :

— Mais votre cas, Charles, est bien différent. Ayez un peu de patience, et tout s'arrangera, même entre vous et votre public. Voyez le livre que j'étais en train de lire quand vous êtes entré. Il faisait partie de la bibliothèque de M. Camus. Vous pourriez y lire comment, il y a cinq cents ans, lors d'un traité de paix, une province entière a été donnée en échange d'un éclat de la vraie croix. Or, si le Christ avait disposé, en temps voulu, de sa croix à un tel cours, il aurait pu lever une armée contre le grand prêtre et Pilate, et même contre César lui-même à Rome.

Charles s'était enfin débarrassé de l'humeur noire et de l'agitation qui l'avaient obsédé au moment de son arrivée au café et il estimait qu'il serait plus agréable d'écouter parler son ami que de faire les frais de la conversation. Il découvrit aussi qu'il avait faim et commanda un repas.

Après avoir fini sa soupe, il se renversa contre le dossier de sa chaise, et inspecta du regard la salle où il se trouvait, comme s'il la voyait pour la première fois, et il dit à Æneas, d'une voix basse et langoureuse comme celle d'un convalescent :

— Ne voudriez-vous pas me raconter une histoire ?

Æneas prit avec sa cuiller le sucre qui restait au fond de sa tasse de café ; il porta sa serviette à ses lèvres minces, la plia et la posa sur la table, puis il dit :

— Mais oui, je puis vous raconter une histoire.

Pendant une minute, il eut l'air de fouiller dans sa

mémoire ; pendant ce temps, bien qu'il ne fît pas un mouvement, il parut changer. L'intendant s'effaça et fut remplacé par un petit personnage inquiétant, au regard perçant, impitoyable, au maintien énergique, image même du conteur de tous les temps.

— Oui, reprit-il enfin en souriant, je puis vous raconter une histoire consolante.

Et, d'une voix douce, il commença :

— Quand j'étais jeune, j'étais employé chez un marchand de tapis dont la maison était fort estimée à Londres. Mes patrons m'envoyèrent en Perse pour y acheter un lot de tapis anciens ; mais, par le caprice du sort, je devins pendant deux ans le médecin ordinaire du roi de Perse, Mahoum Shah, souverain avisé et de noble caractère. Je vécus près de lui durant une période d'intrigues et d'agitation politique, quand les Anglais et les Russes luttaient à qui jouirait de la plus grande influence.

« Le shah souffrait beaucoup d'un érysipèle et j'eus la chance de le guérir de cette maladie. Le shah actuel, Nasrud-Din Mirza, était alors l'héritier du trône.

« Nasrud-Din était un jeune prince, plein de vie, épris de progrès et de réformes, mais autoritaire et fantasque. Il désirait fort connaître les conditions de vie de ses sujets, du plus riche ou du plus pauvre ; il s'obligeait lui-même, et obligeait son entourage à faire de constantes enquêtes à ce sujet.

« A force de lire les contes des Mille et Une Nuits, il se voyait lui-même jouant le rôle du calife Haroun al-Rachid de Bagdad. Souvent, à l'imitation de cet histrion classique, il parcourait seul la ville de Téhéran, déguisé en mendiant, en colporteur ou en jongleur, visitant les marchés et les tavernes, prêtant l'oreille aux propos des ouvriers, des porteurs d'eau, des prostituées, afin d'apprendre par eux ce qu'on pensait des fonctionnaires et des hommes en place, ainsi que de l'exercice de la justice dans le royaume.

« Ce caprice du prince inquiétait fort ses vieux conseillers, car ils jugeaient paradoxal et insoutenable qu'un prince fût à ce point *au fait*[1] des actes et des sentiments de son peuple, et prêt, sans doute, à bouleverser entièrement l'ancien système du pays. Ils lui représentèrent les dangers auxquels il s'exposait, et le tort que, dans son intrépidité, il faisait au royaume de Perse qui subirait injustement un irréparable dommage.

« Mais, plus il parlaient, plus le prince Nasrud-Din s'entêtait dans son caprice.

« Alors les ministres eurent recours à d'autres mesures. Ils prirent soin de faire suivre secrètement le jeune homme par des gardes armés ; ils soudoyèrent aussi ses valets et ses pages pour qu'ils découvrissent le déguisement qu'il empruntait, et le quartier où il se rendait, et jusqu'au mendiant ou la prostituée avec lesquels le prince entrait en conversation.

« Nasrud-Din ignorait ces menées, et les conseillers craignaient sa colère au cas où il s'en apercevrait, de sorte que même entre eux ils gardaient le silence sur leurs ruses.

« Or, il arriva, pendant que j'étais à la cour, que le Premier ministre, Mirza Aghaï, demanda un jour une

1. En français dans le texte.

audience au prince, et lui communiqua solennellement des nouvelles d'une étrange et sinistre nature : ·

« — Il y a, dit-il, à Téhéran, un homme dont le visage, la structure et la voix ressemblent à ceux de votre Altesse au point qu'il est difficile de vous distinguer l'un de l'autre. En outre, cet étranger, dans tout son comportement, imite vos manières et vos habitudes. Depuis quelques mois, il parcourt les quartiers les plus pauvres de la ville sous un déguisement de mendiant, semblable à celui que vous avez coutume de porter ; il s'assied près des portes ou des murs, questionne le peuple et lui parle. Est-ce que ce fait ne prouve pas que le prince joue un jeu dangereux ? demanda le Premier ministre. Car, que se cache-t-il derrière cette entreprise ? Le mystificateur est, ou bien un instrument entre les mains des ennemis du shah, engagé par eux pour semer le mécontentement et la révolte parmi la populace, ou bien c'est un imposteur d'une témérité inouïe, traînant quelque sombre projet personnel, et peut-être caressant l'horrible espoir d'assassiner l'héritier du trône, et de se faire passer pour le prince auprès du peuple.

« Le vieillard passa mentalement en revue tous les ennemis de la maison royale ; il évoqua l'ombre d'un grand seigneur, cousin du shah, et décapité pendant une révolte vingt ans plus tôt ; il se rappela avoir entendu dire qu'un fils posthume était né au rebelle.

« — Ce jeune homme, dit Mirza Aghai, pourrait bien vouloir tenter de venger son père et de retrouver son patrimoine.

« Le ministre supplia le prince de renoncer à ses

randonnées jusqu'à ce qu'on parvienne à saisir et à punir l'intrigant.

« Nasrud-Din écouta les propositions du chambellan, tout en jouant avec les glands d'or de sa dragonne ; puis il interrogea le ministre sur ce que disait son double au peuple, et quelle impression il faisait à ses auditeurs.

« — Monseigneur, répondit Mirza Aghai, je ne puis vous renseigner exactement sur ce qu'il a dit au peuple d'abord parce que ses discours semblent obscurs et à double sens, et ensuite parce qu'en réalité il ne parle pas beaucoup ; mais l'impression qu'il fait est certainement très profonde, car, non content de s'informer du sort de son entourage, il s'est mis dans la tête de le partager. On dit qu'il a couché sur les murs pendant les nuits d'hiver, et qu'il a vécu des restes que les pauvres sans le sous avaient mis de côté pour lui. Quand ils n'ont rien à lui donner, il jeûne pendant toute la journée. Il fréquente les prostituées les plus misérables de la ville afin de convaincre les pauvres qu'il en a pitié et qu'il se sent solidaire d'eux. Et même, pour se mêler aux plus basses couches de la population de votre ville, il s'acoquine avec une fille qui, à la taverne ou sur la place du marché, donne des représentations avec un âne.

« Et tout cela, mon prince, en empruntant votre image ! »

« Le prince était un jeune homme de joyeux et noble caractère. La pensée de vexer le vieux ministre prudent de son père l'amusait fort et le récit de Mirza Aghai lui faisait prévoir une aventure peu commune.

« Après avoir bien réfléchi, il dit au ministre qu'il

n'avait pas envie de manquer la chance de rencontrer son « Doppelgänger [1] » (sosie), qu'il irait lui parler lui-même et apprendre la vérité sur ce personnage énigmatique. Il défendit au vieux conseiller d'intervenir dans ses affaires, et prit cette fois assez de précautions pour rendre toute ingérence, ou tout contrôle, parfaitement impossible.

« La seule concession que les vieillards finirent par obtenir de lui, fut qu'il partirait bien armé, et se ferait accompagner par un serviteur en qui il pût avoir pleine confiance.

« A cette époque, je voyais beaucoup le prince. Il avait sur la joue gauche une marque de la taille d'une cerise, qui le défigurait un peu et ne le servait évidemment pas quand il devait circuler incognito. Après avoir constaté chez son père le succès de mon traitement, il me fit venir pour le débarrasser de ce naevus. Nos séances étaient longues, et j'avais le temps de distraire le prince par des récits qui lui plaisaient. Par bonheur, je possédais un gros stock d'histoires se rapportant à notre civilisation occidentale classique et que le prince ne connaissait pas.

« Nasrud-Din se préoccupait aussi de sa tendance à l'embonpoint et mangeait très peu. La reine, sa mère, qui pensait que jamais il n'avait été si séduisant qu'au temps où il était un gros bébé, unissait ses efforts à ceux des pourvoyeurs et des maîtres queux de la maison royale, pour lui présenter les mets les plus rares, capable de stimuler son appétit. Or, la reine s'aperçut que lorsque je lui racontais mes histoires, le

---

1. En allemand dans le texte.

prince s'attardait à ses repas, et elle m'invita gracieusement à lui tenir compagnie à table.

« Je racontais au prince tout ce dont je me souvenais de la *Divine Comédie,* et de quelques tragédies de Shakespeare, ainsi que le roman d'Eugène Sue : *Les Mystères de Paris,* que j'avais lu au moment de quitter l'Europe. Au cours de nos entretiens sur l'art et la littérature, je gagnai la confiance du prince, et, le moment venu de choisir un compagnon pour ses expéditions secrètes, Nasrud-Din me demanda de le suivre.

« Il s'amusa à me voir porter, comme un mendiant persan, un grand manteau et des babouches, et m'affubler d'un emplâtre sur un œil. Chacun de nous avait enfilé un poignard dans sa ceinture, et un pistolet sous sa chemise. Le prince me fit cadeau du poignard, dont la garde d'argent était incrustée de turquoises.

« Le vieux ministre, Mirza Aghai, s'approcha de moi pour m'exprimer sa reconnaissance, et il me promit un emploi lucratif à la cour si je parvenais à détourner Nasrud-Din de son audacieuse entreprise. Mais je n'avais aucune confiance dans ma force de persuasion, ni aucune envie d'empêcher le prince d'agir à sa fantaisie. Nous parcourûmes donc les rues et les bas quartiers pauvres de Téhéran pendant plusieurs soirées du premier printemps. Les pêchers étaient déjà en fleur sur les terrasses des jardins royaux, et l'herbe était parsemée de jonquilles et de crocus ; mais l'air était vif, et les gelées nocturnes n'étaient pas loin.

« A Téhéran, les soirées de printemps sont d'une admirable teinte bleue. Les anciens murs gris, les

platanes, les oliviers des jardins, la foule dans ses
vêtements de couleur terne, les lentes files de cha-
meaux lourdement chargés qui rentrent dans la ville,
tout paraît flotter dans une délicate brume azurée.

« Le prince et moi pénétrions dans des lieux singu-
liers, faisant la connaissance de danseurs, de voleurs,
de coupeurs de bourses, de cambrioleurs, d'entremet-
teurs et de devins. Nous avions des discussions longues
et variées sur la religion, l'amour, et souvent nous ne
pouvions nous empêcher d'en rire, car nous étions tous
deux jeunes et gais. Mais, pendant assez longtemps il
nous fut impossible de trouver l'homme dont nous
cherchions la trace, et nous n'entendîmes guère parler
de lui, non plus. Pourtant nous connaissions le nom
qu'il se donnait à lui-même. C'était celui dont le
prince se qualifiait quand il se déguisait en mendiant.

« Enfin, un beau soir, un petit garçon nous amena
jusqu'à un marché situé tout près de la plus vieille
porte de la ville : c'est là, nous dit-il, que le mendiant
avait l'habitude de s'asseoir. L'enfant aux pieds nus
s'arrêta près du puits de la place, et nous montra du
doigt un personnage de petite taille, assis par terre, à
quelque distance, et, nous jetant un regard ferme et
clair, il dit :

« — Je n'irai pas plus loin !

« Nous aussi, nous nous étions arrêtés pour nous
assurer de la présence de nos poignards et de nos
pistolets.

« La place du marché était pauvre et sale, entourée
de rues étroites, aux maisons pitoyables et délabrées.
Des odeurs nauséabondes emplissaient l'air, et la
poussière s'amoncelait sur le sol. Les habitants du

quartier, vêtus de haillons, étaient rentrés de leur travail, et pendant cette dernière heure de lumière, flânaient et bavardaient sur la place, ou bien puisaient de l'eau au puits. Un petit nombre d'entre eux achetaient du vin au comptoir d'une taverne en plein vent, et nous fîmes comme eux, demandant le vin le moins cher que le cabaretier eût à vendre.

« N'étions-nous pas des mendiants ce soir-là ?

« Tout en buvant, nous ne perdions pas de vue l'homme assis par terre, sous un vieux figuier tordu, qui avait poussé dans une fente du mur. Nous nous étions attendus à le voir entouré d'une foule de gens, mais ce n'était pas le cas. Pourtant, pendant que je l'observais, je vis que les passants ralentissaient le pas en s'approchant de lui ; les uns ou les autres s'arrêtaient et échangeaient quelques paroles avant de poursuivre leur chemin. Chacun semblait détourner à demi son visage du mendiant, et éprouver à sa vue un respect mêlé de crainte. Tandis que j'assistais à la scène, qui se déroulait lentement devant mes yeux, je la trouvais de plus en plus singulière et frappante.

« La place du marché était plus sordide et plus misérable que toutes celles que j'avais parcourues en ville, mais il y avait dans l'atmosphère, empreinte d'une sorte de dignité et de calme, comme une silencieuse et confiante attente. Les enfants jouaient sans se battre, ni crier ; les femmes papotaient et riaient doucement et gaiement, et les porteurs d'eau s'attendaient l'un l'autre avec patience. Le cabaretier conversait avec un ânier qui lui avait apporté deux grandes corbeilles pleines de haricots frais, de choux et de laitues. L'ânier disait :

« — Que te figures-tu qu'ils vont manger ce soir au palais ?

« — Ce qu'ils vont manger ? répondit le cabaretier, ce n'est pas facile à dire. Peut-être leur servira-t-on un paon farci d'olives, peut-être des langues de carpes cuites dans du vin rouge ; ou bien ils se partageront un mouton au dos gras mijoté avec de la cannelle ?

« — Par Dieu, oui ! dit l'ânier.

« Le prince et moi nous souriions à la nomenclature de ces plats extraordinaires, qui représentaient visiblement des friandises rares pour ces pauvres gens. Le prince paya son vin, puis tira son manteau de mendiant par-dessus sa tête et, sans un mot, alla s'asseoir à une petite distance de l'étranger. Je m'assis à côté de lui sur le mur.

« L'homme que nous avions cherché depuis si longtemps, et dont nous avions tant parlé entre nous, était un personnage tranquille. Il ne leva pas les yeux pour regarder les nouveaux venus ; mais il resta assis par terre, les jambes croisées, la tête penchée, et ses mains jointes reposaient par terre devant lui. Son écuelle de mendiant, placée à côté de lui, était vide.

« Il avait un grand manteau pareil à celui que portait le prince mais plus déchiré et rapiécé. Un capuchon lui couvrait en partie la tête, et pendant qu'il restait ainsi tout tranquille et les yeux baissés, j'eus le temps d'étudier ses traits.

« Il est vrai qu'il ressemblait au prince. C'était un jeune homme brun, plus âgé de quelques années que Nasrud-Din ; de l'âge, du reste, que paraissait avoir le prince quand il prenait son rôle de mendiant. Il avait de longs cils noirs et une petite barbe noire, clairsemée, pareille à celle que le prince arborait dans son déguisement, lui couvrait le visage ; mais cette barbe-là était réelle. Sur la joue gauche, il avait une marque de la taille d'une cerise, et mon expérience en la matière me fit constater que cette marque artificielle avait été faite avec beaucoup d'habileté.

« A en juger par son attitude et ses manières, l'inconnu n'était pas du tout le hardi et dangereux conspirateur que j'imaginais.

« Ses traits respiraient la paix ; en vérité, je ne me souviens pas d'avoir jamais vu physionomie humaine plus sereine. L'expression en était singulièrement dépourvue de ruse et d'astuce, et peut-être même de grande intelligence ; mais la dignité et le recueillement, qui m'avaient surpris sur la place du marché, se retrouvaient chez cet homme comme si elles émanaient de lui-même malgré ses haillons de mendiant. Peut-être, me disais-je, y a-t-il un petit nombre de qualités qui confèrent cette parfaite dignité à l'attitude d'un être humain, par exemple le fait d'être tout à fait content de son sort.

« Après être restés assis ensemble pendant un bon moment, nous vîmes arriver un pauvre cortège funèbre, qui se rendait au cimetière en dehors des murs de la ville. Le cadavre reposait sur une litière, et il était suivi par quelques parents en deuil, auxquels s'était joint un petit groupe d'oisifs, qui trottaient derrière le convoi. En apercevant le mendiant sous le figuier, ces gens aussi parurent éprouver une sorte de crainte respectueuse, et ils s'écartèrent comme craintivement de leur route en passant près du mendiant, mais ils ne lui adressèrent pas la parole. Quand ils eurent disparu, le mendiant leva la tête, regarda autour de lui, et, le regard perdu dans l'espace, il dit d'une voix basse et douce :

« — La vie et la mort sont deux cassettes fermées à clé ; chacune d'elles contient la clé de l'autre.

« Le prince tressaillit au son de cette voix, tant elle ressemblait à la sienne, jusqu'au léger nasillement. Il attendit un instant puis s'adressa à l'étranger :

« — Je suis comme toi un mendiant, et suis venu ici pour recueillir les aumônes que voudront bien me donner des personnes charitables. Ne perdons pas notre temps en les attendant, mais parlons de nos vies respectives. Ta vie de mendiant a-t-elle à tes yeux assez peu de valeur pour que tu estimes heureux de l'échanger contre la mort ?

« Le mendiant ne parut pas préparé à une question aussi directe et il ne répondit qu'au bout de près de deux minutes ; il dit, en hochant doucement la tête :

« — Oh ! pas du tout !

« Une vieille femme, toute chancelante, se dirigeait vers nous en traversant la place, et s'approcha du mendiant de la même manière soumise et réservée des autres en détournant la tête pour lui parler. Elle serrait une miche de pain contre sa poitrine, et lorsqu'elle s'arrêta, elle la lui tendit des deux mains :

« — Pour l'amour de Dieu, dit-elle, prends ce pain et mange-le ! Nous t'avons vu assis près du mur depuis deux jours sans avoir rien à manger. Je suis une vieille femme ; je suis pauvre parmi les pauvres de la ville, et je pense que tu ne refuseras pas l'aumône que je t'offre.

« Le mendiant leva doucement la main pour repousser le cadeau :

« — Non, non, fit-il, reprends ton cadeau et ton pain ! Je ne veux pas manger ce soir, car je connais un mendiant, mon frère dans la mendicité, qui est resté trois jours durant près du mur de la ville, et on ne lui a rien donné. Je veux faire par moi-même l'expérience de ce qu'il a éprouvé et pensé.

« — Oh ! mon Dieu ! soupira la vieille femme, si tu ne veux pas manger ce pain, je ne le mangerai pas non plus, mais je le donnerai aux bœufs attelés aux chars qui franchissent en ce moment la porte de la ville ; ils sont si fatigués et ils ont faim.

« Et, en disant ces mots, elle s'en alla en clopinant.

« Après son départ, le prince s'adressa encore une fois au mendiant.

« — Tu es dans l'erreur ! dit-il. Il n'y a pas eu de mendiant qui soit resté près des murs pendant trois jours, et auquel on n'a rien donné. J'ai demandé l'aumône moi-même, et n'ai jamais été privé de nourriture pendant une journée entière. Les habitants de Téhéran ne sont pas assez durs de cœur, ni assez dépourvus de tout pour laisser jeûner pendant trois jours le plus misérable mendiant.

« Le mendiant ne répondit pas un mot aux déclarations du prince.

« Le froid devenait plus vif. Le vaste ciel au-dessus de nos têtes, clair comme du cristal, s'emplissait d'une lumière suave ; d'innombrables chauves-souris, sorties de crevasses du mur, s'entrecroisaient sans bruit dans l'air, soit plus haut, soit plus bas. Mais la terre, et tout ce qui était de la terre, plongeait dans une ombre bleue, rappelant les émaux de lapis-lazuli.

« Le mendiant s'enveloppa plus étroitement de son

vieux manteau et frissonna. Je dis à Nasrud-Din et au
mendiant :

« — Nous ferions bien de chercher quelque abri
dans la rue.

« — Je ne vous accompagnerai pas, dit le mendiant, les gardiens de la porte emploient la bastonnade
pour chasser tous les mendiants des abords de la porte.

« — Tu fais erreur une fois de plus, riposta le
prince. Moi, qui suis un mendiant comme toi, j'ai
cherché un abri sous les portes et aucun gardien ne
m'a dit de m'en aller, car la loi veut que les pauvres
sans foyer puissent s'asseoir sous les portes de ma ville
quand la circulation du jour est terminée.

« Le mendiant réfléchit un peu, puis il tourna la tête
vers le prince et le regarda ; puis il lui posa cette
question :

« — Es-tu le prince Nasrud-Din ?

« Troublé et surpris par la question directe du
mendiant, le prince saisit son poignard, et je saisis le
mien. Mais une seconde plus tard il regarda le
mendiant bien en face et dit avec hauteur :

« — Oui, dit-il, je suis Nasrud-Din. Tu dois connaître mes traits puisque tu les as contrefaits. Tu as dû me
suivre pendant longtemps, et de près, pour imiter mon
apparence avec tant d'adresse. J'ai découvert ton jeu
depuis peu ; mais ce que je ne sais pas, c'est pourquoi
tu le joues. Je suis venu ce soir pour l'apprendre de ta
bouche.

« Le mendiant ne répondit pas tout de suite, puis il
secoua encore la tête :

« — Allons ! Allons ! Mon gentil seigneur ! dit-il ; tu
as raison. Il est vrai que je t'ai vu un jour, de loin, dans

tes habits misérables, mais j'en ai appris davantage
par ceux qui te suivaient et veillaient sur toi. Il est vrai
aussi que j'ai fait usage de cette ressemblance entre toi
et moi, que Dieu a voulue dans sa sagesse. J'y ai gagné
d'être fier et plein de gratitude envers le Seigneur, moi
qui autrefois gisais sans espoir dans la poussière. Moi,
qui était triste et découragé ; un prince blâmera-t-il son
serviteur pour cette raison ?

« — Et qui donc es-tu, aux yeux de mon peuple,
demanda le prince en jetant au mendiant un coup
d'œil pénétrant, qui donc es-tu aux yeux de la foule sur
la place du marché ?

« Le mendiant promena un rapide et furtif regard
autour de lui :

« — Chut ! prince ! Parle bas ! dit-il ; les gens sur la
place et dans les rues voisines n'osent pas me dire qui
ils pensent que je suis. Ne les vois-tu pas se détourner
et baisser les yeux en passant devant moi ou en me
parlant. Ils savent que je veux rester inconnu, et ont
peur que si jamais je découvrais ce qu'ils croient que je
suis, ma colère ne se déchaîne contre eux si terrible,
que je m'en irais sans plus revenir.

« A ces mots, le prince rougit et resta longtemps
silencieux. Il finit cependant par dire gravement :

« — Ils croient tous que tu es le prince Nasrud-
Din !

« Le mendiant montra ses dents blanches en un
large sourire :

« — Oui, c'est bien ce qu'ils croient. Ils croient que
je possède un palais, et que je puis y retourner dès que
j'en aurais envie. Ils croient que j'ai une cave pleine de
vin, une table chargée de mets succulents, et que des

vêtements de fourrure et de satin remplissent mes armoires.

« — Mais alors, qui es-tu ? demanda le prince, toi qui es fier, et qui remercies le Seigneur d'avoir pu jouer à être ma personne ?

« — Je suis ce dont j'ai l'air, dit le mendiant : un mendiant de Téhéran. Je suis né mendiant ; ma mère était une mendiante ; elle m'a inculqué la profession à force de raclées avant même que je n'aie pesé autant qu'un chat. J'ai demandé l'aumône dans les rues et le long des murs de cette ville pendant toute ma vie.

« — Comment t'appelles-tu ? reprit le prince.

« — Je m'appelle Fath, dit le mendiant.

« Le prince poursuivit :

« — N'as-tu pas fait le projet de pénétrer dans ce palais dont tu parles, grâce à notre ressemblance ?

« — Grand Dieu, non ! s'écria Fath.

« — N'as-tu pas essayé, insista le prince, de gagner pouvoir et influence dans ce peuple et de satisfaire ton ambition au moyen de cette ressemblance ?

« — Grand Dieu, non ! répéta Fath. Non, non ! Je suis un mendiant, et je m'entends à exercer mon métier de mendiant ; mais j'ignore tout le reste, et ne me soucie pas d'en savoir quelque chose. Je serais fort embarrassé si je devais m'en occuper. J'ai acquis un certain pouvoir parmi le peuple, c'est vrai, et sans doute mes semblables feraient-ils pour moi ce que je leur demanderais mais que pourrais-je désirer qu'ils fassent ?

« — Alors, qu'as-tu fait ? Tu as osé me suivre, m'épier, copier mes faits et gestes et faire croire à mon peuple que tu étais le prince Nasrud-Din ?

« Fath répondit :

« — J'ai demandé l'aumône dans les rues et le long des murs de la ville.

« Tout à coup Fath regarda attentivement le prince, et s'écria :

« — Qu'est devenue la marque sur ta joue ?

« Le prince porta la main à sa joue :

« — *On me l'a enlevée.*

Alors Fath leva aussi la main et l'appuya contre sa joue à lui.

« — Les gens n'aimeront pas ça ! dit-il gravement.

« — Mais pourquoi calomnies-tu mon peuple, et rends-tu le sort des mendiants de ma ville encore plus dur qu'il n'est ? Pourquoi vas-tu raconter qu'un mendiant est resté trois jours durant près du mur sans qu'on lui ait rien donné, et que tu désirais savoir ce qu'il avait éprouvé pendant ce temps-là ?

« — Par le Dieu vivant ! dit Fath, ce n'est pas une calomnie, mais la vérité.

« Le prince reprit sévèrement :

« — Qui donc, alors, était le mendiant si cruellement traité ?

« — Monseigneur, 'est moi-même, au temps où je ne t'avais pas encore vu.

« — Il y a cependant une chose que je ne peux comprendre. Pourquoi ne veux-tu rien accepter des gens de la ville maintenant que tu leur as inspiré le désir de t'offrir ce qu'ils ont de meilleur ? Pourquoi as-tu refusé la miche de pain de cette pauvre femme et l'as-tu renvoyée toute triste ?

« Fath réfléchit avant de répondre, puis il dit :

« — Monseigneur, permets-moi de te répondre que

tu ne sais pas grand-chose concernant la mendicité. Je
suppose que pendant toute ta vie, tu as eu de quoi
manger tant que tu en avais envie. Si je prends ce
qu'on m'offre, pendant combien de temps encore
pensera-t-on à m'offrir quelque chose? Et pendant
combien de temps encore les autres croiront-ils que,
dans mon palais, je jouis des aliments les plus choisis
et de tout ce qu'il y a de meilleur et de plus délicat en
ce monde, depuis l'orient jusqu'à l'occident?

« Le prince ne répliqua rien, puis tout à coup, il
éclata de rire.

« — Par les tombeaux de mes pères, Fath! s'écria-
t-il, je t'ai pris pour un imbécile, mais à présent je
pense que tu es l'homme le plus avisé de mon
royaume, car mes courtisans et mes amis me deman-
dent des emplois et des offices à la cour, des honneurs
et de l'or, et quand ils ont obtenu ce qu'ils désirent, ils
me laissent tranquille. Mais un mendiant de Téhéran
m'a attelé à son char, et dorénavant, que je dorme ou
que je veille, je travaille pour Fath. Je puis faire la
conquête d'une province, tuer un lion, écrire un
poème, épouser la fille du sultan de Zanzibar, qu'importe! Tout servira à la plus grande gloire de Fath!

« Fath considéra le prince sous ses longs cils :

« — C'est possible, dit-il, et tu viens de l'affirmer.
Mais, à mon tour, je peux déclarer que c'est toi qui as
fabriqué Fath, et tout ce qui le concerne. Quand tu
allais par les rues en mendiant, tu n'avais pas essayé
d'être plus sage, plus éminent, plus noble, plus magna-
nime que les autres mendiants de la ville. Tu t'es
contenté de n'être que l'un d'eux, et tu as pris grand
soin de ne différer d'eux en aucune façon. Tu as

cherché à mystifier tes sujets, à écouter leurs propos sans qu'ils y prissent garde. C'est pourquoi maintenant je ne suis plus, moi-même, qu'un mendiant comme tous les autres.

« Que je dorme ou que je veille, je ne suis qu'un mendiant sous le masque du prince Nasrud-Din.

« — Ceci est également possible, dit le prince.

« — Je te supplie, prince ! poursuivit Fath d'un ton solennel, de conquérir des provinces, de tuer des lions, d'écrire des poèmes. J'ai veillé à ce que le nom du prince Nasrud-Din, et sa réputation de généreuse bonté, soient célèbres chez les pauvres de Téhéran. A toi, maintenant, de veiller à ce que le nom de Fath, sa réputation d'homme de courage et d'esprit, soient célèbres parmi les rois et les princes. Quand tu tueras un lion, rappelle-toi que le cœur de Fath se réjouira de ta bravoure ; et quelle admiration vas-tu inspirer à ton peuple, quand tu auras épousé la fille du sultan, puisqu'on continuera à te voir assis sur le mur, la nuit, malgré le froid, rien que pour vivre la vie pénible de tes sujets. Oh ! combien ils t'estimeront quand pour partager leur triste sort, tu t'assiéras dans les rues avec les prostituées et tu t'entretiendras avec elles !

« — Est-ce que les prostituées de ces rues ou des rues voisines t'embrassent avec passion et frissonnent d'extase dans tes bras ? demanda le prince. Il faut que tu me le dises, car j'ignore tout cela, et pourtant leur extase est en quelque sorte mon dû.

« — Oh ! Je ne puis rien te dire à ce sujet, dit Fath, car je n'en sais pas plus que toi ; je n'ose pas les embrasser, car elles sont malignes, et il est bien possible qu'elles connaissent les baisers et les manières d'un grand seigneur.

« — Tu as donc peur de mes femmes, Fath, reprit le prince, toi qui n'as pas montré la moindre crainte quand je me suis fait connaître à toi ?

« — Monseigneur ! dit Fath, l'homme et la femme sont deux cassettes fermées à clé ; chacune d'elles contient la clé de l'autre.

« — Tends ta main, Fath ! dit le prince ; et quand le mendiant lui obéit, il prit dans sa ceinture sa besace de mendiant et la vida dans la main tendue.

« Fath garda les pièces sur sa paume et les contempla :

« — Est-ce de l'or ? demanda-t-il.

« — Oui, répondit le prince.

« — J'en ai entendu parler, reprit Fath, et je sais que l'or est puissant.

« La tête penchée, il resta pendant longtemps affligé et silencieux ; enfin il dit :

« — Je vois maintenant pourquoi tu es venu cette nuit ; tu entends mettre un terme à ma grandeur ; tu veux que je vende mon honneur et ma grande renommée dans le peuple en échange de ce métal puissant et dangereux ?

« — Non ! Je le jure sur mon épée, dit le prince ; cette idée ne m'est pas venue à l'esprit.

« — Alors, que dois-je faire de cet or ?

« Le prince fut légèrement embarrassé :

« — Voilà une question qu'on ne m'a pas encore posée. Si tu n'as que faire de cet or pour ton propre usage, tu es libre de le donner aux pauvres gens de la place du marché.

« Fath se taisait, et regardait l'or dans sa main. Puis il dit :

« — Je pourrais, comme l'homme dans le conte des *Quarante Voleurs,* demander qu'on me prête le sac d'un mendiant, et, en le rendant, laisser par mégarde une pièce d'or dans le fond, de manière à convaincre les gens de mon opulence. Mais, monseigneur, cet acte ne ferait aucun bien, ni à moi, ni aux autres. Les autres exigeraient davantage que ce que tu m'as donné, et davantage que ce que tu pourrais jamais me donner. Ils ne m'aimeraient plus comme ils m'aiment en ce moment, et ne croiraient plus, non plus, à ma compassion ou à ma sagesse. Reprends ton or, le mendiant t'en supplie : l'or est mieux dans ta poche que dans la mienne.

« — En ce cas, que puis-je faire pour toi ?

« Fath réfléchit, et son visage s'éclaira comme celui d'un enfant :

« — Écoute-moi, mon seigneur, dit-il. Je me suis souvent imaginé une scène, dont tu pourrais faire une réalité, si tu le voulais : envoie, un jour, ton plus beau régiment de cavalerie, son capitaine en tête, traverser à cheval la place du marché. Je serai assis sur la place ce jour-là, et quand tes cavaliers arriveront, je ne bougerai pas pour les laisser passer. Ordonne à ton capitaine, qui sera très surpris et effrayé en me voyant, d'arrêter tout le régiment pour que personne ne me touche, et de l'arrêter assez brusquement pour faire se cabrer tous les chevaux fougueux. Ordonne-lui, ensuite, après que j'aurai fait signe de ma main, de reprendre la chevauchée, et de passer sur moi, mais avec un peu de précaution pour que les chevaux ne me blessent pas.

« Voilà ce que tu peux faire pour moi, monseigneur !

« — Quelle folle invention, Fath ! rétorqua le prince en souriant. Il n'est jamais arrivé que mes cavaliers aient passé sur un de mes sujets dans la rue ou sur la place du marché !

« — Si ! dit Fath, la chose est arrivée, et ma mère a été tuée.

« Le prince resta un moment absorbé dans ses pensées :

« — Vanité des vanités ! dit-il enfin, tout est vanité ! Avant ce soir j'avais appris à la cour bien des choses sur la vanité des hommes, mais j'en ai appris bien plus auprès de toi, un mendiant. Il me semble que la vanité peut nourrir celui qui meurt de faim, et tenir chaud au mendiant dans ses haillons. Est-ce vrai, Fath ?

« — Mon prince ! répondit Fath, dans une centaine d'années, on écrira dans les livres que Nasrud-Din était un prince qui gouvernait le royaume de Perse de telle façon que les plus pauvres de ses sujets estimaient que leur vanité était pleinement satisfaite lorsqu'ils mouraient de faim dans leur manteau déchiré de mendiants, contre les murs de Téhéran.

« Une fois de plus, le prince se drapa dans son manteau et tira un des pans sur sa tête :

« — Je m'en vais ! dit-il. Bonne nuit, Fath ! J'aurais aimé revenir un soir pour bavarder avec toi, mais mes visites finiraient par détruire ton prestige. Je veillerai à ce que, à partir d'aujourd'hui, tu puisses rester assis en paix près du mur. Et que Dieu soit avec toi !

« Sur le point de s'en aller, il s'arrêta :

« — Un mot de plus avant de te quitter, dit-il avec une certaine hauteur : J'ai entendu dire que tu vis avec une femme, qui, dans les tavernes de la place du marché, donne des représentations avec un âne. Il est bon que mon peuple sache que je désire connaître ses conditions de vie et que je désire même les partager. Mais tu prends une grande liberté avec ma personne, en me faisant, en quelque sorte, marcher sur les traces d'un âne. A partir de ce soir, il faut t'arranger à ne plus voir cette femme.

« Je n'avais pas deviné que cette particularité de la vie du mendiant avait aussi profondément touché le prince. Ce n'est que maintenant que je m'apercevais combien il en avait été choqué et offensé, et combien, à ses yeux, Fath avait pris à la légère des choses véritablement nobles et sacrées ; car Nasrud-Din n'était pas seulement un prince, mais un homme très jeune.

« Aux paroles du prince, Fath parut extrêmement troublé et consterné ; il baissa les yeux et se tordit les mains :

« — O mon seigneur ! s'écria-t-il ; cet ordre me frappe cruellement ! Cette femme est ma femme ! C'est son métier qui me fait vivre !

« Le prince regarda longuement le mendiant :

« — Fath ! finit-il par dire avec bonté et d'un air royal, si, dans ce qui nous concerne, toi et moi, c'est toujours moi qui cède, je ne sais pas moi-même si je le fais par faiblesse ou par une sorte de force. Dis-moi, mendiant de Téhéran, ce que tu penses, toi, au fond du cœur.

« — Mon maître ! dit Fath, toi et moi, le riche et le

pauvre de ce monde, nous sommes deux cassettes fermées à clé, et chacune d'elles contient la clé de l'autre.

« En rentrant au palais à la fin de la soirée, je vis que le prince était tout pensif et troublé jusqu'au tréfonds de son âme. Je lui dis :

« — Ce soir, Votre Altesse aura fait une nouvelle expérience concernant la grandeur et le pouvoir des princes.

« D'abord, le prince Nasrud-Din ne me répondit pas ; mais, lorsque, étant sortis des rues étroites et malodorantes, nous parvînmes dans les quartiers plus riches et plus imposants de la ville, il dit :

« — Je ne circulerai plus déguisé en mendiant.

« De retour au Palais royal, vers minuit, nous dînâmes ensemble. »

C'est ainsi que se termina l'histoire d'Æneas.

Le conteur se renversa contre le dossier de sa chaise, sortit de sa poche du papier à cigarettes et du tabac, puis roula une cigarette. Charles avait écouté attentivement le récit. Mais, sans dire mot et en ne regardant que la table. Quand son ami se tut, il leva les yeux comme un enfant qui s'éveille. Il se rappela l'existence du tabac et, suivant l'exemple d'Æneas, roula une cigarette. Les deux hommes, assis en face l'un de l'autre, fumèrent tranquillement en suivant du regard la colonne bleue vaporeuse qui montait dans l'air.

— Voilà une belle histoire ! dit enfin Charles. — Et il ajouta : — Il est temps de rentrer chez moi, je crois que je dormirai bien cette nuit.

Mais, après avoir fumé sa cigarette jusqu'au bout,

lui aussi s'appuya au dossier de sa chaise, et dit d'un air rêveur :

— Non ! votre histoire n'est pas très bonne en réalité ; mais il y a des passages qui, développés, pourraient fournir la matière d'une belle œuvre.

DU MÊME AUTEUR

Aux Éditions Gallimard

LA FERME AFRICAINE, *récit.*

LE DÎNER DE BABETTE, *nouvelles.*

OMBRES SUR LA PRAIRIE, *nouvelles.*

NOUVEAUX CONTES D'HIVER

LES CHEVAUX FANTÔMES ET AUTRES CONTES

Sous le pseudonyme de Pierre Andrézel

LES VOIES DE LA VENGEANCE, *roman.*

Impression Bussière à Saint-Amand (Cher),
le 22 septembre 1982
Dépôt légal : septembre 1982.
Numéro d'imprimeur : 1241.

ISBN 2-07-037411-4/Imprimé en France.

30667